岩 波 文 庫

34-028-1

モーゲンソー

国 際 政 治

――権力と平和――

（上）

原 彬 久監訳

POLITICS AMONG NATIONS

The Struggle for Power and Peace

Fifth Edition, Revised

by Hans J. Morgenthau

Fifth Edition, Revised, originally published 1978
by Alfred A. Knopf, Inc., New York.
This Japanese edition published 2013
by Iwanami Shoten, Publishers, Tokyo
by arrangement with
McGraw-Hill Global Education Holdings, LLC, New York
through The English Agency (Japan) Ltd., Tokyo.

目　次

本書の構成

〔翻訳分担〕

（監訳者）

原　彬久　日本語版への序文、第一部、第一〇部担当

＊

織　完　初版序文～改訂第五版序文、第五部担当

高柳先男　第二部担当

星野昭吉　第三部担当

許　世楷　第四部担当

波多野里望　第六部担当

三輪公忠　第七部担当

東寿太郎　第八部（第二三章～第二七章）担当

筒井若水　第八部（第二八章）、第九部担当

凡例

一、原典において次の(1)〜(4)に該当するものは、日本語版では「 」で示した。

(1) イタリック体(斜体)の固有名詞(ただし、書名および新聞・雑誌名は除く)。

(2) 大文字の固有名詞、あるいは大文字による強調語句のうち、とくに訳出上必要と考えられるもの。

(3) 引用符(" ")。

(4) 以上三項以外でも訳出の都合上とくに必要と考えられるもの。

二、原典におけるイタリック体の書名および新聞・雑誌名は『 』で示した。

三、上記一の(1)および二を除くイタリック体は、その訳出文字に傍点を付した。

四、原典の〔 〕は原則として——または( )にするが、この符号を取り払って訳出した場合もある。

五、原典の——はそのまま——にする場合とこれを取り払う場合がある。原典に——がない場合でも適宜——を使っている。

六、原典の( )はそのまま( )にした。

七、原注の番号は、章ごとに通し番号を付し、各巻末にまとめた。

八、訳注は〔 〕で示した。

九、原典における引用文は、既訳がある場合でも、モーゲンソーの引用文（英語版）そのものを訳出するよう心がけたため、既訳を参考にしつつ引用文を訳出したケースが少なくない。既訳者諸氏に厚くお礼申し上げたい。

十、原典の各版「序文」は、日本語版では逆順にした。

十一、原典の巻末にある付録類は割愛した。

十二、原典の巻末にある索引は人名のみの索引にした。

モーゲンソー 国際政治（上）

わが父を偲んで

日本語版への序文

本書が最初に出版されたのは一九四八年である。今回のこの本はその第六版であり、便宜的な理由から改訂第五版と呼ばれるものである。そしてこの著作は、三〇年以上にわたってアメリカで最も人気のある国際関係論のテキストとして生きつづけてきたのである。

過去三〇年間に国際関係において生起した巨大な変化を考えると、なぜこの本が広く読まれてきたのかを自問することは興味あることである。いいかえれば、なぜ『国際政治』が国際関係の大きな変化にもかかわらずその知的魅力をもちつづけてきたのか、ということである。その解答はこの著書の本質そのもののなかにあるように思われる。つまりこの本は、絶えず変化する事象および問題を、主としてこれら自体の立場から扱うのではなくて、一般原理の特定のケースとして処理するものである。そしてこれら一般原理は、既知の歴史を通じてつねに同一のものとして存続してきたし、だからこそ、この一般原理に取り組む本書は、時間の経過があってもその現実性を失うことがないのである。

『国際政治』は時の流れによく耐えてきたばかりではない。それは、特定の文化や地域の限界をも克服してきた。この本が、ヨーロッパやアメリカの文化から生まれ、主としてこれらの地域からその歴史的な事例を引いてきたことは自明である。しかし本書の有効性は、それが一般原理を扱っているがゆえに、ある特定の文化ないしはある特定の地理的領域によって制約されるということはない。また本書は、それが生まれたアメリカの対外政策に関心をもつだけではなく、文化的・地理的境界を超える普遍的な論点および問題とも取り組んでいるのである。

一九七九年四月九日

ニューヨーク州、ニューヨーク市にて

ハンス・J・モーゲンソー

初版への序文

本書は、著者が一九四三年以来シカゴ大学で行なってきた国際政治学の講義を基礎にして書かれたものである。本書の内容は、国際関係論コースの伝統的な主題にわたっているが、その力点は、国際法、国際機構および外交史の分野における基本的な諸問題におかれている。

本書の刊行にあたっては、学生諸君に多くを負っており、心から感謝している。とりわけ、学生諸君の活発なクラス討論は、本書で取り上げられている諸問題について、著者の考えを整理するのに役立った。また、本書の公刊のために特別の便宜をはかってくれた学生諸君は数多いが、ここで幾人かの名前を挙げておきたい。メアリー・ジェーン・ベネディッツ嬢は、一九四六年の二学期に行なわれた講義とクラス討論の速記原稿を作成してくれた。事実、同嬢のこの知的水準の高い、しかも周到な作業が、著者の講義の唯一の記録を提供してくれたのである。そして、この速記録なくしては、本書が一年有余の短期間に完成されることはなかったであろう。また、アルフレッド・ホッツ君は、本書の初期段階における研究を立派に手伝ってくれた。しかし、研究の支援の重荷を一手に引き受けてくれたのは、何といってもケネス・W・トンプソン君であり、卓越した能力と献身をもって同君はこの作業にあたられたのである。本書所収の地図の原図案はチャールズ・R・ジョーンズ氏が作成し、図表の方はジョン・ホートン氏の手を煩わせた。

私は、シカゴ大学政治学科長として可能な限りの援助を与えてくれたレナード・D・ホワイト教授に深謝している。本書の研究、執筆がこのようにはかどったのも、同教授のご理解によるものであった。また、ノートルダム大学のウォルドマー・ガリアン教授、およびシカゴ大学とロンドン・スクール・オブ・エコノミックス校のエドワード・A・シルズ教授は、拙稿を読む労をとられ、両教授の助言と批判の恩恵を受ける機会を著者に与えてくれた。同様に、シカゴ大学の多くの同僚も、専門的な諸点について助言してくれた。本書の表題に何らかのメリットがあるとすれば、その功績はすべてチャールズ・M・ハーディン教授に帰せられるべきである。というのは、本書の表題は同教授の示唆に基づいて選ばれたからである。シカゴ大学社会科学研究委員会は、本研究に財政面で多大の援助を惜しまなかったし、同委員会の事務職員の方々も長い期間を通じて有能なサービスを提供してくれた。これらすべての方々のご尽力に対して深い感謝の意を表する次第である。

次の出版社および学術雑誌は、既刊の資料を本書に収めることを快く許可された。すなわち、*American Journal of International Law* 誌、*Columbia Law Review* 誌、*Ethics* 誌、*Review of Politics* 誌、University of Chicago Press および *Yale Law Journal* 誌である。

イリノイ州、シカゴ市にて

ハンス・J・モーゲンソー

第二版への序文

本書の第二版でなされた大幅な改訂は、アメリカの知的風土、世界政治の諸条件、および著者の考え方における、過去六年間の新しい展開によるものである。

一九四七年に本書が執筆されたとき、それはある意味で過去二〇年間の著者の知的経験を集約したものであった。つまりそれは、国際政治の本質に関する、孤独で一見効果のない思索の経験であった。またそれは、対外政策についての誤った考え方——これを西欧民主主義諸国は実行に移したのだが——が、全体主義および戦争の脅威と現実をいかに不可避的にもたらしたかについての、わびしくて無駄に見える思索の経験でもあった。本書が最初に書かれた当時、対外政策についてのあの有害かつ誤った考え方はまだ優勢であった。本書は、実はこのような考え方に対する正面攻撃であり、それ以外の何物でもなかったといえよう。したがって、本書は批判者の誤謬が根源的なものであっただけに、自己の思想についても根源的でなければならなかった。しかし、この戦いにほぼ勝利をおさめた今日では、論争を呼ぶという当初の目的は、著者の立場を強化するという仕事に道を譲ればよいのである。つまりこの目的はもはや達せられる必要はなく、ただ擁護されて新しい経験に適用されればよいのである。

本書の改訂を必要とした過去六年間の政治的な経験のうち、とくに顕著なのは次の四つの事象である。すなわち、㈠世界政治構造における新しい傾向の出現、㈡植民地革命の進展、㈢超国家的な地域組織の確立、㈣国際連合の諸活動、である。一九四七年には、世界政治の二極システムが二陣営システムへと変容していく兆候がみられたが、ここ数年間、これに逆らう新しい傾向があらわれてきた。また、植民地革命がアジア、アフリカ地域の相当部分に広がりその激しさを増してきた。それは、世界政治における新しい勢力として登場し、新しい問題を生み、そして新しい政策の展開を必要としてきている。したがって、この新しい第二版では、われわれは、人びとの心をめぐる闘争というものを、外交と戦争という国際政治の伝統的な次元に加えられるべき新しい次元として認識しているのである。初版では、主権的民族国家は退行しつつあることを強調したが、本版では、ヨーロッパ石炭鉄鋼共同体や北大西洋条約機構——幾つかの国はこういったものをつうじてある共通の利益を追求している——のように、新しい超国家的組織を創設しようという試みに注意を払っている。また初版では、新たに設立された国際連合について、一般に抱かれていた幻想的な期待に対して警告しなければならなかったが、この第二版では、われわれは国際連合が実際に成就した諸成果を考慮に入れることができる。もっとも、この成果は、政治の領域で国際連合が達成することを意図しかつ達成すると期待されたものとは根本的に異なるものではあった。さらに、朝鮮戦争の経験はいたるところで本書の理論的枠組みのなかに取り入れられている。

知的風土と政治状況におけるこのような展開によって、著者の思考が影響を受けたのは事実である。しかしそれにもまして、本書の諸ページに表明されている政治哲学にとって重要なのは、本書初版から第二版にかけての著者の考え方における独自の進展であった。この間に著者の考えは精緻化され、明確化され、洗練され、かつ修正された。その結果、まず序論的な章をつけ加え、本書の基底をなす哲学の幾つかの基本的な教義をとくに強調することにした。次に、政治権力、文化的帝国主義、世界世論、軍縮、集団安全保障、および平和的変更といった概念も検討され、再定式化され、さらにそれらは、ここ数年間にもたらされた新しい情勢変化の分析に適用された。また、封じ込め、冷戦、非同盟諸国、ポイント・フォー・プログラム〔対低開発地域援助〕などの新しい考え方も取り入れられ、いろいろの側面において論じられている。国内政治が対外政策に及ぼす影響も大いに強調された。この国内政治の重要性を認識して、政府の質という要因が国力の新しい要素として導入され、外交の新しい方式が、対外政策と国内政策との関係を規制するものとして取り入れられている。最後に本書では、バランス・オブ・パワーと国際法との相互関係——それは、国際法の数多くの代表的な著者によって認識され、オッペンハイムの著書の初版においても力説されていたが——は、国際政治の理論における、その妥当な地位を再び与えられている。

本書の第二版は、初版が受けた評価に多くを負っているといえよう。初版に対する批判的論稿は本書の諸ページに反映されているが、そのなかでとくにハロルド・スプラウトとアーノルド・ウォルファーズのものを挙げなくてはならない。ジョージ・ペティーは、戦争の技術に関する論述について幾つかの事実関係の誤りを指摘してくれた。また、数多くのご教示に従って、私は初心者の理解を助けるために歴史的な引照例をさらに詳しく説明した。同様の目的で、本文中の人物や事件のなかでとりわけ重要と思われるものについては簡単な説明を付した「人名・用語解説」を設けた〔本訳書では割愛〕。さらに、地図を書き改め、新しい地図と図表も加えた。

当人がかつて抱いたこともない考えのために非難されるのは、「論争を呼ぶ」主題を扱うすべての著者の宿命である。このような意味で誤解されるグループへの仲間入りは、長い目からみれば慰めともなろう。だが短期的には、著者が言明していないのみならず、明示的にかつ繰り返し反論ししかも嫌悪さえ感じている考えのために、著者が非難されるということは愉快なことではない。読む前に話したがり、知る前に判断したがる人びとに対して、私は、モンテスキューが『法の精神』の読者に宛てた次のような訴えをここでお目にかけなければなるまい。

「認めていただけるかどうかわからないが、私には一つお願いがある。それは、少し読んだだけで二十年の仕事を判断しないこと、片言隻句ではなく、この本の全体を是認するなり否認するなりすることである。著者の意図を探ろうとすれば、それはひとえにその著作の意図の中にしか見出しえない。」(野田良之他訳『法の精神』(上)、岩波書店、一九八九年、三三ページ)

さて、この第二版を準備するにあたり、著者を助けてくれた方々に感謝の意を表明することは誠にうれしい義務である。著者の同僚であるチャールズ・ハーディン、レオ・ストラウス、それにケネス・トンプソンの諸氏は、新しく起草された第一章について幾つかの示唆を与えてくれたし、シカゴ大学アメリカ対外政策研究センターの下記のスタッフの方々からも貴重な援助を受けた。ルイーズ・ローズ嬢は原稿と索引の作成を手伝ってくれた。同嬢ならびにマーガレット・ディームズ・コックス、ロバート・ハッタリー、ミルトン・ラコーブの諸氏は、研究の面でも助力を惜しまれなかった。「人名・用語解説」についてはロバート・オズグッド博士の手を煩わせた。また、アルフレッド・A・クノップフ社大学部のジョン・T・ホーズとジェラルド・ゴットリーブの両氏の理解と協力にはとくに感謝している。

既刊資料の利用を許可された次の各出版社および学術雑誌に対しここで謝意を表したい。すなわち *Academy of Political Science*, *American Political Science Review* 誌、*American Society of International Law* および *Review of Politics* 誌である。

イリノイ州、シカゴ市にて

ハンス・J・モーゲンソー

第三版への序文

本書の第三版では、五年前になされた第二版の改訂作業を引きつづき行なっている。著者にも読者にも有益なこのような改訂がつねに必要であること自体が、本書の基本的な理論的主張のひとつを強調するものである。しかも本書の立場は、第一章で敷衍されることになるが、次のような信念に基づくものである。つまり、政治的なことがらに関しては客観的な、しかも普遍的に有効な真理があるということ、この真理は人間の理性によって接近可能であるということ、そしてその真理は、時代を貫いて絶え間なく変化する諸形態《ゲシュタルト》のなかで具現されているとともに、それらへ方向づけられているということ、である。したがって、政治的な真理というものは、経験的な表象面においてだけではなく、それが推しすすめる目的においても、時代の産物なのである。たとえば、ほぼ同程度の国力をもつ諸国家によって成立していた、一八、一九世紀の多様なバランス・オブ・パワーは、その基底にある原則は同じであっても、二〇世紀中葉の二極的な均衡とは異なっているようにみえる。一八、一九世紀のイギリスにおけるバランス・オブ・パワーの性質を論ずることは、自明のものを説明することであり、数世紀間の政治的経験をつうじて誰もがすでに知悉しているものを明白にすることであった。逆に、一九三〇年代および四〇年代のアメリカにおける対外政策の永続的要素としてのバランス・オブ・パワーに論及することは、ひとつの事実を明らかにすることであった。すなわち、バランス・オブ・パワーの存在に気づいた人が非常に少なく、たいていの人がバランス・オブ・パワーをきわめて異端的で常軌を逸した過去の遺制であると考えていた、という事実である。

本書で提示されている国際政治の理論を、第二版が書かれた後の政治環境の諸変化に照らして検討した結果、私は、その仮説、教義、および理論構造を修正はしないが、その重点のおきどころを変更したり、ところどころさらに詳しく説明する必要があると感じた。つまり、力《パワー》という中心的な要素は、全く無視されるというところまで過小評価されたあと、今日では、物質力とくに軍事的な力と同一視されがちであるが、この力という中心的な要素についての誤解に対抗して、私は以前よりもさらに力の非物質的な側面をとくにカリスマ的な力という形で強調したし、同時に、政治的イデオロギーの論議も詳しく扱った。また、同盟が現代の世界政治に突きつけている諸問題にかんがみて、同盟の理論に関する一節を加えると同時に、バランス・オブ・パワーについての論議をさらに広げた。国際法の章からはその技術的な側面の細部を削除し、核軍縮とヨーロッパ共同体についての節をつけ加えた。そして、最近の国際政治の進展に照らして、平和的変更に関する章を拡大し、国際連合の章も完全に書き改めた。

今日広く行なわれている議論の最先端に位置している幾つかの一般的な問題——たとえば、核戦争の全面的破壊性という点からみて、対外政策の手段としての総力戦的暴力の行使は時代遅れであること、核のバランス・オブ・パワー、全面核戦争と限定戦争との関係、超国家組織の必要性とそれへの志向、前植民地における新しいナショナリズム、民族国家の時代遅れの性格など——の解明に、ここで展開されている国際政治の理論がどの程度有効であるかを、私はとくに注意しながら検討した。一見新奇に思われるこれらの現象や問題のうち、全面的暴力が時代遅れになったということだけは本当に先例のないことであり、それは本書の初版でも指摘したとおりである。その他の事象は、国際政治の永続的な諸原理が新しい政治的もしくは技術的環境のなかで特定の形態をとって表出したものにすぎないのである。

私は自分と同じような経験をしたモンテスキューに共感をおぼえて、第二版の序文で「当人がかつて抱いたこともない考えのために非難される」著者たちの宿命を嘆いた。

だが、私はいまもなおこの種の批判にさらされている。民族国家は時代遅れであり、民族国家を機能的な性格をもつ超国家組織に併合する必要があるという主張が、すでに一九四八年刊行の本書初版の主要な論点のひとつであったにもかかわらず、私は相変わらず、民族国家を基礎とする国際システムの恒久性を信じている、といわれているのである。また私は、成功を政治行為の基準にしているともいわれている。とはいえ、はやくも一九五五年に、私に対してなされているのとまさに同じ論法でもって、そのような政治の考え方を私自身が論破していたのである。そして、本書や他のところで提示されている多くの反証にもかかわらず、確かに、私は道義的な問題に無関心であると現在でも非難されている。

この第三版は、著者がプリンストン高等研究所に滞在中に執筆されたものである。マリアン・G・ハーツ夫人、ジョーン・オグデン嬢の有能な援助に心から謝意を表したい。また、以前 *Commentary* 誌と *Confluence* 誌に掲載された資料の利用を許可されたことについても感謝している。

ニュージャージー州、プリンストンにて

ハンス・J・モーゲンソー

第四版への序文

この第四版の課題は、第二版、第三版と同様に内容を最新のものに改め、本書に展開されている種々の概念および理論命題をより精緻なものにすることである。事実関係の修正についていえば、国連の最近の衰退と国連憲章の改正、具体的には、安全保障理事会と経済社会理事会の構成国の変更や、選挙および投票手続きの変化にかんがみて、国連に関する章をほとんど書き改めた。また、概念および理論枠組みの精緻化をはかるために、帝国主義、威信、核戦争、同盟に関する部分についてかなりの追加を行なった。さらに軍縮と対比する意味で、軍備管理に関する項を新たに書き加えた。いつものことながら、著者は、本書に対する、あまりにも数少ないとはいえ真剣な分析的批判から得るところが多々あったが、とくに有益であったものとしてケネス・E・ボールディングの批評――*Journal of Conflict Resolution*, Vol. VIII, No. 1 (March 1964)――を挙げておきたい。

国際政治に対する著者の理論的アプローチが、学界で現在流行しているさまざまなアプローチ——政治行動論、システム分析、ゲーム論、シミュレーション、そして、方法論一般——とちがうことが明らかであるところから、この分野において現在一般的であると思われる傾向に対し、なぜ著者の立場を明確にしかつ正当化しないのかとときどき訊かれるが、そうする意志はない。というのは、一般に観念的な論争が、真理の探求を進展させることはなく、結局その論争がはじまったときと同じ状態に論点を放置しておくものであることを、著者は歴史的経験と個人的経験の双方から学んだからである。そもそもある理論の成否にとって決定的なのは、知る価値がありかつ理解する価値がある諸現象をわれわれが知り理解するのに、その理論がどれほど役に立つかということであろう。つまり、理論の成否は、その認識論上のこじつけや新しい方法の開拓によってではなく、その結果によって判断されなければならないのである。アンリ・ポアンカレは、科学を、「最も多くの方法をもちながら最も少ない結果しか産出しないもの」としたが、これは方法論的関心と実質的な諸結果との間に一般に存在する反比例関係を正確に指摘したものである。著者がここ数年間読みかつ学んだいかなるものも、国際政治の理論的把握は比較的狭い範囲でのみ可能であり、また、国際関係理論の徹底的な合理化についての現在の試みは一七世紀以来の同様の試みと同じように不毛なものになる、という著者の確信をひるがえすことはできなかった。これらの試みは、研究者が分析対象としている経験的世界の本性に逆らうものである。またこれらの試みは、合理的整合性を追求するあまり現実を歪めるような教条主義に終わることにもなろう。つまり、「われわれは、毎日とはいわないまでも毎年、われわれの救いを不完全な知識に基づいた何らかの予言に賭けているのだ」というオリヴァー・ウェンデル・ホームズの大胆な諦観から逃れることはできないように思われるのである。

社会科学全般、とくに政治学についての著者自身の考えは、*Scientific Man vs. Power Politics* (Chicago: University of Chicago Press, 1946; Phoenix ed., 1965), および *Politics in the Twentieth Century*, Vol. I, *The Decline of Democratic Politics* (Chicago: University of Chicago Press, 1962) の第一部、第二部に述べてある。著者の考えをさらに徹底的かつ見事に展開した諸論稿に関心のある方々はクリスチャン・ベイの全般的な批評、"Politics and Pseudopolitics: A Critical Evaluation of Some Behavioral Literature," *American Political Science Review*, Vol. LIX, No. 1 (March 1965), pp. 39ff. とともに、ソール・フリードレンダーの "Forecasting in International Relations," *Futuribles: Studies in Conjecture*, Bertrand de Jouvenel, editor, Vol. II (Geneva: Droz, 1965) を参照されたい。

この第四版を準備するにあたり、ジャクリーン・カーリーとリチャード・シャーフから受けた援助に対して謝意をここに表する次第である。

イリノイ州、シカゴ市にて

ハンス・J・モーゲンソー

第五版への序文

この第五版では、内容を最新のものに改め、概念や理論命題を精緻なものにするという二点において、従来以上に広範な改訂を行なっている。というのは、一九六七年の第四版刊行以来、国際政治は、第二次世界大戦終結以後のどの時点におけるよりも重大な変化を遂げてきたからである。つまり、西側諸国がヨーロッパにおける領土の現状維持を明示的に認めたことによって、冷戦は終わりを告げたし、一時超大国の対外政策を特徴づけたイデオロギー志向も、まだ完全になくなったわけではないが、確実に減少している。また、中国は潜在的な第三の超大国として国際政治の舞台に登場してきたし、日本と西ドイツは、国際政治のなかで自主的な役割を探求しつつある。さらに、ヴェトナム戦争はアメリカの力に大きな影響を与え、国連は相変わらず衰退しつつあるといえよう。これらの出来事は、本書の諸概念や理論命題の有効性を損なうものとはならないが、概念や命題を具体的事例に適用するさいには考慮に入れなければならないものである。

さて、このような政治的出来事の進展によって必要とされる改訂とは別に、従来から積み重ねられてきた政治の基本的概念についての考察によって、権力に関する論述はこの第五版では相当拡大された。しかもそれは主として、政治権力の現代的な発現形態を認知できるような識別基準を導入している。また、ヴェトナム戦争の経験から刺激を受けて、本版では政治予測に関する分析をさらに充実するとともに、外交政策の遂行における非合理的要因も体系的に強調されるようになった。

著者は、国際政治の学問分野において目下はやりのさまざまなアプローチに反論すべきであるという忠告を相変わらず拒否しつづけている。その理由については、第四版への序文でふれているが、ここでは前版で挙げた著者自身の著作のほかに、*Truth and Power* (New York: Praeger, 1970), No. 23をつけ加えておくことにする。さらに、行動科学に対する批判はますます増える傾向にあるが、その文献の例として、Christian Bay, "Politics and Pseudopolitics: A Critical Evaluation of Some Behavioral Literature," *American Political Science Review*, Vol. LIX, No. 1 (March 1965), pp. 39 ff.; Hedley Bull, "International Theory: The Case for a Classical Approach," *World Politics*, Vol. 18 (1966), pp. 361-77; David Easton, "The New Revolution in Political Science," *American Political Science Review*, Vol. LXIII (1969), pp. 1051 ff.; Saul Friedlaender, "Forecasting in International Relations," *Futuribles: Studies in Conjecture*, Bertrand de Jouvenel, editor, Vol. II (Geneva: Droz, 1965); C. W. Harrington, Letter to the Editor, *American Political Science Review*, Vol. LX (1966), pp. 998; John H. Herz, "Relevancies and Irrelevancies in the Study of International Relations," *Polity*, Vol. IV, No. 1 (Fall 1971), pp. 25–47; Charles A. McCoy and John Playford, *Apolitical Politics: A Critique of Behavioralism* (New York: Crowell, 1967); Robert Strausz-Hupé, Letter to the Editor, *American Political Science Review*, Vol. LX (1966), pp. 1001–4; Frederick L. Schuman, Letter to the Editor, *American Political Science Review*, Vol. LXI (1967), p. 149; Martin Wight, "Why Is There No International Theory? " *Diplomatic Investigations*, Herbert Butterfield and Martin Wight, editors (Cambridge: Harvard University Press, 1966) を挙げておこう。

ニューヨーク州、ニューヨーク市にて

ハンス・J・モーゲンソー

改訂第五版への序文

この改訂第五版は、そのすぐ前に公刊された第五版よりも、第四版までの諸版に類似する性格をもつものである。つまり、本版は、その大筋において、既刊の諸版で展開されてきた対外政策の基礎的な諸原則を再陳述したものにほかならないといえる。そういうわけで、本書は、第五版で導入された新しい諸要素を、それらに重要かつ実質的な変更を加えることなく、精緻化し、詳しく説明するものである。いいかえれば、この改訂版は、有機的かつほとんど必然的な方法で、従来の諸版の作業を継続するものといえよう。今回の徹底的な再検討でわかったことは、対外政策面での最近の出来事の多くは、既刊の諸版にすでに包摂されている理論的考察によって予期されていたということであり、したがって、それらの理論的考察に追加的な説明を行なう必要はなかった、ということである。

ただ、本改訂版の文献リスト〔本訳書では割愛〕については特別の注意を払っていただきたい。というのは、相当量の文献が同リストから削除されているし、また多くの新しい文献が加えられているからである。

ニューヨーク州、ニューヨーク市にて

ハンス・J・モーゲンソー

第一部　国際政治の理論と実践

第一章　リアリストの国際政治理論

本書は国際政治の理論を提示しようとするものである。このような理論は、テストによって吟味されなければならないが、そのテストは先験的かつ抽象的なものではなくて、経験的、実際的なものである。いいかえれば、この理論は、あらかじめ考えられたある抽象的な原理とか、あるいはリアリティに関係のない概念によってではなくて、その目的によって、すなわち膨大な現象——これは、理論なくしては、まとまりのない理解しにくいものになるであろう——に秩序と意味をもたらすことができるかどうかによって評価されなければならないのである。理論は二重のテスト、つまり経験的なテストと論理的なテストを受けなければならない。現にあるがままの諸事実は、理論が事実に基づいてそれまで下してきた解釈に一致しているだろうか。また、理論が到達する結論は、その前提から論理必然的にでてくるのだろうか。簡単にいえば、理論は事実と一致し、なおかつその理論自体のなかで首尾一貫しているだろうか、ということである。

この国際政治理論が提起する問題点は、あらゆる政治の本性に関連する。近代政治思想の歴史は、人間、社会、および政治の本性に関する考え方において根本的に異なる二つの学派の競合の歴史である。一方は、合理的かつ道義的な政治秩序——これは、普遍的に妥当する抽象的な原理に由来する——がいますぐにでも実現されうると信ずる。この学派は、人間性が本質的に善であり無限の順応性をもつと仮定する。そしてそれは、社会秩序がその合理的な水準に到達できないのは、知識や理解力の欠如、時代遅れの社会制度、あるいは、孤立している一部の個人ないし集団の腐敗のせいであるとする。この学派は、いま述べた欠陥を改善するために教育と改革を信ずるのであり、ときには物理的な力の行使に頼るのである。

いまひとつの学派は、世界とは合理的な視点からみて不完全なものではあるが人間性に固有な諸力の結果である、と信ずる。世界を改革するためには、人はこれらの力に逆らわずに、むしろその力に沿って事をすすめなければならないのである。この世界は本来、相反する利害の世界であり、利益と利益の対立する世界である。したがって道義原則が完全に実現されるということはありえないのである。諸利益を絶えず一時的に均衡させることによって、また、対立をいつも不安定な形で解決することによって、せいぜいその道義原則が実現に近づけられるということにすぎない。こうしてこの学派は、あらゆる多元社会に共通する普遍的原理を抑制と均衡のシステムのなかにみてとるのである。それは、抽象的な原理よりもむしろ歴史的先例に訴えるのであり、絶対善の実現よりもむしろ、より少ない悪の実現を目ざすわけである。

あるがままの人間性と、実際に起こる歴史的過程とに対するこの理論的な関心から、ここで述べられる理論はリアリズムと名づけられるようになった。政治的リアリズムの教理とは何であろうか。政治的リアリズムの哲学に関する体系的説明は、ここではなされない。ただ、次のような六つの基本原理――これらはしばしば誤解されてきたが――を選んで挙げておけば十分であろう。

政治的リアリズムの六つの原理

〔一〕政治的リアリズムの考えからすれば、政治は一般の社会と同様、人間性にその根源をもつ客観的法則に支配されている。社会をよくするためには、その社会を動かす法則を理解することがまず必要である。これら法則の作用は、われわれの価値選好に左右されることはない。したがって、もし人びとがこの法則に挑戦すれば、必ずや手痛い失敗の憂き目をみることになろう。

リアリズムは、政治の法則の客観性を信じている。したがってリアリズムは、合理的な理論を発展させる可能性を信じなければならない。しかもこの合理的な理論は、いま述べた法則の客観性を、いかに不完全かつ一面的にではあっても、反映しているのである。その場合、リアリズムはまた、政治において真理と意見——すなわち、客観的かつ合理的に真理であり、証拠によって裏付けられ理性によって解明されるものと、あるがままの事実からかけ離れて偏見と希望的観測に鼓舞された単なる主観的な判断であるもの——とを識別することができる、と信ずるのである。

政治の法則は、人間性のなかにその根源をもつ。そしてこの人間性は、中国、インドおよびギリシアの古典哲学がこれら政治の法則を発見しようと努めて以来ずっと変化していない。したがって、政治理論においては、目新しさが必ずしも長所ではないし、古い年代のものが欠陥をもっているわけでもない。ある政治理論が——仮にそのような理論があるとして——あまりに新しくてこれまで人びとの耳に入らなかった、ということであれば、われわれはこの事実から、その理論が健全であるという推測よりは、むしろ、そうではないのだという推測をしてしまいやすい。反対に、バランス・オブ・パワーの理論のように、ある政治理論が何百年または何千年も前に発展したという事実があるからといって、その理論は旧式で時代遅れである、という憶測が生まれるわけでもない。その理論政治理論は、理性と経験の二重のテストを受けなければならないわけである。その理論が栄えたのは何世紀も前であるという理由でこれを捨て去るのは、実は合理的な主張をしているのではなくて、過去に対する現在の優越を当然至極と考える近代主義的偏見を示しているにほかならないのである。このような理論の復活を「流行」または「気紛れ」として片付けることは、政治問題についてわれわれが意見をもつことはできても真理をもつことはできない、というに等しいのである。

リアリズムにとって理論とは、事実を確かめ理性によってその事実に意味を与えるものである。リアリズムは、実践される政治行動と、その行動がもたらす諸結果とを吟味することによって初めて対外政策の特徴を確かめることができる、と考える。こうしてわれわれは、政治家が実際に何をなしたかを知ることができるし、彼らの行動に由来する結果から、その目的がいかなるものであったかを推定することができるのである。

だが、事実の吟味だけでは不十分である。対外政策の現実の素材に意味を与えるためには、われわれは、一種の合理的な略図によって、すなわち対外政策の考えられるすべての意味をわれわれに示してくれる地図によって、政治のリアリティに接近していかなければならない。いいかえれば、われわれは、ある環境の下である対外政策の問題を扱わなければならない政治家の立場にみずからをおいて、次のように自問するのである。すなわち、これらの環境でこの問題に遭遇する政治家が合理的な選択肢からあるものを選択するとして、その合理的選択肢とはどのようなものなのか（彼が合理的に行動する、とつねに仮定しての話であるが）、そして、これらの環境の下で行動するこの特定の政治家が、いま述べた合理的な選択肢のうちのどれを選ぼうとするのか、ということである。実際の事実とその結果に照らしてこの合理的な仮説をテストしてこそ、国際政治の諸事実は理論的意味を与えられるのである。

〔二〕政治的リアリズムが国際政治という風景をとおって行く場合に道案内の助けとなるおもな道標は、力《パワー》によって定義される利益《インタレスト》の概念である。この概念は、国際政治を理解しようとする理性と、理解されるべき諸事実とを結びつける。それは、他の領域、たとえば、経済（富として定義される利益によって理解される）、倫理、美学、宗教とは別の、行動と理解の独立した領域として政治を設定するのである。もし、そのような概念がなければ、国際政治であれ、国内政治であれ、政治の理論は全くありえないことになる。なぜなら、それがなければ、われわれは政治的事実と非政治的事実とを区別できなくなるだろうし、政治的領域に、少なくともある程度の体系的な秩序をもたらすということさえできなくなるからである。

われわれは、政治家は力として定義される利益によって思考し行動する、と仮定する。そしてわれわれは、この仮説を歴史の証拠によって確かめることができる、と考える。

いってみれば、過去、現在、もしくは将来の政治家が政治舞台にしるしてきた、あるいはしるすであろう足どりを、われわれはこの仮説によってふり返ったり予見したりすることができるのである。政治家が公文書を書くとき、われわれはいわば彼の肩越しにそれをみるわけである。われわれは、政治家同士の会話を、あたかもそれを聞いていたかのごとく、知ることもできる。われわれは彼の思想そのものを読みとったり予測したりする。われわれは、力として定義される利益の観点から思考することによって、政治家が考えるように考える。さらに、政治舞台の行動主体である政治家が自分でその思想と行動を理解するよりも、多分一層よくわれわれの方が公平な観察者としてそれらを理解するであろう。

力として定義される利益の概念は、観察者に知的準則を与える。そしてこの概念は、政治の題材に合理的秩序を導入し、こうして政治の理論的な理解を可能にするのである。行動主体の側についていえば、この概念は、行動の合理的準則を与えてくれる。またそれは、対外政策にあの驚くべき連続性をもたらす。こういった連続性があるからこそ、アメリカとかイギリスとか、あるいはロシアの対外政策は、たとえ代々の政治家の動機や選好にちがいがあっても、さらには彼らの知的、道義的素養に相違があっても、それにかかわりなくそれぞれの国の内部ではおおよそ一貫した、合理的かつ理解しやすい連続体としてあらわれるのである。そこで、リアリストの国際政治理論は、動機とのかかわりおよびイデオロギー的選好とのかかわりという、よく知られた二つの誤謬に陥らないよう警戒するわけである。

対外政策の解明の手がかりをもっぱら政治家の動機のなかに求めることは、無益であると同時に人を誤解させる。なぜ無益かといえば、動機は心理学的データのうちで最も非現実的であるからである。つまり動機は、しばしば見分けがつかないほどに行動主体と観察者双方の利益および感情によって曲解されるのである。われわれは、自分の動機が何であるかを本当に理解しているだろうか。またわれわれは、他人の動機についていったい何を知っているであろうか。

しかし、われわれがたとえ政治家の真の動機を知りえたとしても、その知識は、対外政策に対するわれわれの理解にはあまり役立たないであろうし、多分われわれを惑わすことになろう。実際、政治家の動機についての知識は、彼の対外政策がどのような方向をとるのかという問題に関して、多くの手がかりのうちのひとつを、あるいはわれわれに与えてくれるかもしれない。つまりその知識は、彼の対外政策を予見するための唯一の手がかりをわれわれに与えてくれる、というわけではないのである。歴史は、動機の質と対外政策の質との正確かつ必然的な相関関係を何ら示してはいない。このことは、道義の側からも政治の側からもともにいえることである。

われわれは、政治家の対外政策が道義的に立派であるとかあるいは政治的に成功するだろうとかいうことを、彼の善良な意図から結論づけることはできない。われわれは、彼の動機から判断して、彼が道義的に悪い政策を故意に追求することはないだろうと論ずることはできても、その政策の成功する可能性については何もいえないのである。もしわれわれが彼の行動の道義的な質と政治的な質を知りたいなら、われわれはその行動をこそ知らなければならないのであって彼の動機を知る必要はない。政治家が世界を改革しようという欲求に動機づけられながら、結局は世界をさらに悪くしてしまうことがいかに多くあったことか。また彼らがある目標を追求して、結局は期待も望みもしなかったものを得てしまうということがどれほど多かったであろうか。

われわれが判断する限りでは、ネヴィル・チェンバレンの宥和政策は善良な動機に導かれたものである。彼は、他の多くのイギリス首相よりも、個人的権力の要件によって動機づけられるということはおそらく少なかったであろう。それどころか、彼は平和を維持しようとし、あらゆる当事者の幸福を確かなものにしようとした。しかし彼の政策は第二次世界大戦を避けがたいものにし、何百万という人びとに測りしれない不幸をもたらすことになった。他方ウィンストン・チャーチル卿の動機は、その広がりにおいてはチェンバレンよりもはるかに普遍性に乏しい。また彼の動機は、個人的および国家的権力の方向へとチェンバレンよりもはるかに狭く向けられていた。ところが、これら劣性の動機から生まれたチャーチルの対外政策は、彼の前任者たちが追求した政策よりも確かに道義的、政治的な質において優れていたのである。ロベスピエールは、その動機から判断すれば、史上最も有徳な人物のひとりであった。しかし、彼が自分自身よりも徳において劣った人びとを殺し、みずから処刑され、彼の指導下にあった革命を滅ぼすに至ったのはほかでもない、まさにあの有徳のユートピア的急進主義のせいであった。

善良な動機は、意図的に仕組まれた悪い政策を防止する、という保証にはなる。だがこれら善良な動機は、それが生みだす政策の道義的善と政治的成功を請合うわけではない。もし人が対外政策を理解したいなら、知っておくべき重要なことは、主として政治家の動機ではなくて、対外政策の本質を理解する彼の知的能力であり、彼が理解したものを首尾よく政治行動に移すその政治的手腕である。だから、抽象的な倫理は動機の道義的な質を評価するが、政治理論は知性、意志および、行動の政治的な質を判断しなければならない、という結論に至る。

リアリストの国際政治理論はまた、よく知られたいまひとつの誤りを避けることになろう。すなわちその誤りとは、政治家の対外政策と、彼の哲学的または政治的所見とを同一視することであり、前者を後者から引きだすことである。現代の状況の下ではとくにそうなのだが、政治家が、自分たちに対する一般国民の支持を得るためにその哲学的、政治的な考えに立って対外政策を提示するという習性をもつとしても、無理からぬことではある。しかし、彼らはリンカーンと同じように、その「公的義務」、すなわち国益によって思考し行動することと、その「個人的願望」、すなわち彼ら自身の道義的価値と政治的原則が世界中で実現されると考えることとを区別するであろう。政治的リアリズムは、政治的理想や道義原則への無関心を要求もしなければそれを大目にみることもしないのであって、望ましいものと可能なもの、つまり、いついかなるところでも望ましいものと、時間と空間の具体的な環境の下で可能なものとを鋭く識別することを実際に要求するのである。

当然のことながら、すべての対外政策がいつもそれほど合理的、客観的、かつ冷静なふるまいをしてきたわけではない。個性、偏見、および主観的な選好、それに、人間が宿命的に受け継いでいる、知性と意志のあらゆる弱点、といった不確実な諸要素は対外政策を合理的なコースから必ずやそらすにちがいない。とくに、対外政策が民主的政治の諸条件の下で処理される場合には、その対外政策を支持する方向に一般国民の感情を結集する必要があるために、政策それ自体の合理性が損なわれることになる。しかし、合理性を目ざす対外政策の理論は、まずは、いま述べた非合理的な諸要素から、経験のなかにみられる合理的な本質を表わすような対外政策像を、いわば抽象し描写しなければならない。いってみれば、この対外政策像は、合理性からの偶発的な逸脱要素――これもまた、経験のなかにみられるのだが――を何ら含んではいないのである。

合理性からの逸脱――これは、政策決定者の個人的な気紛れとか精神病理から生まれたものではない――は、合理性という優越的な立場からみた場合にのみ偶発的なものにみえる。しかしこの逸脱は、それ自体、非合理性という一貫したシステムにおける構成要素であるのかもしれない。アメリカによるインドシナ戦争の遂行はこの可能性を示唆している。われわれが近代の心理学と精神医学によって、いわば非合理的な政治の対抗理論《カウンター・セオリー》、つまり一種の国際政治病理学を構築できるような概念の諸手段をみずからの手に獲得したかどうかは検討に値する問題である。

われわれは、このような理論に含まれるかもしれない次の五つの要因をインドシナ戦争の経験から示すことができる。すなわち、伝承やイデオロギー的仮説からでてくる、安易で先験的な世界像を経験の世界に押しつけること、つまり経験を迷信に置き換えてしまうこと。経験に照らしてこの世界像を修正するのを拒否すること。リアリティに対する誤解から生まれる対外政策に固執したり、情報の利用、つまり政策をリアリティに適合させるためではなく政策に合うようにリアリティを解釈しなおすための、情報の利用から生まれる対外政策に固執したりすること。政策決定者の利己主義によって、一方における認識や政策と、他方におけるリアリティとの間のギャップを広げてしまうこと。最後は、行動、それもあらゆる種類の行動によって、少なくとも主観的にそのギャップをせばめようとする衝動――これは、手に負えそうもないリアリティを支配できるのだという幻想をつくりだす――である。一九七〇年四月三日付の『ウォール・ストリート・ジャーナル』紙によれば次のようになる。「『何かをなそう』という欲求が政府首脳に行きわたり、事態を推しすすめることのできるアメリカの能力がとるに足らないものであると主張する他の『常識』的な忠告を、この欲求は圧倒してしまうかもしれない。行動したいという熱望は、それをいわば治療する方法としての大胆な政策を生みだすことになろう」。

現にあるがままの国際政治と、そこから引きだされる合理的理論との相違は、ちょうど写真と肖像画のちがいのようなものである。写真は、肉眼でみえるものすべてを映しだす。肖像画は、肉眼でみえるものすべてを必ずしも表現するわけではないが、肉眼ではみえないもの、すなわち描写される人物の人間的本質を示すかあるいは少なくとも示そうとする。

政治的リアリズムは、理論的要素ばかりでなく規範的要素をも内蔵している。政治的リアリズムは、政治的リアリティが偶然の出来事や非合理性のシステムに満ちあふれていることを知っているし、これらの要因が対外政策に及ぼす典型的な影響力をも指摘している。だが、理論的な理解のためには、政治的リアリズムは、他のあらゆる社会理論と同様に、政治的リアリティの合理的要素を強調する必要がある。というのは、まさにこれらの合理的要素によってこそ、リアリティは理論として理解しやすいものになるからである。政治的リアリズムは、経験では決して完全には達成することのできない合理的な対外政策を理論的に構築するのである。

同時に、政治的リアリズムは合理的な対外政策をよい対外政策とみなす。なぜなら、合理的な対外政策だけが、危険を最小限に、そして利益を最大限にし、したがって慎慮《プルーデンス》という道義的教訓と、成功の達成という政治的要請の双方に応えることができるからである。政治的リアリズムは、政治世界の写真と肖像画が可能な限り似てほしいと望んでいる。確かに政治的リアリズムは、よい対外政策すなわち合理的な対外政策と、現にあるがままの対外政策との避けがたいギャップに気づいている。だがそれでもなお、政治的リアリズムは、理論が政治的リアリティの合理的要素に焦点を合わせなければならない、と主張するだけでなく、対外政策がそれ自身の道義的、実践的目標からみて合理的でなければならない、と論ずるのである。

したがって、現実の対外政策が、ここで提示される理論に合わないとか合うはずがないとかいう議論は、その理論にとって不利になるものではない。そのような議論は、本書の意図を誤解しているのである。なぜなら、本書が目ざすのは、政治的リアリティを乱雑に描写することではなくて、国際政治の合理的な理論を提示することだからである。たとえば完全なバランス・オブ・パワー政策がリアリティのなかにはめったにみられないからといってリアリズムの意義が失われるというわけではない。それどころかリアリズムの立場からすれば、リアリティが完全なバランス・オブ・パワー政策という点では不十分であっても、それを典型的なバランス・オブ・パワー・システムの近似値として理解し評価すればよいのだ、ということになるのである。

〔三〕リアリズムが考えるには、力として定義される利益という中心概念は、普遍的な妥当性をもつ客観的カテゴリーである。しかしリアリズムは、固定した意味をこの概念に与えているわけではない。利益という概念はまさに政治の本質であって、それは時間と空間の環境によって左右されるものではない。「利益の同一性は、国家関係であれ個人関係であれ、お互いを結びつける力のうちで最も確実な力である」という、古代ギリシアの経験から生まれたツキディデスの言葉は、国家間に「持続する連合の唯一の絆は、相衝突する利益が一切存在しないということ」であるというソールズベリー卿の主張となって、一九世紀に掘り返されたのである。そしてこれは、ジョージ・ワシントンによって次のように政治の一般原則へと形づくられていった。

「人間性に関するわずかな知識があれば、われわれは、利益が人類の最大部分にとっての支配原理であり、ほとんどすべての人間が多かれ少なかれその影響下にある、と信ずることができよう。公的な徳という動機は、一時的にあるいは特定の場合には、全く私利私欲のない行動を人間に遵守させることができよう。しかしこれらの動機は、それ自体としては、社会的義務の手の込んだ命令や拘束に対して持続的に人を服従させようとするには不十分である。共通善のために私利私益のすべての立場を絶えず犠牲にすることのできる人はめったにいない。したがって、人間性の堕落を非難しても無駄である。なぜなら、事実はそのとおりであるからだ。あらゆる時代、あらゆる国民の経験によってそれは証明されてきたのである。そしてわれわれは、この人間性の堕落をそうでないものにするには、その前に、われわれ自身が人間の性向をよほど変えなければならないのである。これらの行動原理から推定される真理に依拠しないいかなる制度も、その成功はおぼつかないであろう。(1)」

またこれは、今世紀になってマックス・ウェーバーの研究によってそのまま繰り返され敷衍された。

「理念ではなく、(物質的・観念的な)利益が、人間の行動を直接支配する。しかし、これらの理念によってつくられる『世界のイメージ』は、利益のダイナミズムが行動を引き起こす場合の軌道を決定すべき転轍機として作用することが結構多いものだ。」(2)

しかも、歴史のある特定の時代のなかで政治行動を決定する利益がいかなる種類のものであるかは、対外政策が形成される場合の政治的、文化的文脈に左右される。国家がその対外政策において追求する目標は、どの国家もそれまでに追求してきた、あるいはおそらく追求するであろう目標の全領域を貫くことになる。

これと同様の考え方は力の概念にもあてはまる。力の内容とその利用の仕方は、政治的、文化的環境によって決定されるのである。力は、人間に対する人間の制御を確立し維持するすべてのものを含んでいる。したがって力は、物理的暴力から、ある人が他の人を支配するための最も微妙な心理的関係に至るまで、その目的に役立つあらゆる社会的関係をおおっている。力が西欧デモクラシーにおけるように、道義的目的によって秩序づけられ憲法上の安全装置によって制御されている場合でも、そして力があの抑制されていない野蛮な実力――それは、それ自身の威力のなかにのみその法則をみいだし、その拡大強化のなかに独自の正当性をみいだす――を意味している場合でも、その力は人間による人間の支配を含んでいるのである。

政治的リアリズムは、対外政策が機能する場合の現代的諸条件――それは、極度の不安定を伴い、大規模な暴力に対する絶えざる恐怖につきまとわれているのだが――が変化しない、などとは考えていない。「ザ・フェデラリスト」の論文執筆者たちがよく知っていたように、たとえばバランス・オブ・パワーは、確かにあらゆる多元社会の永続的原理である。しかし、アメリカにおいてそうであるように、このバランス・オブ・パワーというものは、状況が比較的安定していて、しかも、対立があるにしてもそれが穏やかな対立であるという状況において初めて機能することができるのである。もしこれらの状況を生みだした諸要因が国際舞台に再現されるなら、その場合には、かつてある国家間の長い相互関係の歴史にみられたように、安定と平和の同じような状況が国際社会にも行きわたるであろう。

国際関係の一般的性格についていえることは、現代対外政策の究極的な照準点としての民族国家についてもまたいえる。実際リアリストが考えるには、利益は、政治行動が判断されたり方向づけられたりするさいの永続的な基準である。しかし一方では、利益と民族国家との間にみられる現代の結びつきは歴史の産物であり、したがってそれは、歴史の経過とともに消滅するはずのものである。政治世界が民族国家に分断されているという現代の現象が、それとは全く異質のより大きな単位、すなわち現代世界の技術的可能性と道義的要求に一層よく調和するような単位に代わるだろうという仮説は、リアリストの立場にあるいかなるものによっても反駁されることはないのである。

現代世界がどのように変えられていくのかというきわめて重要な問題を前にすると、リアリストは他の思想学派と袂を分かつことになる。リアリストは、過去を形成してきた永続的な諸力——それは未来をも形成するであろうが——を手ぎわよく操作することによって初めて、この変化が達成されると信じている。それ自身の法則をもっている政治的リアリティと、この法則を考慮に入れたがらない抽象理念とを対決させることによってわれわれがこの変化を引き起こすことができる、というふうにはリアリストは考えないのである。

〔四〕政治的リアリズムは政治行動の道義的意味を知っている。それはまた、道義上の要請と、政治行動を成功させたいという要請との不可避的な緊張関係をも知っている。

そして政治的リアリズムは、この緊張関係をごまかしてよくみせたりもみ消したりすることを嫌うのである。したがって政治的リアリズムは、政治的事実そのものがあたかもその実態よりも道義的に満足できるものであるかのごとく、さらには、道徳律がその実際の姿よりも寛大であるかのごとく政治的、道義的問題をみせかけることによってこれらの問題を混乱させようとは思わないのである。

リアリズムの主張によれば、普遍的な道義原則は、その抽象的かつ普遍的な公式で国家行動に適用されるということはありえないのであって、時間と場所の具体的な環境によって濾過されなければならない。個人であれば、「正義を行なわしめよ、たとえ世界が滅ぶとも」(*Fiat justitia, pereat mundus*)といいわけをするかもしれない。しかし国家には、その管轄下にある人びとの名においてそのように主張する、いかなる権利もないのである。個人と国家はともに、たとえば自由のような普遍的な道義原則によって政治行動を判断しなければならない。ところが、個人はこのような道義原則を擁護するために自己を犠牲にする道義的権利をもっているが、国家は、自由の侵害に道義的非難を加えて政治行動の成功——このこと自体が、国家生存という道義原則によって導かれているのだが——をおぼつかなくするような権利は何らもっていない。慎慮なくして政治的道義はありえない。すなわち、一見道義にかなった行動でも、その政治的結果が考慮されなければ政治的道義は存在しえないのである。したがってリアリズムは、慎慮、すなわち、あれこれの政治行動の結果を比較考量することを政治における至上の美徳と考える。抽象レヴェルの倫理は、行動をそれが道徳律に従っているかどうかによって判断する。政治的倫理は、行動をその政治的結果如何《いかん》によって判断する。古代および中世の哲学はこのことを知っていたし、リンカーンも、彼が次のように主張したとき、やはりこれを知っていたのである。

「私は自分の知りうる最善、なしうる最大を尽くし、そして最後までそうしつづけたいと思う。もし結果がうまくいけば、私に対する悪口は何でもないことである。もし結果が悪ければ、一〇人の天使が私の正しさを断言してくれても、そんなことは何ら重要ではない。」

〔五〕政治的リアリズムは、ある特定国の道義的な願望と、世界を支配する道徳律とを同一視しようとはしない。それは、真理と意見とを区別するのと同じように、真理と偶像崇拝とを識別するのである。国家はすべて、彼ら自身の特定の欲望と行動を世界の道義的目標で装いたくなるものである。しかも、ほとんどすべての国家は、長期間にわたってこの誘惑に打ち克つことができなかった。諸国家が道徳律に従っているということを知ることと、国家関係において何が善であり悪であるかをはっきり知っているふりをすることとは全く別の問題なのである。人間の心では理解できない神の審判によってあらゆる国家が裁かれるという信念と、神がつねに自国の味方となり自国の欲するものは神によっても必ず欲せられるという冒瀆的な確信との間には、大きな相違がある。

ある特定のナショナリズムと神の助言とを安易に等しいとすることは、道義的にみて支持できない。なぜなら、ギリシアの悲劇作者や聖書の預言者たちが支配者や被支配者たちに警告したのは、まさにこの傲慢の罪だけはもたないようにということであったからである。特定のナショナリズムと神の助言とを同一化することはまた、政治的にも有害である。なぜなら、それは判断の誤りを招きやすいからである。十字軍的熱狂に目がくらんで判断を誤れば、道義原則や理想あるいは神自身の名において国家と文明が破壊されるのである。

他方、あの道徳過多と政治的愚かさからわれわれを救うものは、まさに力によって定義された利益の概念である。というのは、もしわれわれが自分たちの国家も含めてすべての国家を、力によって定義されるそれぞれの利益を追求する政治的実体としてみるなら、われわれはこれらすべての国家を公正に扱うことができるからである。そしてわれわれ

われわれは、二重の意味でこれらの国家すべてを正当に扱うことが可能になるのである。つまりわれわれは、自分たちの国家を判断するように他国家を判断することができる。そして、このように諸国家を評価することによって、われわれは自国の利益を保護、助長すると同時に、他国の利益を尊重する政策を追求できるのである。政策の中庸は必ずや道義的判断の中庸を反映するものである。

〔六〕このようにみてくると、政治的リアリズムと他の思想学派との間の相違は、確かに存在するのである。しかもこの相違は深遠である。政治的リアリズムの理論がいかに誤解され、また誤って解釈されてきたとしても、それが政治問題に対して明確な知的、道義的態度をとってきたことは否めない。

知的には、政治的リアリストは政治的領域の自律性を主張する。それは、経済学者、法律家および道学者がそれぞれの領域の自律性を主張するのと同じである。彼は力として定義される利益の観点から思考する。それは、経済学者が富として定義される利益によって、法律家が法規に行動が合致しているかどうかによって、また、道学者が道義原則に行動が従っているかどうかによってものを考えるのと同じである。経済学者は、「この政策は社会の富またはその一部にどのように影響するだろうか」と尋ねる。法律家は、「この政策は法規に一致しているだろうか」と訊く。道学者は、「この政策は道義原則に合致しているだろうか」という疑問を呈する。そして政治的リアリストは次のように問いかける。「この政策はどのように国家の力に影響を及ぼすだろうか」(あるいは場合によっては、連邦政府、議会、政党、農業の力についても問いかける)。

政治的リアリストは、政治的思惟基準とは別個の思惟基準が実際に存在し、同時にそれが妥当性をもっている、ということを知っている。彼は政治的リアリストとして、政治の思惟基準を他の思惟基準よりも尊重せざるをえないのである。したがって、彼は次のような場合他の学派と袂を分かつことになる。つまり、他の学派が政治的領域に対して、他の領域に特有の思惟基準を押しつけるときである。ここにおいて政治的リアリズムは、国際政治に対する「法万能主義的＝道義主義的アプローチ」に異議を唱えることになるのである。これまで論じられてきたように、この問題が単なるつくり話ではなくて議論の核心そのものにふれるということは、多くの歴史的実例から立証することができる。この点を明らかにするには次の三つの事例を挙げれば十分であろう③。

一九三九年にソ連はフィンランドを攻撃した。この行動によって、フランスとイギリスは二つの問題、すなわち、ひとつは法的問題、いまひとつは政治的問題に直面した。ソ連の行動は国際連盟規約を侵犯したのだろうか。もしそうなら、フランスとイギリスはいかなる対抗措置をとるべきか。法的な設問については、規約侵犯をしたという肯定的な解答が容易に引きだされた。なぜなら、ソ連が連盟規約で禁止されていることをなしたことは明らかだからである。政治的な設問に対する解答は次の三つの要因に左右された。まず第一に、ソ連の行動がフランスとイギリスの利益にどのように影響するかということ。第二に、一方におけるフランスおよびイギリスと、他方におけるソ連および他の潜在敵国とくにドイツとの間に現存する力の配分。そして第三に、ソ連への対抗措置がフランスおよびイギリスの利益と将来の力の配分にどのような影響をもたらすことになるか、ということである。国際連盟の指導国としてのフランスとイギリスは、ソ連が連盟から追放されるべきだと考えた。だが同時に、両国は、対ソ戦の渦中にあるフィンランドに加担することができなかった。それは、フランスとイギリスの軍隊がフィンランドに向かう途中でスウェーデン領土を通過することをスウェーデン政府が拒否したためにほかならない。もしこのスウェーデンの拒否が彼らを救わなかったなら、フランスとイギリスは、間もなくソ連とドイツを同時に敵にまわして戦争をしていたであろう。

フランスとイギリスの政策は、彼らが法的な設問に対する解答――この領域においては正当であるが――によって自分たちの政治行動を決定したという意味では、法万能主義の典型的な実例であった。彼らは両方の問題、つまり法の設問と力の設問をともに提起することをせずに、法の設問だけを行なった。そして彼らが得た解答は、彼らの存在そのものが拠っていた問題とはいかなる関係もなかったのである。

二番目の実例は、国際政治に対する「道義主義的アプローチ」を明らかにしている。それは、中国共産党政府の国際的地位に関連するものである。この政府の台頭によって、西欧世界は二つの問題、すなわちひとつは道義的問題、いまひとつは政治的問題に直面した。この中国共産党政府の本性と政策は西側世界の道義原則に合致しているかどうか。西側世界はこのような政府と関係をもつべきかどうか。最初の設問に対する答えは、否定的なものになることは必定であった。しかし、第二の設問に対する解答もまたノーである、ということには必ずしもならなかった。最初の問題すなわち道義的な設問に適用された思惟基準は、西側の道義原則によって中国共産党政府の本性と政策をテストすることにほかならなかった。他方、第二の問題すなわち政治的な設問は、関連利益および双方の側で利用できる力についての複雑なテストを受けなければならなかったし、またこれら利益と力に対してあれこれの行動方針がどのように影響するかという、これまた入り組んだテストを受けなければならなかったのである。このテストをしてみたうえで、中国共産党政府と関係をもたない方がより賢明であるという結論が引きだされたとするなら、それはやむをえないであろう。ところが、このテストを全く無視し、そして道義上の論点から政治的な設問に答えることによってこの結論に到達したことは、実に国際政治に対する「道義主義的アプローチ」の典型的な事例であった。

三番目の実例は、リアリズムと、対外政策に対する法万能主義的＝道義主義的アプローチとの間のコントラストをきわだたせている。ベルギーの中立保障国の一員としてのイギリスは、一九一四年八月、ドイツに対して戦端を開いた。その理由は、ドイツがベルギーの中立を侵犯したからである。イギリスの行動は、リアリズムの立場から、あるいは法万能主義的＝道義主義的な観点から正当化することができた。すなわち、敵対勢力による北海沿岸低地帯〔現在のオランダ、ベルギー、ルクセンブルク地方〕の支配を阻むことはイギリスにとって何世紀もの間自明のことだった、と現実的な主張をすることができたからである。その場合、イギリスの干渉を正当化したのは、ベルギー中立の侵犯それ自体であるよりは、むしろ侵犯国の敵対的意図であった。もし侵犯国がドイツとは別の国家であったなら、イギリスが干渉を控えたとしても当然である。これは、当時のイギリス外相、エドワード・グレー卿がとった立場である。すなわち外務次官のハーディングは一九〇八年、グレーに対して次のように述べた。「もしフランスがドイツとの戦争においてベルギーの中立を侵すなら、イギリスまたはロシアがベルギーの中立を維持するために措置を講ずるかどうかは疑わしい。他方、もしベルギーの中立がドイツによって侵されるなら、おそらく事実はそれと正反対になるだろう」。そこでグレーは、「そのとおりだ」と答えた。ところが人は、次のような法万能主義的＝道義主義的立場をとることも可能であった。つまり、ベルギーの中立を侵犯することそれ自体は、問題になっている利益が何であろうとそれに関係なく、さらには侵犯国の正体如何にかかわらず、まさにその法的＝道義的欠陥のゆえにイギリスの干渉を、そしてそれについてはアメリカの干渉をも正当化することができるのだ、という立場である。これは、セオドア・ルーズヴェルトが一九一五年一月二二日付のグレー宛の手紙においてとった立場である。

「私にとって、この状況の最重要点はベルギーであった。もしイギリスあるいはフランスがドイツの行動と同じような行動をベルギーに対して起こしたなら、私は、自分が現にドイツに反対しているのと全く同様に両国に反対したであろう。条約が誠実に遵守されるべきこと、および国際道義のようなものが存在するということ、を信ずる人びとの行動モデルとして、私はあなたの行動を声を大にして賞賛してきた。私は、ドイツ人ではないのと同様イギリス人でもない、ひとりのアメリカ人として以上の立場をとる。つまり、ここでいうアメリカ人とは、自分自身の国の利益に忠実に奉仕しようとするが、しかし同時に、全人類に関する正義と品格のためにできる限りのことをしようと努力する人であり、したがって、他のあらゆる国家を、いかなる機会においてもその行動によって評価しなければならないと考える人でもある。」

このように、リアリストが他の思惟様式による邪魔だてに抗して政治的領域の自律性を守ろうとすることは、これら他の思惟様式の存在と重要性を無視することを意味するものではない。それはむしろ、おのおのの思惟様式がそれ独自の領域と機能を配分されるべきである、ということを意味している。政治的リアリズムは、人間性の多元的な概念に基礎づけられている。現実の人間は、「経済人」、「政治人」、「道徳人」、「宗教人」等々から成る複合体である。「政治人」以外の何ものでもない人がもしいるとすれば、その人は野獣である。なぜなら、彼は道義的自制を全く欠いているからである。単に「道徳人」である人は愚者である。というのは、彼は完全に慎慮を欠いているからである。「宗教人」にすぎない人がいるとすれば、その人は聖者である。なぜなら、彼は世俗的欲望を全く欠いているからである。

政治的リアリズムは、人間性にはいろいろな側面がある、ということを認めるとともに、これら諸側面のうちのひとつを理解するためにはわれわれがその側面独自の条件でそれを扱わなければならない、ということをも承認する。すなわち、私が「宗教人」を理解したいと思えば、私は、人間性の他の諸側面から当分の間離れて、その宗教的な面を、あたかもそれが唯一無二の側面であるかのように扱わなければならないのである。そのうえ私は、宗教の領域に対しては、その領域に妥当する思惟基準を適用しなければならない。しかもその場合、私は、他の基準の存在と、人間の宗教的な属性に対してこれら他の基準が実際に及ぼしている影響についてつねに知っている必要があるわけである。人間性のこの側面についていえることは、他のすべての面についてもあてはまる。たとえば、近代経済学者は誰にしても、自分の科学、およびその科学と他の人間諸科学との関係について自分の思惟様式以外のやり方では考察しないであろう。経済学が人間の経済行動に関する独立した理論として発展してきたのは、まさにこのように他の思惟基準からそれが分離する過程をつうじてであり、さらには、その主題にあてはまる思惟基準を発達させてきたためである。政治の分野でこれと同じような発展に貢献するということは、実に政治的リアリズムの目標なのである。

以上のような諸原理に基づく政治理論が人びとの完全な同意を得ることができない——そのことについては、これら諸原理に基づく対外政策においても同様である——としても、それは事の性質上当然である。というのは、理論と政策はともに、われわれの文化における二つの傾向に抵触するからである。しかも、これら二つの傾向は、合理的、客観的な政治理論の仮説と結果になじまないのである。これらの傾向のうちのひとつは、一九世紀の経験と哲学に由来する理由のために、社会における力の役割を軽視してしまう。われわれは、あとでさらに詳しくこの傾向に取り組むことになろう。(4) いまひとつの傾向は、政治についてのリアリストの理論および実践に反するのだが、それは、人間精神と政治的領域との間に存在しまた存在するにちがいない相互関係そのものから生まれる。われわれがあとで論ずる理由から、(5) 日々機能している人間精神は、政治の真理をまともに直視することができないのである。それは、真理を偽り、歪曲し、見くびり、そして粉飾するにちがいない。しかも、そうであればあるほど、個人はますます政治の過程、とくに国際政治の過程に積極的にかかわることになる。なぜなら人間は、政治の本性と、彼が政治舞台で演ずる役割とについて思いちがいをすることによって初めて、政治的動物として自分自身および他の人びとともに満足して生きていくことができるからである。

だから、人びとがその目で見たいと思う国際政治よりも、むしろ、現にあるがままの国際政治や、その本質からいって当然そうあるべき国際政治を理解しようとする理論は、他の大半の学問分野が直面しなくてもすむような心理的抵抗を必ずや克服しなければならないのである。したがって、国際政治の理論的理解にあてられた書物は、特別の説明と正当化を必要とするわけである。

第二章　国際政治の科学

国際政治の理解

いろいろなアプローチ

本書は二つの目的をもっている。第一の目的は、国家間の政治関係を決定する諸力をみいだしてそれを理解すること、そしてこれら諸力がどのように相互作用しどのように国際政治の関係や制度に影響を及ぼすのか、ということを理解することである。社会科学の他の大半の分野では、この目的は当然のことと考えられるであろう。なぜなら、あらゆる科学的な仕事の本来の目的は、社会現象の基底にある諸力と、その機能の様式を発見することだからである。ところが、国際政治の研究にアプローチするさいには、人はこの目的を自明のこととみなすわけにはいかないのである。したがって、これについては特別強調しておく必要がある。グレーソン・カーク博士は次のように述べている。

「最近までは、アメリカにおける国際政治の研究は、次の三つのアプローチのうちのどれかひとつをとる人びとによって大きく支配されてきた。まず第一に、国際関係を単に最近史とみなしてきた歴史家たちがいる。ここでは、研究者はその利用できるデータの量が不十分であるがために不利な立場におかれる。第二は、国際法学者のグループである。彼らは、主として国家関係の法的側面にことさらかかわってきた。しかし彼らのうちで、この国家間の法的結びつきが絶えず不完全かつ不十分であるということの根本理由を探るために本気で努力してきたものはあまりいなかった。最後に、あるがままの国際関係を扱うよりも、自分たちが打ち樹てたいと考えている、より一層完璧なシステムを扱う理想主義者たちがいる。だが最近になって初めて、そして遅ればせながら、研究者は、世界政治を動かす基本的かつ持続的な諸力、およびこれらを具体化する制度を吟味するようになった。しかも、彼らがそうしたのは、物事を賞賛したり非難したりするためではなくて、もっぱら、国家の対外政策を決定する、これら基本的な動因をより一層理解できるようにするためであった。こうして政治学者はついに国際的な分野に進出していくのである。[1]」

チャールズ・E・マーティン教授はカーク博士の論題を取り上げて次のように言及し

た。

「………国際関係論の学徒および教師が何よりもまず直面する問題、すなわち、われわれが別々の相対立する二つの領域へと進んでいく場合に直面しなければならないあの二元論………。つまり私は、紛争の調整に関する平和の制度の領域と、権力政治および戦争の領域とがあるということをここでいいたいのである。しかもそれは、そうならざるをえないのである。そこから逃れる道はないということである。………過去二〇年間におけるわれわれの教育態度に向けられた最大の告発のひとつは、多分、戦争の制度を安易に考えたり権力政治の影響に関する書物を無視することに対してであったように私には思える。私は、政治学者がそのようなことをしたのは大きな誤りであったと考える。われわれこそは、権力政治とその意味、およびその権力政治から生まれる諸状況を研究する主体でなければならず、また、戦争の制度を研究する当事者でなければならないのである。[2]」

アカデミックな学科としての国際政治学がこのような観点から定義されるなら、それは、最近史や時事問題、それに国際法や政治的改革とは別個のものとなる。

国際政治学は、最近史や時事問題以上のものを含んでいる。観察者は、重心がつねに移動し展望が変転する現代的状況に取り囲まれている。最近の出来事とそれより遠い過去との相互連関によって、さらには、この両方の基底にある人間性の永続的な特質といったものによって初めて明らかにされる基本原理に専心して取りかからなければ、観察者はその立脚すべき堅固な基盤や、評価の客観的基準を発見することはできない。

われわれは、国際政治を法規則や制度に還元することはできない。国際政治は、このような規則の枠組みのなかで機能し、またこのような制度を媒介にして作用することはする。しかし、国家レヴェルでのアメリカ政治がアメリカ憲法、連邦法、および連邦政府の諸機関と同一ではないのと同様、国際政治は法規則や制度と同一ではないのである。

国際政治とはどのようなものかを理解しようとする前に国際政治を改革しようとする試みに関しては、われわれはウィリアム・G・サムナーの次のような見解を支持するものである。

「政治の議論における最悪の欠陥は、あるがままの事物、あるがままの人間性を的確に吟味せずに重要な原理や仮説に依拠する、あの教条主義である。………理想というものは、現存するものよりも相当高いあるいは一層よい状態から形づくられるものである。

しかもほとんど無意識のうちに、その理想はすでに存在しているものと考えられ、さらには、何の根拠ももたない思索の基礎にされるのである。………政治的な主題に関する抽象的な考察の方法はすべて誤っている。それは、容易であるがゆえに広く行きわたっている。新しい世界を想像する方が、現実の世界を知るようになることよりも簡単である。国家や制度の歴史を研究するよりも、幾つかの一般的な仮説に基づいて考察をはじめる方が容易である。広く普及している教義にとびつく方が、その真偽を知ろうとしてそれを分析するよりも楽である。このようなことはすべて混乱を招き常套句と風説を許すこととなり、また、多くの論争をもち込むわりには国家の繁栄にあまり役立たないのである。(3)」

理解の限界

国際政治の本性と様式についての理論的研究が直面する最も侮りがたい難点は、観察者が扱わなければならない素材の曖昧さである。彼が理解しようとする事象は、一方においては、他に類例のない出来事である。その事象は、あとにも先にもたった一度きりそのように起こったものである。他方これらの事象は、それが社会的諸力の表現であるがゆえに相互に類似している。社会的諸力は、人間性が機能した結果生まれたものである。したがって、類似した条件の下では事象は同じような様式であらわれる。しかし、類似性と独自性の間のどこに線が引かれるのであろうか。

国際政治の理論によって理解されるべき出来事のこの曖昧さ——それは、ことのついでに指摘されるかもしれないが——は、人間の理解に対する一般的障害の特殊な例にすぎない。モンテーニュは次のように看破している。「どんな出来事もどんな形態も、他の出来事や形態と全く同一ということがないように、どんなものも他のものと全くちがっているということはない。自然の側における巧みな配合である。もしわれわれの顔が相似ていないならば、われわれは人間と獣を区別することができない。もしわれわれの顔に相違がないなら、われわれはお互いを見分けることができない。事物はすべて、何らかの類似によってまとまる。だがどの事例も首尾一貫してはいない。したがって、経験から引きだされる相対関係はつねに不備、不完全である。しかし人は、どこかの点で比較をしてお互いを結びつける。そんなわけで法則もまた重宝なものになる。法則は、幾分歪曲された、こじつけの、偏ぱな解釈によってわれわれの出来事のひとつひとつに適合するのである」[4]。国際政治の理論は、政治の出来事に対するこのような「歪曲された、こじつけの、偏ぱな解釈」には絶えず警戒しなければならないのである。

われわれは、このような出来事を比較することによって、国際政治の原理がいかなるものであるかを学びとる。ある政治状況は、ある対外政策の形成と実践を呼び起こす。われわれは、個別の政治状況を取り扱う場合次のように自問する。すなわち、この状況はそれ以前の状況とどのように相違しまたどのように類似しているか、以前展開した政策は、この類似点によっていま一度容認されるであろうか、あるいは類似点と相違点が混じり合うことによって、その政策の本質はある面で修正されながらも維持されることになるのだろうか、それとも相違点がその類似関係を全く損なって、それまでの政策を不適当なものにしてしまうのだろうか、ということである。もし人が国際政治を理解したいなら、そしてもし人が現代の出来事の意味を把握したり、将来を予見しそれに影響力を及ぼしたりしたいなら、彼はこれらの質問に内在する二重の知的作業をなし遂げなければならない。彼は二つの政治状況における類似点と相違点を識別する能力をもつ必要があるのである。さらに彼は、これらの類似点と相違点があれこれの対外政策に対してどのような意味をもっているかを評価しなければならない。思いつくままに取り上げてみた次の三組の出来事は、この問題と、この問題のもつむずかしさを明らかにしてくれるであろう。

一七九六年九月一七日、ジョージ・ワシントンは国民に別れを告げる演説をし、そのなかで、ヨーロッパの諸事象からアメリカが離れるという観点に立って同国の対外政策の原則を概説した。モンロー大統領は一八二三年一二月二日議会に教書を送り、そのなかでワシントンと同様の立場から同国の対外政策の原則を公式化した。一九一七年、アメリカは、フランス、イギリス両国の独立を脅かしていたドイツに対抗して、フランスおよびイギリスと結びついた。一九四一年には、アメリカはこれと同じような行動方針をとった。トルーマン大統領は一九四七年三月一二日議会への教書のなかで、共産主義に対する世界的規模の封じ込め《コンテインメント》という観点からアメリカ対外政策の原則を練り直した。

イギリスのヘンリー八世は、一五一二年フランスに対抗してハプスブルク家と同盟した。彼は一五一五年にはハプスブルク家に反対してフランスと同盟関係に入った。一五二二年と一五四二年には、彼はフランスに抗してハプスブルク家にくみした。一七五六年にイギリスは、ハプスブルク家とフランスを向こうにまわしてプロシアと同盟した。一七九三年には、イギリス、プロシアおよびハプスブルク家は、ナポレオンを阻止するために同盟した。イギリスは一九一四年、オーストリアとドイツに反対してフランスおよびロシアと合流し、一九三九年には、ドイツに対抗してフランスおよびポーランドと提携した。

ナポレオン、ウィルヘルム二世、そしてヒトラーはヨーロッパ大陸を征服しようとして失敗した。

これら諸事例の三つの組それぞれのなかでは、類似点——それによってわれわれは、各組に適合した対外政策の原則を公式化することができるのだが——があるだろうか。それとも各出来事は、それが別々の政策を必要とするほどに、同じ組の他の出来事と大きく異なるだろうか。これについて決定を下すさいのむずかしさは、対外政策において正しい判断をし、将来を思慮深く計画し、妥当なことを適切な方法で適当な時期に実行するといったことのむずかしさを測る尺度となるのである。

われわれは、ワシントンの告別演説にみられる対外政策をアメリカ対外政策の一般原則と考えてよいのだろうか。それとも、それは一時的な条件から生まれ、したがってその有効性はこれらの条件に限定されたものであるのだろうか。ワシントンの演説とモンローの教書にみられる対外政策はトルーマン・ドクトリンと矛盾しないだろうか。この問題をいいかえれば、トルーマン・ドクトリンとは、ワシントンおよびモンローの対外政策観を基礎づける一般原則を単に修正したものであるのか、それとも、トルーマン・ドクトリンはアメリカ対外政策の伝統から根本的に逸脱しているのだろうか。もしそうなら、それは、変化する諸条件に照らして正当化されるだろうか。一般的にいえば、一七九六年、一八二三年、一九一七年、一九四一年、および一九四七年におけるアメリカの国際的地位の変動によって、いま述べた種々の政治状況に関連して形成、実行されるいろいろな対外政策は正当化されるであろうか。一九一七年、一九四一年および一九四七年にヨーロッパがアメリカに突きつけたそれぞれの状況には相互にいかなる類似点と相違点があるだろうか。そして、これらの類似点と相違点によって、アメリカの側の対外政策はどの程度の類似性と異質性を要求されるのであろうか。

先に挙げた、イギリス対外政策の変化は何を意味しているのだろうか。この変化は、君主や政治家の気紛れとか背信から起こったのだろうか。あるいはこの変化は、イギリス人とヨーロッパ大陸との関係を決定する永続的な諸力——これはいかなる特定の協力関係をも超越するものであるが——に留意する、あの国民の蓄積された英知によって導きだされるのだろうか。

三回にわたる大陸制覇の試みに付随して起こったあの惨事は、共通点のない原因による数多くの偶発事故ということになるのか。それとも結果の類似性は、全体の政治状況における類似性、つまり、再度試みようとする人びとによって考慮されるべき教訓を伝えるような類似性を示すのだろうか。もっと具体的にいえば、ソ連が第二次世界大戦の結果追求した政策は、ナポレオン、ウィルヘルム二世およびヒトラーの政策と似ていたのだろうか。もしそうであるなら、ソ連の政策は、一九一七年および一九四一年に推しすすめられた政策と同様の政策をアメリカの側に誘発したであろうか。

イギリス対外政策における変化の場合と同様、この答えはときにははっきりしているように思われる。つまりその政策は、気紛れからというよりは英知から生まれたものである、ということである。しかし、たいていの場合、とくにわれわれが現在と将来を扱う場合、その答えは仮のものにならざるをえないし、もろもろの条件に左右される。その答えは事実から生まれてくるのだが、その事実は全く曖昧であり、絶え間ない変化にさらされている。これとはちがった形で答えを得る人びとに対しては、歴史は誤った類推以外の何ものも教えてはくれなかった。このような人間が自分たちの国の対外政策に責任をもつとき、彼らは不幸を引き起こすだけであった。ウィルヘルム二世もヒトラーも、ナポレオンの運命から何も学ばなかった。なぜなら彼らは、ナポレオンの失敗が何の教訓にもならないと考えたからである。ワシントンの忠告を、盲目的に遵守すべきひとつの教義に仕立てあげた人びとは、それを完全に忘れてしまう人びとと同様に誤りを犯してきたのである。

一九三八年のミュンヘン和解は、いまひとつの好例である。ふり返ってみれば、いうまでもなくわれわれはみなその和解が失敗であったことを実際の経験から知っている。そしてその経験から、われわれは、それが失敗せざるをえなかったということを示す理論的カテゴリーを発展させてきたのである。しかしミュンヘン和解が、その決着の当時、対外政策の理論家、実践者、および一般の人たちの総意によって是認されたことを私はいまでもよく覚えている。そのころ、ミュンヘン和解は、ステーツマンシップの偉大な行為として、また将来の征服者に対する平和のための譲歩として広く認められた。E・H・カーは、当時そのようにみなしたし、A・J・P・テーラーはいまでもそう考えている。その当時ほとんどの人が気づかなかった、また気づくはずもなかったあの判断の誤りは、政治的予見に内在する偶発性をまたしても顧みなかったということを意味する。思いだしてみると、単純な真理としてあらわれてくるものは、実はかつて全く見通しのつかなかったものであったとか、さもなければ不確実な直感によってのみ断定されたものなのである。

最後に、現代の核戦争問題を取り上げてみよう。核戦争とは規模においてより一層大きいいまひとつ別種の暴力にすぎなく、歴史がこれまでわれわれに伝えてきた暴力のタイプと本質的にはちがわないものである、といった核戦争論を展開させることは可能である。この仮説からいうと、もしわれわれの方で、自分たちの一部が少なくとも核戦争から生き残ることができるような措置を講ずるなら、その核戦争は在来型の戦争よりもはるかに恐ろしいものになるとはいえ、必ずしも耐えられないものではないということになる。いいかえれば、いったん人が核戦争の本質と帰結に関するこの理論的仮説から出発すれば、彼は論理的に次のような結論に到達することができる。すなわち、アメリカ対外政策は核戦争を回避しようとすることに拘束される必要はないのであって、アメリカもまたこの核戦争から生き残る用意をしなければならないのだ、ということである。したがって、もし一億のアメリカ人が核戦争で殺され、同国の経済的能力の一〇分の九が破壊されるとするなら、生きのびたアメリカ人が残りの一〇分の一の経済的能力でアメリカを再建できるようにするにはどうすればよいのか、と問題提起することは完全に筋道がとおるということになるのである。

この核戦争論のなかにみられる要因は、その徹底した不確実性ということである。しかもこの不確実性は、国内政治および国際政治の分野におけるあらゆるレヴェルの理論的分析と予言に特有のものである。たとえ人が殺戮や物質的破壊、それに物質的復旧の速度に関するその見積もりをすべて認めたとしても、この理論は、核戦争がもたらすにちがいない、この種の人的・物的荒廃に対する人間の反応については曖昧にならざるをえないのである。明白なことだが、もし非常に複雑な人間社会が原始的な蟻社会のように機能するものとして描かれるなら、その人間社会が回復力をもつのは当然だ、とみなされよう。もし、ある蟻づかの蟻の半分がその蟻づかの物的要素の一〇分の九もろとも消滅してしまったなら、次のように結論づけるのが無難である。すなわち、生き残りの蟻たちはもう一度やり直しをするだろうし、次の災害が起こってまた再出発を余儀なくされるまで、彼らはその蟻づかを築きあげそして繁殖しつづけるだろう、ということである。

しかし人間社会は、この種のメカニカルな回復力をもちあわせてはいない。社会は個人と同様、それ自体をもちこたえるにも限界点をもっている。上述のような空前の大規模な惨禍に直面した場合、それがある限界点を超えてしまうと、人間の忍耐力はみずからのイニシアティブを支えることができなくなるのである。いったんその限界点に達すると、文明それ自体が崩壊するだろう。われわれは人間の反応の尺度におけるその限界点の正確な位置づけを理論的に知ることはできない。われわれに残された方法は直感であり、それは経験によって確かめられるかもしれないし、確かめられないかもしれないのである。

国際政治の研究者が学ばなければならない、そして決して忘れてはならない第一の教訓は、国際事象が複雑なために、単純な解決や信頼できる予言が不可能になる、ということである。ここにおいて学者といかさま師とは袂を分かつのである。国家間の政治を決定する諸力を知ることによって、そしてこれら国家間の政治関係がどのように展開するかを理解することによって、国際政治の諸事実がいかに曖昧であるかが明らかになる。

政治状況においてはすべて相矛盾する傾向が作用している。これらの傾向のうちのひとつは、ある条件の下では比較的優勢になりやすい。しかし、どの傾向が実際に優勢になるかは予測し難い問題である。したがって、研究者にせいぜいできることは、ある国際状況のなかに潜在力として内在するいろいろな傾向を突きとめることである。彼は、ある傾向を別の傾向よりも広がりやすくしている諸条件をいろいろ指摘することができるし、また最終的には、いろいろな条件や傾向が実際に広がるその可能性を評価することができるのである。

かくして世界の出来事のなかには、過去に関する自分の知識や現在の兆候から将来を読みとろうとするものなら誰しも意外に思うことがある。一七七六年にワシントンは、「わが国の運命は十中八九、この数週間のわれわれの努力如何にかかっている」と宣言した。ところが、独立戦争が終わるにはそれから七年かかった。一七九二年二月、イギリス首相ピットは、軍事費の削減(とくにイギリス海軍の人員の思い切った削減)の正当性を主張した。そして彼は、将来なお一層の削減を行なうという希望を表明して次のように断言した。「ヨーロッパの状況からみて、現時点ほど以後一五年間の平和を合理的に期待できる時期は確かにこの国の歴史にはなかった」。しかし、それからたった二カ月後にヨーロッパ大陸は戦争のぬかるみに落ち込んだ。一年もしないうちにイギリスもその渦中に巻き込まれた。こうして、およそ四半世紀にわたって続いたほとんど絶え間ない戦争の時代がはじまったのである。グランヴィル卿が一八七〇年にイギリスの外務大臣になったとき、彼は当時の事務次官から次のようにいわれた。「自分の長い経験のなかでも、対外事象においてこれほど大きな小康状態はみられなかった。そして、自分は彼(グランヴィル卿)が扱わなければならないいかなる重要問題もないものと考える」。同じ日、ホーエンツォレルン＝ジクマリンゲンのレオポルト皇太子はスペインの王位を継承することを承諾し、それから三週間経ってこの事件はプロシア・フランス戦争を誘発したのである。一九一七年三月に起こったロシア革命の六週間前レーニンはチューリヒの若い社会主義者たちに、「われわれ老人は、来たるべき革命の決定的な戦いをみるまで生きのびるということは多分できないだろう」と語った。ところが、それから一年足らずでロシア革命の決定的な戦いが彼の指導の下にはじまったのである。

偉大な政治家の予言がこのようにはずれるとなると、われわれは普通の人たちの予測から何を期待できようか。第一次世界大戦前には、大戦争はありえないとか、あるいは戦争があるにしてもともかく短期間しか続かないというのが一般の説であったが、国際事象に関してこの時期書かれた書物のうちのいったい何冊の本に、当時起ころうとしていたことをせめて暗示するようなものが書かれていただろうか。戦間期に書かれた書物で、一九七〇年代に国際政治はどのようなものになるかを予測するのに役立つ本が何かあったろうか。政治世界が第二次世界大戦の終了時にはどうなるのかということを、その戦争の当初に誰が予想できたであろうか。世界が一九五五年にはどうなるのか、これを一九四五年の段階で誰が知りえたであろうか。あるいは、一九七〇年には世界がどうなるのかということを、一九六〇年の段階で誰が知っていただろうか。してみると、明日、明後日に何が起こり、二〇〇〇年という年にどのような状態がみられるかといったことを今日語ってくれる人たちに対して、いったいわれわれはどのように信頼をおくことができようか[5]。

経済学は、その学問の中心概念、すなわち富が明らかに量的なものであるがゆえに社会諸科学のうちで最も精密なものと信じられている。しかし、この経済学も政治学と同様に、信頼できる予言をすることが不可能であるということは厳粛に受けとめられなければならない。一九五三年から六三年の期間におけるアメリカのＧＮＰの年度変化に関する多くの予測を調べてみたところ、平均約四〇パーセントの誤差が立証された[6]。一九六六年一〇月にプルデンシャル生命保険会社は次のように予言した。すなわち、一九六七年には消費支出は三一〇億ドルほど増加し、在庫投資は七五億ドルにのぼるだろうということであった。ところが、一九六七年一〇月にこの会社は、消費支出の見積もりを二七〇億ドル増に下げたのであり、修正見積もりが正しいと仮定して、それは約一五パーセントの誤差であった。また同社は、在庫投資の見積もりを七〇億ドルに減らし、七・一パーセント〔原書では一七八パーセントとあるが、これは誤りである〕の誤差となった。また経済諮問委員会は同年のGNPの成長をおよそ一二パーセントほど過大に見積もった。

国際平和問題の理解

これら諸問題が出てきたことによって、われわれは本書の第二の目的へと導かれる。政治の研究はどれも、そして二〇世紀の最後の三分の一における国際政治の研究は確かにどれも、それが知識と行動を分離させてそれ自身のために知識を探求することができる、という意味で、決してないがしろにされることはない。国際政治は、もはや一連の付随的な出来事――それは犠牲と報酬を伴うが、国家の生存と運命そのものを厳しく問題にするということはほとんどなかった――ではない。確かにアメリカにとっては国際政治はその歴史の大半をつうじて付随的なものであった。かつてアメリカの生存と運命は、国際政治――それは、アメリカ・メキシコ戦争、アメリカ・スペイン戦争、およびモンロー・ドクトリンのルーズヴェルト的発展[7]といったものを誘発し、そしてこれらのものから展開していくのだが——によってよりも、南北戦争のような国内事件によって一層深く影響されたのである。

現代に特有の二つの事実のために、アメリカにとって国内政治と国際政治の相対的重要性は完全に逆転した。まず第一に、本書執筆のこの時点で、アメリカは地上で最も強大な二つの国家のうちのひとつである。しかしアメリカは、その現実の競争相手および潜在的な競争相手に比べると、国家間における自国の地位に対してその政策が及ぼす結果如何をみずから無視できるほど強大ではないのである。南北戦争の終結時から第二次世界大戦の開始に至るまでは、アメリカがラテン・アメリカの近隣諸国、中国、あるいはスペインに関していかなる政策を追求するかということは大して問題ではなかった。アメリカの力の自足性がバランス・オブ・パワーの機能と結びついて、同国は、成功の産物である果てしない野心や、失敗に伴う恐怖とか挫折といったものに対して免疫をもっていたのである。アメリカは、不当にそのかされたりあるいは恐れたりすることなく、思い切って成功や失敗をすることができた。いまやアメリカは、みずからの大陸的要塞の囲いの外に出て、政治世界のあらゆるものを友かさもなければ敵として扱っている。アメリカは危険な存在になったと同時に傷つきやすくなったのであり、他国から恐れられると同時に他国を恐れるようになったのである。

非常に強力ではあるが全能ではないということのなかに含まれる危険性は、第二の事実、すなわち世界の政治構造における三重の革命によって増幅する。まず第一に、ヨーロッパが中心であった過去の多数国家システムは、ヨーロッパの外に中心をもつ世界規模の二極システムにとって替わられた。そのうえ、歴史の大半をつうじて西洋文明の特徴となってきた、あの政治世界の道義的なまとまりは、思想や行動の二つの相容れないシステムへと分断され、しかもそれらは人間の忠誠を求めて、いたるところで競い合っている。最後に、近代テクノロジーは、全世界を破滅させる総力戦を可能にした。現代国際政治においてこれら三つの新しい要素が優勢になったことによって、世界平和の維持が極度に困難になったばかりでなく、全面的な核戦争が自滅的な不条理になるくらいにまで、戦争に固有の危険性は増大したのである。アメリカがこの世界状況のなかで優越的な力の地位につき、したがって最も重大な責任をもつ立場にあるがゆえに、同国にとって、国際政治を形成する諸力と、国際政治の進路を決定する諸要因を理解するということは、興味ある知的仕事以上のものとなった。それは死活的に必要なものとなったのである。

そこで、現代アメリカの優越した地位から国際政治を考えるということは、今日アメリカ対外政策が直面する死活的な問題を考える、ということでもある。これまでアメリカの主要関心事は、いかなるときでも列強のなかの一強国すなわちアメリカの国益を推進することであった。ところが一方、われわれが二つの世界大戦を経験し、なおかつ核兵器を使って総力戦をどのように戦うかを知っているこの時代においては、平和維持こそあらゆる国家の最大の関心事となったのである。

本書が力と平和の二つの概念をめぐって企画されたのは、まさにこの理由のためである。これら二つの概念は、二〇世紀の最後の三分の一の時代、すなわち、破壊力の空前の蓄積が平和の問題にいまだかつてない緊迫感を与えている時代にあって、世界政治に関する議論の中核となっているのである。力を得ようという主権国家の切なる望みがその駆動力となっている世界では、平和は次のような二つの装置によってのみ維持される。ひとつは、社会的諸力の自動調節のメカニズムである。それは、国際政治舞台の権力闘争においてあらわれるものであり、これがすなわちバランス・オブ・パワーである。いまひとつは、国際法、国際道義、および世界世論といった形でその権力闘争に規範的制約を課す、ということから成っている。これらの装置は今日機能しているのだが、いずれの装置も権力闘争をいつまでも平和的な枠組みのなかにとどめておけそうにもない。したがって、さらに次のような三つの設問が提起されなければならないし、同時にその設問に解答が与えられなければならないのである。すなわち、国際平和の維持という現下の最も重要な提案はどんな価値をもっているのか。もっと具体的にいえば、諸主権国家から成る国際社会を、世界国家のような超国家的組織へと変えていくという提案は、どんな価値をもっているのか。そして最後に、過去の教訓を心にとめて、それを現代の諸問題に適応させようとする行動計画はどのようなものでなければならないか。

第二部　権力闘争としての国際政治

第三章　政治権力

政治権力とは何か①

国家目的を達成する手段として

国際政治とは、他のあらゆる政治と同様に、権力闘争である。国際政治の究極目的が何であれ、権力はつねに直接目的である。政治家も国民も、最終的には自由、安全、繁栄あるいは権力そのものを求めているのかもしれない。彼らはその目標を、宗教的、哲学的、経済的あるいは社会的な理想に照らして定義するかもしれない。そして彼らは、この理想がそのうちなる力や神の御恵みによって、あるいは人間にまつわることどもの自然な発展によって実現されていくことを望むかもしれない。また彼らは、他国や国際組織との技術的な協力といった非政治的な手段によってその実現を推進しようとするかもしれない。しかし彼らが、国際政治によってその目標を実現しようとするときは、結局それはいつでも権力獲得の努力によって果たされるのである。十字軍は聖地を異教徒による支配から解放しようとした。ウッドロー・ウィルソンは、民主主義のために世界を安全なものにすることを願った。ナチスは、東ヨーロッパのドイツ植民地化に道を開き、ヨーロッパを支配し、さらに世界征服をもくろんだ。いずれも目的を達成するのに力を選んだわけであるから、彼らは国際政治の場における行動主体であったということができよう。(2)

国際政治についてのこのような観念から、二つの結論を抽出できよう。第一に、ある国家が他の国家との関係においてとる行動がすべて政治的な性質をもつわけではないということである。このような多くの活動は、通常、力にたいして何も考慮することなく行なわれるし、またこういった活動は、それらを行なう国家の力に何ら影響を及ぼすものでもない。法律的・経済的・人道的・文化的な諸活動は、たいていこの種のものである。したがって一国が他国と逃亡犯罪人引渡し条約を締結したり、商品やサービスの交換に従事したり、大災害にあった人びとを救助するため他国と協力したり、文化事業の世界への普及を奨励したりするときには、国家が国際政治にかかわっているとはいわないのである。いいかえれば、国家が国際政治にかかわるということは、国家が国際舞台に参加できる多くの活動類型のひとつにすぎないのである。

第二に、すべての国家が、つねに同じ程度に国際政治に関与しているわけではないということである。この関与の程度は、今日のアメリカやソ連のように最大限のものから、スイス、ルクセンブルク、あるいはベネズエラといった国のように最小限のものを経て、リヒテンシュタインやモナコのように完全に無関係なものに至るまで実にさまざまである。同じことは、特定の国の歴史のなかにもみることができる。一六、一七世紀のスペインは、国際的な場での権力闘争に積極的に参加した主要国のひとつであったが、いまでは単に周辺的な役割しか果たしていない。オーストリア、スウェーデン、スイスなどの国についても同じである。これに対して、アメリカ、ソ連、中国といった国家は、五〇年前はもちろん、二〇年前と比べても、今日はるかに深く国際政治にかかわっている。要するに、諸国家と国際政治との関係にはダイナミックな性質があるのである。この関係は、国家の力の転変浮沈とともに変化し、したがって国家は権力闘争の渦中に引き込まれることもあるし、またときにはこの闘争に積極的に参加する能力を奪われることもある。さらに、文化的変容がこの関係にインパクトを及ぼして、国家に力の追求よりは、たとえば商業活動といった他の価値を好んで追求させるという場合もあろう。

政治権力の性格——四つの区分

本書の文脈においてわれわれが力について語る場合、われわれは人が自然に及ぼす力、人が言語・話・音・色のような芸術的な表現手段に及ぼす力、人が生産や消費の手段に及ぼす力、あるいは自己制御という意味で人がおのれに及ぼす力、などを指しているのではない。われわれが力について語る場合、それは、人が他の人びとの心と行動に及ぼす制御を意味しているのである。政治権力とは、公権力をもつものの間の、また公権力をもつものと国民一般との間の制御の相互関係を指す。

政治権力は、それを行使するものとそれを行使されるものとの心理的な関係である。それは、前者が後者の心にインパクトを及ぼすことによって後者の行動を制御するのである。このインパクトは、次の三つの源泉に由来する。すなわち、利得への期待、不利益への恐れ、人や制度への敬愛である。インパクトは、人間もしくは機関の命令・威嚇・権威・カリスマ性から、あるいはこれらのうちいずれかが結合して発揮されるのだということができよう。

この定義との関連でいえば、四つの区分が必要となる。すなわち、権力と影響力、権力と実力、使用可能な力と使用不可能な力、合法的な力と非合法的な力とをそれぞれ区分することである。

アメリカ対外政策の遂行にさいし、国務長官はアメリカ大統領に助言を行なうが、この場合もし大統領がこの助言に従うならば、国務長官は影響力をもっているといえよう。

しかしこの場合でも、彼は大統領に対して権力をもっているわけではない。なぜなら、国務長官にはその意思を大統領に強いるために自由に使える手段は何もないからである。彼は、説得することはできても強要することはできない。一方、大統領は国務長官に対して権力をもっている。なぜなら、彼には大統領職の権威、報償の約束、不利益の脅しによって、国務長官にみずからの意思を強いることができるからである。

また政治権力は、物理的暴力の実際の行使という意味での実力と区別されなければならない。治安活動、拘禁、極刑、あるいは戦争という形での物理的暴力の脅しは、政治の本質的な要素である。暴力が実際にふるわれれば、それは、軍事力ないし準軍事力が好まれ政治権力が放棄されたことを意味する。とくに国際政治においては、威嚇手段あるいは潜在力としての軍事力は、一国の政治権力を形成する最も重要な物的要素となる。軍事力が戦争において実際に行使されるとき、それは軍事力が政治権力にとって替わったことを意味する。物理的暴力が現実に行使されることにより、政治権力の本質である二人の間の心理的関係に代わって、二人の身体の間の物理的関係が生まれる。この場合、いずれか一方は、他方の動きを制するに足る強さをもつということになる。だからこそ物理的暴力が行使されるときには、政治的関係のなかの心理的要素が失われるのであり、その意味で軍事力と政治権力とは区別されなければならないのである。

ところで、核兵器の有効性を考えると、使用可能な力と使用不可能な力とを区別することが必要になる。軍事力の増強がもはや政治権力の増大に寄与するとは必ずしもいえないということは、核時代以前の歴史のあらゆる経験とよい対照をなしており、このことは核時代のパラドックスのひとつといわなければならない。全面的な核暴力の脅しは、完全な破壊の脅しを意味する。その限りで、この脅しが同じやり方で応ずることのできない国家に向けられるときには、それはなお対外政策の適切な手段となりうる。核武装した国家は他国に対し、こちらのいうとおりにせよ、さもなければそちらを破壊するだろう、と伝えることによって権力を主張できる。このように脅された国家が、もし核兵器でこちらを破壊するならばそちらも破壊されることになるだろうと伝えることにより応酬することができるなら、事態は変わるであろう。この場合、相互威嚇が相殺し合うからである。そして、一方の国の核破壊が他方の国の核破壊を呼び起こすがゆえに、両国は相手が合理的に行動するだろうと仮定して、脅しを無視することができるのである。

核武装国が、全面核戦争によって互いに破壊し合うという非合理的な行動をとるかもしれない、という仮定に立って初めて、核戦争の脅しは真実味を帯び、実際にもそうした脅しがアメリカとソ連によってなされた——たとえば一九五六年のスエズ危機ではソ連、一九六一年のベルリン危機ではアメリカ、さらに一九七三年のアラブ・イスラエル戦争では両国によってなされた――のである。しかし、このように実力の脅しを対外政策の合理的手段として用いることができるとしても、実力を実際に行使することが非合理的であることに変わりはない。なぜなら、脅しに使われた実力は、相手方の意思に影響を及ぼすという政治的目的に使われるのではなく、自分自身の確実な破壊と引き替えに、相手方を破壊するという非合理的な目的のために使われるからである。

こうして、対外政策の本来の対象である政治目的が限定されたものであるのにひき比べて、核兵器の破壊力の方が大きいということが、核軍事力を対外政策の手段として使用不能のものにするのである。相手の意思を変えるために、核軍事力を行使して破壊するぞと相手方を脅すことは、一定の条件の下では確かに合理的でありうる。だが、相手方を実際に破壊することは、それによって自身の破壊をも招くことになるわけであるから、非合理的だといわなければならない。これと対照的に、通常軍事力は対外政策の手段として使用することができる。なぜなら、この場合には、それ相応の危険を払いながらも、相手に与える損害を限定することによって、相手の意思を変えさせる適切な手段としてそれを利用できるからである。

最後に、合法的な力、つまり、その行使が道義的にあるいは法的に正当化されたうえで行使される力は、非合法的な力と区別されなければならない。道義的あるいは法的な権威をもって行使される力は、むきだしの力と区別されなくてはならない。捜査令状によって私を捜査する警察官の力は、銃をもって同じように行動する強盗の力とは質的に異なったものである。これを区別することは理性的にみて根拠があるばかりか、対外政策の遂行にさいして適切である。合法的な力は、それを行使するさい道義的にあるいは法的に正当であると主張することができるのであり、このようには正当化されえない非合法の力に比べればより効果的であるといえよう。すなわち、非合法的な力と比較して合法的な力の方が、その客体の意思に影響を及ぼす可能性はより大きいのである。自衛とか国連の名の下に行使される力は、同じ力でも、「侵略」国の力あるいは国際法に違反して行使される力よりは成功の見込みがある。あとでみるように、政治的イデオロギーは、対外政策にみせかけの正統性を与えるという目的に好都合である。

利得への期待、不利益への恐れ、人や制度への敬愛など――これらは絶えずその結びつきを変えながら展開している――は、あらゆる国内政治の基礎を形づくるものだと一般には認識されている。ところが、これらの要因が国際政治にもつ重要性も、さほど明白なものではないが、やはり現実のものなのである。これまで、政治権力を実力の実際の適用ということに還元したり、あるいは、少なくとも政治権力を実力の見事な威嚇や説得力と同一視して、そのカリスマ性を無視する傾向があった。このような政治権力のカリスマ性の無視が、あとで述べるように⑶、国際政治の独自の要素である威信を無視する大きな原因となるのである。実際、ナポレオンやヒトラーのような人間のカリスマ性や、アメリカ政府やアメリカ憲法のような制度のカリスマ性を考慮しなければ、近代になってとくに顕著になった国際政治のある種の現象を理解することは不可能である。というのも、カリスマ性こそ人びとの信頼と愛情を呼びさまし、これらが彼らの意思を特定の人間や制度の意思に従属させるからである。

カリスマ的なリーダーシップと、指導者に対する服従者の愛のあかしとしてそのリーダーシップに応えることとは、国際政治においても重要であるが、このことは、スコットランド長老派でプロテスタント統一の運動家でもあったジョン・デュリーが一六三二年にイギリス大使トーマス・ローに宛てた手紙のなかにはっきり示されている。そのなかで彼は、当時ドイツでプロテスタント運動のために戦っていたスウェーデンのグスタフの力の衰退を次のように説明している。

「彼の権威の増大こそが彼の拠って立つところである。しかも愛がその権威の礎なのであり、彼の権威は愛によって得られるのでなければならない。それは権力によっては得られないからである。なぜなら、彼の権力は彼の崇拝者のうちにあるのではなくて、よそもののうちにあるからであり、また彼の財力にあるのではなく、よそものの財力のなかにあるからである。彼らの善意にあるのではなくて、彼と彼らが現在その状況におかれているという単なる必然のなかにあるからである。したがって、その必然がいまほどにそう差し迫ったものでなくなれば、あるいはまた何か別の手段がこの必然を避けるために神（彼に対するのと同様に他者を遇することができる）によって示されるとすれば、この必然が彼に授けている財力も権力も援助も彼を見捨てることになるのである。こうして彼の権威は失われてしまったのである。したがって彼の拠って立つところのものはもはやありえまい。初めにあった愛は消え失せてしまったのだから……。」(4)

アメリカ大統領は、自分の命令が政府の行政部門の構成員によってまもられる限りにおいて、この行政部門に対して政治権力を行使できる。党の指導者は、その意思に従って党員の行動を形成できる限りにおいて、政治権力をもっているといえる。同様に、実業家、労働組合の指導者、ロビイストの場合にも、彼らの選好が公僕の行動に影響する限りにおいて、政治権力をもっているということになろう。アメリカの法律がプエルト・リコ島の住民に遵守されている間は、アメリカはプエルト・リコに対して政治権力を行使していることになる。われわれが中米諸国に対するアメリカの政治権力について語るとき、中米諸国の政府の行動がアメリカ政府の希望と一致しているものと考えている。⑤要するに、AがBに対して政治権力をもっているとか、政治権力をもつことを望んでいるということは、AがBの心に影響を及ぼすことによって、Bの一定の行動を制御できること、あるいは制御できるよう望んでいること、をつねに意味しているのである。

原料の獲得、海上航路の規制、領土の変更など、対外政策の物的目的が何であれ、それらはつねに他者の心理への影響によってその行動の制御をもたらす。一世紀にわたりフランスの対外政策の目的であったライン国境線という観念は、ドイツのフランス攻撃を物理的に困難ないし不可能にすることによってドイツのこの欲求を消失させるというフランスの政治目的をあらわしている。イギリスが一九世紀をつうじて世界政治に優勢な地位を保つことができたのは、他の諸国家にとってイギリスへの敵対が非常に危険なものになるよう(イギリスはあまりにも強力であったので)、あるいは不必要になるよう(イギリスの力は適度に行使されたので)に計算された政策のためである。

どんな種類の軍備でも、その政治目的は、他国に対して軍事力の使用を危険だと思わせ、それを抑止することにある。いいかえるなら、軍備の政治目的は、仮想敵国に軍事力の使用を思いとどまらせることによって、軍事力の現実の行使を不必要にすることにある。戦争の政治目的も、領土の征服や敵軍のせん滅自体にあるのではなく、敵を改心させて勝利者の意思に従属させることにあるのである。

したがって、経済的、財政的、領土的あるいは軍事的な諸政策を国際問題として議論するときには、純粋の経済政策と、政治政策の手段としての経済政策――すなわち経済目的が、他国の政策を制御するという目的の手段でしかないような政策――とをつねに区別する必要があろう。スイスがアメリカに対してとっている輸出政策は、前者のカテゴリーに属する。ソ連が東ヨーロッパ諸国に対してとっている経済政策は後者に属する。ラテン・アメリカ、アジア、ヨーロッパにおけるアメリカの多くの経済政策もこれと同様である。このような区別は、実際上大いに重要である。したがって、この区別ができなかったために、政策と世論とに大きな混乱が生じたのである。

純粋の経済政策、財政政策、領土政策、あるいは軍事政策は、それぞれ固有の観点から評価されるであろう。たとえば、その政策は経済的あるいは財政的に有益なものであろうか。領土の取得は、それを取得した国家の人口とその経済にどんな効果をもつだろうか。軍事政策の変化によって、教育、人口、国内の政治システムにどんな影響がみられるだろうか。これらの政策は、もっぱらそれ固有の考慮が払われるなかで決定されるのである。

しかし、これら諸政策の目的が他の諸国家との関係において、これを追求する国家の力の増大に有用な場合には、この政策とその目的は、まず国力に寄与しているかどうかという見地から判断されなくてはならない。純粋に経済的な観点からすればとても正当化できないような経済政策でも、そこで追求されている政治政策の見地から採用されることがあるかもしれない。もし他国への借款が安全でなく、利益もあがらないならば、そのことは、純粋に財政的な立場からみればこの借款に反対する確固たる論拠となるであろう。しかし、この借款がたとえ銀行家の見地からみて賢明ではないにしても、それがその国の政治政策に役立つならば、この論拠は適切なものとはいえなくなる。もちろん、このような政策から生じる経済的あるいは財政的な損失が、期待されていた政治的利益を上まわり、その結果その国の国際的立場を弱めることはありうる。それが理由でこのような政策は拒否されるかもしれない。この場合、問題に決着をつけるものは、純粋に経済的あるいは財政的な要件ではなくて、政治的な成算の見込みとそれに伴う危険との比較、すなわちその国家の力に対するこれらの政策の効果の見積もりである。

政治権力の軽視

権力への欲望は、すべての政治と同様、国際政治においても顕著な要素であるがゆえに、国際政治は不可避的に権力政治となる。この事実は、実際の国際事象で一般に認識されていることなのに、学者、評論家、それに政治家までもが、彼らの見解によってこれをしばしば否定する。ナポレオン戦争の終結以来、西洋世界ではさらに多くの人たちが次のように信じてきた。すなわち、国際舞台における権力闘争は一時的な現象にすぎず、闘争をもたらす特定の歴史的条件が排除されてしまえば消滅するほかはない歴史的偶然であると。こうして、ジェレミー・ベンサムは、植民地獲得競争がすべての国際紛争の根源だと信じ、「植民地を解放せよ！」と政府に勧告したのである。そうすれば国際紛争はかならず消滅するというわけである。[6] コブデン[7]やプルードン[8]のような自由貿易の信奉者は、貿易の障壁を取り除くことが国家間に不変の調和を樹立する唯一の条件であること、そしてそれが国際政治そのものまでも消滅させるのだと信じた。コブデンはこう述べた。「将来の選挙では、自由選挙区の立候補者に対して、『対外政策』といった形でテストされることはなくなるであろう」[9]。さらにまたマルクスとその後継者たちは、資本主義が国際的な軋轢《あつれき》と戦争の根源になっていると考える。彼らによれば、国際社会主義が国際舞台における権力闘争を一掃して、恒久平和をもたらすはずである。一九世紀をつうじてどこの国の自由主義者も、権力政治と戦争は時代遅れの政治システムの遺物であること、絶対主義と独裁政治に対する民主主義と立憲政治の勝利は、権力政治と戦争に対する国際調和と恒久平和の勝利を保証することを信じていた。この自由主義思想学派のなかではウッドロー・ウィルソンが、最も雄弁で最も力を及ぼしたスポークスマンであった。

最近では、権力闘争を国際舞台から除去できるとの信念は、国際連盟や国際連合のように、世界を組織化しようとする偉大な試みと結びつけられてきている。こうして、当時アメリカの国務長官であったコーデル・ハルは一九四三年、国連の基礎づくりとなったモスクワ会議からの帰国のさい、新しい国際組織の創設は権力政治の終焉を意味し、国際協調という新時代の到来を告げるべきものだと宣言した。[10] また当時のイギリス国務大臣ノエル＝ベーカーは、一九四六年に下院で、イギリス政府は「民主主義の方法によって人民の意思が勝利するよう、国際連合の諸制度を利用して権力政治を葬る決意である[11]」と宣言した。

これらの理論とそこから派生する期待については、あとでさらに述べるが、[12] 権力闘争が時と場所を超えて普遍的であり、否定することのできない経験的事実である、といえば十分である。社会的、経済的、政治的諸条件にかかわりなく、有史以来諸国家が相互に力の抗争を行なってきたことは否定できない。人類学者がある種の未開人は力への欲求から解放されているようだと述べたとしても、国際舞台から権力闘争をなくすために、彼らの精神状態と生活条件とを全世界的規模でどのように再生できるのか、それを示したものはまだ誰もいない(13)。地球上の一、二の国民を力への欲求から解放しても、他の国民のそれがそのままならば、それは無益かつ自己破壊的でさえある。力への欲求が世界中のいたるところで捨て去られないならば、力への欲求から逃れた人は他の人の力の犠牲になるだけである。

このような見解は、過去から引きだされた結論は信頼に値しないとか、このように結論づけることは進歩と改革を妨げる敵の常套手段であるといったことを理由に、批判されるかもしれない。確かに、ある種の社会的取決めや制度が過去につねに存在したからといって、当然それらが将来にわたっても永久に存在しなければならないということにはならない。しかしながら、人間によってつくられた社会的な取決めや制度ではなく、逆に、その社会をつくりだす本質的な生物心理学的衝動をわれわれが問題にするときは事情は異なったものとなる。生への衝動、繁殖への衝動、支配への衝動、といったものはすべての人間に共通するものである(14)。これらの衝動がどの程度強いものなのか、それは社会的諸条件によるであろう。ときには、ある衝動に有利で、他の衝動は抑圧される場合があろうし、またある衝動が鼓舞されるのに、他の衝動は、その発露が社会的に容認されない場合もあろう。したがって、力の領域に限定して例を挙げるならば、社会のなかで力を獲得する手段としての殺害は、たいていの社会で非難されるが、戦争と呼ばれる権力闘争においては、敵を殺すことをすべての社会が奨励するのである。独裁者はその同胞市民のなかに生じる政治権力への欲望に猜疑の念を抱くが、民主主義は政治権力をめぐる競争への積極的参加を市民の義務であるとみなす。独占的な経済活動組織が存在するところには、経済権力のための競争はなく、自由競争の経済システムを採用するところでは、経済権力のための闘争のある種の行為は不法とされ、またある種のそれは奨励される。オストロゴルスキーは、トックヴィルの言を引用してこう述べている。「アメリカ人民の情熱は政治的性質のものではなく、営利的なものである。開拓を待っているこの世界では、力への愛着は物に対するほどには人間に向けられない」⑮。

国際舞台における権力闘争は単なる歴史的偶然にすぎないとの見解に反対するためには、われわれはその決定的な論拠を、個々の社会的条件がどうであれ、国内政治の本質から引きださなくてはならない。国際政治の本質は国内政治のそれと同じである。国内政治も国際政治もともに権力闘争であり、闘争が国内領域で起こるか国際領域で起こるか、その条件のちがいだけが両者を別々に規定しているにすぎない。

とくに他者を支配しようとする傾向は、家族にはじまって友愛団体、職業団体、地方の政治組織体から国家に至るまで、人間を結びつけるあらゆる関係のなかにみられる要素である。家族のレヴェルでいえば、嫁と姑との間の典型的な対立は、本質的には権力闘争であり、新しい権力の立場を確立しようとする試みに対する既存の権力の防衛である。ちょうどそれは、国際舞台における現状維持政策と帝国主義政策との対立を思いださせる。社交クラブ、友愛団体、大学、実業団体なども、既存の権力を保持しようとするグループとより大きな権力を獲得しようとするグループとの絶えざる権力闘争の場なのである。また企業間の競争や労使間の紛争も、経済的利益のためばかりでなく、ときには、それが主要な理由ですらなく、互いにまたは他に対して支配権を及ぼすため、いいかえれば、権力のために闘われることはしばしばある。最後に、国家とくに民主的な国家の地方レヴェルから国家レヴェルに至る政治生活全体が、絶えざる権力闘争なのである。定例の選挙、議会での投票、裁判所への訴訟、行政上の決定や執行措置などすべての活動において、人は他者に対して力を維持しあるいは確立しようとする。立法、司法、執行、行政上の諸決定が下される過程は、みずからの力の立場を防衛し拡大しようとする「圧力団体」の圧力あるいは抵抗を受けざるをえない。死海写本のひとつには次のことが書かれている。

「どの国が強国によって抑圧されたがるであろう。あるいは、誰がその財産を不正に略奪されたがるであろう。しかし隣国を抑圧しなかった国が一国とてあろうか。あるいは、他人の財産を略奪しなかった民が世界のどこにあろうか。実際、どこに。」

ツキディデスを引用するならば、「神々についてわれわれが知っており、また人間について確信しているのは、次のことである。すなわち、神々や人間は、支配できる場合にはいつでも支配するということが、彼らの本性からくる必然的な法だ[16]」ということである。また、トルストイが述べているように、「………ドローコフにとっては、他人の意思を支配するまさにその過程が、それ自体歓びであり、習慣であり、必然でもあった[17]」のである。

さらに、ソールズベリーのジョンの言に次のものがある。

「王や君主がもっているような力を獲得することがすべての人にできるわけではないが、専制政治に全く染まっていない人はめったにいないか、もしくはありえない。よく使われるいい方をすれば、暴君とは実力を背景とした支配によって全人民を抑圧するものである。しかしひとりの人間が暴君として行動できるのは、人民全体に対してだけとは限らない。どんなに賤しい地位にあってもその気になればそうふるまえるのである。

なぜなら各人は人民全体を支配しえずとも、自己の力の及ぶ範囲で他者を支配するだろうから。(18)」

このように権力闘争があらゆる社会関係に、あるいは社会組織のあらゆるレヴェルに広く存在するという見方からすれば、国際政治が必然的に権力政治となることは、何ら驚くべきことではないであろう。そして、権力闘争が国内政治のあらゆる分野において永久かつ必然的な要素であるのに、国際政治ではそれが偶然的で一時的な属性にすぎないとすれば、むしろその方が驚くべきことではないだろうか。

政治権力の軽視――その二つの根源

国際舞台で力が果たす役割を軽視する傾向は、二つの根源からきている。ひとつは、国際関係についての哲学である。それは一九世紀の大半にわたって重要な位置を占め、いまなお国際事象に関するわれわれの考え方の多くを支配している。もうひとつは、アメリカと世界との関係を決定してきた特殊な政治的・知的状況である。

一九世紀の哲学

一九世紀は、その国内の経験から権力政治を軽視していた。この経験の特徴は、中産階級が貴族階級によって支配されていたことにあった。一九世紀の政治哲学は、貴族階級の支配をあらゆる政治支配と同一視したため、貴族政治に対する反感をあらゆる種類の政治に対する敵意と同一視するに至った。貴族による統治が敗退すると、中産階級は間接支配のシステムを発達させた。彼らは、貴族支配の特徴である支配・被支配階級という伝統的な区別や、公然たる暴力である軍事的手段を、経済的依存という見えざる鎖にとって替えた。この経済システムは、網の目のように張りめぐらされた、表面的に平等な法規則をつうじて作用したが、それが力関係の存在そのものを隠蔽することになったのである。一九世紀には、こうして合法化された諸関係の政治的特質を見わけることはできなかった。それらは、政治の名の下にそれまでなされてきたものと本質的に異なるものだと思われたのである。したがって、貴族的な——つまり公然と暴力的な——形態の政治が、政治そのものと同一視された。だから、国内問題においても国際問題においても政治権力をめぐる闘争は、独裁的な政府に対応したものであり、その消滅とともに消えてなくなるはずの歴史的偶然にすぎないものと思われたのである。

アメリカの経験

このような権力政治と貴族政治とを同一視するとらえ方は、アメリカの経験によって裏付けされることになる。それは、アメリカの経験における三つの要素に由来する。すなわち、アメリカの経験の独自性、一九世紀をつうじてアメリカ大陸が世界の紛争の中心から実際に隔絶されていたこと、そして、アメリカの政治的イデオロギーにみられる人道的平和主義と反帝国主義である。

イギリス王室との憲法的紐帯を切断したことが、アメリカ対外政策の開始の契機となった。これは、それまでヨーロッパにおいて対外政策の名の下になされてきたものとは全く別のものであった。そのことは、ワシントンの告別演説のなかにはっきりと述べられている。「ヨーロッパ諸国はヨーロッパ内部に一連の重要な利害関係をもっているが、それらはわれわれには何ら関係がなく、またたとえあったとしても非常にうすい。それゆえヨーロッパは、しばしばその争いに巻き込まれざるをえないだろうが、その争いの原因は本質的にわれわれの利害関心と関係のないものである。したがって、ヨーロッパの政治につきものの栄枯盛衰や、その友好と敵対の離合集散にわれわれが——わざわざ盟約関係を結ぶことによって——巻き込まれることは、賢明なことではない」。一七九六年には、ヨーロッパの政治と権力政治は同一のものであった。つまり、ヨーロッパの君主たちによって行なわれる権力政治以外に、権力政治というものはなかったのである。「ヨーロッパの野心、抗争、利害、一時的な気分や気紛れからくる労苦」は、アメリカ人の目には単なる国際的な権力闘争のあらわれでしかなかった。それゆえ、ワシントンによって宣言された、ヨーロッパの政治からの離脱は、権力政治そのものからの離脱を意味していたといってよい。

しかし、アメリカがヨーロッパの権力政治の伝統と縁を切ったことには、単なる政治的プログラム以上のものがあったのである。それは、多少の例外はあるにせよ、一九世紀末までの政治的な既成事実であった。この事実は、地理上の客観的条件の結果であると同時に、慎重な選択の結果でもあったのである。大衆受けのする著述家たちは、アメリカの地理的位置の特殊性のなかに、アメリカが孤立しながら膨張していく道を断固としてあやつる神の手をみるかもしれない。しかしワシントン以来、より責任ある観察者たちは、地理的条件と対外政策との関連を強調するよう心がけてきた。すなわち、地理学に照らして対外政策の目的を選択し、この目的を達成するために地理的条件を利用するということにほかならなかった。ワシントンは、「われわれの隔絶した位置」に言及し、「なぜこのような特有の位置の利益を捨てる必要があろうか」と問いかけた。アメリカ対外政策のこの時代が幕を閉じようとしたとき、ジョン・ブライトはアルフレッド・ラヴ宛にこう書いた。「私たちは、アメリカ大陸でいま育ちつつある何百万という人びとが、今後戦争について何も知らなくなるのを希望している。そういう時代になれば、誰もあなた方を攻撃できないし、あなた方も他の国民の争いには巻き込まれたくないと思うようになるだろう⑲」。

新世界の市民たちは北アメリカ大陸の此岸から、ヨーロッパ、アフリカ、アジアの遠い彼岸で繰り広げられている国際的な権力闘争という不思議な光景をみつめていた。一九世紀の大半をつうじて、アメリカの対外政策は市民たちを観察者の役にとどめることができた。したがって、実際には一時的な歴史的配置図の結果であるものが、恒久的な条件――すなわち、おのずから選ばれ、しかももともと定められたもの――であるかのようにアメリカ人には思えたのである。最悪の場合でも、アメリカ人は他国民の権力政治のゲームを観察しつづけるだけであろう。そして、とどのつまり、いたるところに民主主義が確立されると、最後の幕が降ろされて権力政治のゲームはもはや演じられなくなるときが迫っている、というわけである。

このような目標を達成する手助けとなることが、アメリカの使命の一部分だと考えられていた。アメリカ建国史をつうじて、アメリカの国民的運命は、反軍国主義的・自由主義的な立場から理解されてきた。アメリカの国民的使命が非侵略的な孤立主義の様式をとる場合には、それは、ジョン・C・カルホーンの政治哲学にもあるように、国内の自由の促進とみなされる。こうしてわれわれは、「千回の勝利によるよりもわれわれの経験によって、アメリカ大陸と全世界とに自由をすみずみにしみわたらせることになるであろう」。アメリカがアメリカ・スペイン戦争の結果この反帝国主義と民主主義の理想を放棄したかのようにみえたとき、ウィリアム・グラハム・サムナーは、その本質を次のようにいいなおしている。「膨張と帝国主義は民主主義の大敵である……膨張と帝国主義は、アメリカ国民の最良の伝統、原則、利益と相容れない」[20]。サムナーは、ヨーロッパの権力政治の傾向とアメリカの伝統的理想とを比較して、ジョージ・ワシントンと同様、両者は両立しえないと考えた。だが、彼は未来を予言するものとして、アメリカ・スペイン戦争の結果から、アメリカは、ヨーロッパが革命と戦争の渦中に巻き込まれたと同様の過程をたどるほかないとみなしていた。

このように一九世紀において形成された、対外事象の性格についての一般的な観念は、アメリカの経験における特殊な要素と結びつき、しかもこの一般的な考え方が、権力政治に巻き込まれることは不可避的なことではなく単なる歴史的偶然にすぎず、それゆえ諸国家は権力政治か、それとも力への欲求に毒されていない別種の対外政策のいずれかを選択できるという信念を生みだしたのである。

第四章　権力闘争――現状維持政策

国内政治と国際政治は、権力闘争という同一の現象が二つの異なった領域にあらわれたものにすぎない。そのあらわれ方は、それぞれの領域で優勢な道徳的、政治的、社会的な諸条件が異なっているためにちがったものになる。たとえば、西ヨーロッパの国民社会は、その相互間でよりも、それぞれの内部での方がはるかに強い社会的結合を示す。文化的な均質性、技術の統一、外部の圧力、そしてとりわけ階層化された政治組織などが組み合わされることによって、統合された全体としての国民社会がつくりだされ、それは他の国民社会と区別されるのである。その結果、国内の政治秩序は、国際秩序に比べてより安定しているし、また暴力的変革を受けることもより少ないのである。

すべての歴史が示すように、国際政治に積極的な諸国家は、戦争という形態の組織的な暴力の準備をつねに怠らず、それにすすんで関与し、あるいはその痛手から立ちなおる。他方、西ヨーロッパ民主主義諸国の国内政治では、政治行動の手段としての組織的な暴力が大規模に使用されることは、例外中の例外となった。とはいえ、それは潜在的にはいまなお存在しており、革命という形での暴力の恐怖が、ときに政治思想や政治行動に重要な影響を与えてきた。[1] この点で国内政治と国際政治の相違は、程度の差であって、本質のちがいではないのである。

政治はすべて、国内政治であれ国際政治であれ、三つの基本的なパターンを示す。すなわちすべての政治現象は、三つの基本的なタイプのどれかに還元することができる。政治政策は、力を維持するか、力を増大するか、力を誇示するかのいずれかを求めるのである。

これら三つの典型的な政治のパターンには、三つの典型的な国際政策が対応している。ある国家は現状維持政策を追求する。その場合、この国の対外政策は力を保持しようとする傾向をもつが、それは決して力の配分を自分の有利になるように変えるものではない。これに対し、現存の力関係を逆転させることにより、現にもっている以上の力を獲得すること――いいかえれば、対外政策によって力の状況のなかで自国に有利な変更を求めること――をその対外政策の目的とする国家は、帝国主義政策を追求する。また現に有する力を対外政策によって誇示しようとする国家は、力の維持あるいは増大のために威信政策を追求する。[2] こうした定式化は暫定的な性質のものであり、さらに精緻なものにしなければならないことはいうまでもない。[3]

「現状《ステータス・クオ》」という概念は、戦争前の現状(*status quo ante bellum*)という言葉に由来する。この言葉は、一般に平和条約などの条項にみられる外交用語であり、領土から敵の軍隊を撤退させ、それを戦争前の主権下に回復させることを規定するときに使われるものである。たとえば、第二次世界大戦を終結させることになるイタリアとの平和条約[4]およびブルガリアとの平和条約[5]は、それぞれ、「同盟国および連合国の一切の軍隊は、できるだけすみやかに、かついかなる場合においても、この条約の実施の日から九〇日より遅れることなく」、特定国家の領土から「撤収されなくてはならない」と規定している。すなわち、この時間の限度内に、戦争前の現状がこの領土に関して回復されなければならないのである[6]。

現状維持政策は、歴史のある特定の時点で存在している力の配分を維持することを目的としている。だからそれは、国内政治の上で保守的な政策が果たしているのと同じ機能を、国際政治に対して果たすものだということができよう。現状維持政策を説明するのに適当な特定の歴史的時点として、戦争の終了時がしばしば挙げられる。力の配分が平和条約に規定されることになるからである。というのも、平和条約の主要な目的が、それに先立つ戦争の勝敗によって生じた力の変動を法律用語で規定し、新しい力の配分の安定性を法的条項をつうじて保障することにあるからである。それゆえ、現状維持政策は、典型的には大戦を終了させた平和協定の防衛という形であらわれる。一八一五年から一八四八年にかけてヨーロッパの諸政府および諸政党は現状維持政策を追求したが、これはナポレオン戦争を終了させた一八一五年の平和協定をまもるためであった。これらの政府が一八一五年に締結した神聖同盟の主たる目的は、ナポレオン戦争の終了時に存在した現状を維持することにあった。したがって、神聖同盟はおもに平和条約、すなわち一八一五年のパリ条約の保障装置としてその機能を果たしたのである。

この点、一八一五年の現状をまもろうとするパリ条約の政策と神聖同盟との関係は、一九一八年の現状のための政策、すなわち一九一九年の平和条約と国際連盟との関係に似ている。第一次世界大戦の終わりにあたって存在した力の配分は、その法律上の表現を一九一九年の平和条約のなかに発見することができる。一九一九年の平和条約に規定されたように、一九一八年の現状を保持することによる平和の維持が、国際連盟の主要目的となった。国際連盟規約第一〇条は、「連盟各国ノ領土保全及現在ノ政治的独立ヲ尊重シ、且外部ノ侵略ニ対シテ之ヲ擁護スルコト」を連盟加盟国に義務づけ、一九一九年の平和条約によって確立された領土の現状維持を国際連盟の目的のひとつとして認めた。その結果、大戦間の時期には、現状をまもる闘争と、現状に反対する闘争は、ヴェルサイユ条約の領土条項および国際連盟規約第一〇条によるその保障を防御するか打倒するかという形でおもに行なわれたのである。したがって、一九一九年に確立された現状に主として反対する諸国家が、国際連盟との関係を断たなければならなかった——一九三二年〔一九三三年の誤り〕に日本が、一九三三年にドイツが、一九三七年にイタリアが連盟との関係を断ち切った——のは、これら国家の見地からすれば首尾一貫した行動にすぎなかった。

現状維持政策がはっきりとその姿をあらわすのは、何も平和条約とそれを支持する国際組織においてのみではない。一定の力の配分を維持しようとする諸国家は、たとえば一九二二年二月六日にワシントンで調印された「支那ニ関スル諸問題ニツイテ従フベキ原則及政策ノ九カ国条約」[7]や、一九二五年一〇月一六日にロカルノで仮調印された「ドイツ、ベルギー、フランス、イギリス、イタリア間ノ相互保障条約」[8]のような特別条約を、その手段として利用することもあろう。

九カ国条約によって、中国におけるアメリカの「門戸開放」政策は、中国自身だけでなく、中国との貿易にきわめて関心の強い諸国家がその遵守を誓約するという多数国間政策に変わった。この条約の主要な目的は、締結国間に当時存在していた、中国をめぐる力の配分を安定させることにあった。このことは、一定の国、とくにイギリスと日本が満州や幾つかの港湾など中国領土の特定区域に取得していた特権が温存されるだけでなく、いずれの締約当事国に対しても、中国によって何らかの特権が新たに譲渡されてはならないことをも意味した。

相互保障に関するロカルノ条約は、国際連盟規約第一〇条に含まれた一九一八年の領土的現状の一般的保障を、ドイツの西部国境に関する特別の保障によって補強しようとするものであった。同条約第一条は、はっきりと、「独逸国、白耳義国間及独逸国、仏蘭西国間ノ国境ヲ基礎トスル領土上ノ現状維持」の保障にふれている。

とりわけ同盟条約は、多くの場合、幾つかの点で現状維持の機能をもっている。たとえば対フランス戦争が勝利に終わり、一八七一年にドイツ帝国の基礎ができると、ビスマルクはヨーロッパにおいてドイツが新たに獲得した支配的地位を、フランスからの報復戦争を防止する意図をもつ同盟によって保護しようとしたのである。一八七九年、ドイツとオーストリアは対ロシア相互防衛同盟を結び、一八九四年、フランスとロシアは、ドイツ・オーストリア連合に対抗する防衛同盟に入った。このように、互いに現状維持を言明しているにもかかわらず、相手方の同盟は現状変更を意図しているのではなかろうかという相互の恐怖心が、第一次世界大戦の大火をもたらす主要因のひとつだったのである。

フランスが大戦間に、ソ連、ポーランド、チェコスロヴァキア、ルーマニアと締結した各同盟条約は、いずれもおもにドイツに現状変更の企てがありうるとの見地から、現状を維持することを意図して締結されたものであった。チェコスロヴァキア、ユーゴスラヴィア、ルーマニア間の類似の諸条約や、チェコスロヴァキアとソ連との間の条約も同じ目的をもっていた。これらの同盟は、一九三五年から一九三九年にかけて試練にさらされたときその効果を発揮できなかった。このことが、一九三九年にドイツがポーランドを攻撃した理由のひとつとなったのである。一九三九年四月五日のイギリス・ポーランド同盟は、ドイツの東部国境において少なくとも領土の現状を保持しようという、戦争勃発以前になされた最後の試みとなった。今日、ソ連が東ヨーロッパ諸国と結んでいる諸同盟や、西ヨーロッパ諸国が相互におよびアメリカと結んでいる諸同盟も、第二次世界大戦終了時の力の配分によってこれらヨーロッパ各地域に確立された現状の維持を等しく目的としているのである。

現状維持政策の表明であり、アメリカにとってきわめて重要な意義をもち、その外交の基礎でもあったのが、あのモンロー・ドクトリンである。これは、一八二三年一二月二日モンロー大統領が議会に宛てた年次教書のなかで行なった一方的宣言であり、このドクトリンには、どんな現状維持政策にもみられる二つの本質的な原則が提示されている。このドクトリンは、一方で西半球における現存の力の配分をアメリカが尊重することを約束し、こう述べている。「われわれは、どのヨーロッパ諸国の現存する植民地ないし属領に対してもこれまで干渉してこなかったし、また将来も干渉しないであろう」。しかし、他方では、アメリカはアメリカ以外の国家が現存の力の配分をいかなる形であれ変更することに対しては、これに抵抗する旨を次のように宣言しているのである。すなわち、「しかしすでに独立を宣言し、それを維持している政府に関して……ヨーロッパ諸国が、それらの政府を圧迫するために、あるいは他の方法でその運命を支配するために行なうどんな干渉であれ、われわれはこれを合衆国に対する非友好的な意向のあらわれ以外のものとみることはできないであろう」。この原則は、一九三三年四月一二日の汎アメリカ連合最高会議でのフランクリン・D・ルーズヴェルト大統領の演説のなかでも次のように表明されている。「それ――モンロー・ドクトリン――は、アメリカ以外のどの国にせよ、西半球での新たな領土支配権のどんな方法による獲得にも抵抗することを狙っていたのであり、今日もそれは変わっていない⑨」。

現状維持政策が、歴史のある特定の時期に存在する力の配分の維持を目的とするものだ、ということはすでに述べた。とはいえ、この政策は、どんなものであれ現状の変更には必ず反対するということまで意味するわけではなく、二カ国もしくはそれ以上の国家間の力関係をくつがえすことになるような変更に反対するものなのである。そのような変更とは、たとえば、A国を一等国から二等国に引き下げ、代わりにB国を、A国がそれまで保持していた優越的地位に引き上げるといったような場合である。これに対して、力の配分の小さな調整は、それが関係諸国の相対的な力関係に影響を及ぼさない限り現状維持政策と十分両立する。たとえば、一八六七年のアメリカによるアラスカ領土の買収は、アメリカとロシアの間の現状に対して、当時何の影響も与えなかった。アメリカが近づくことすらむずかしかったこの領土を獲得したとしても、当時の通信と戦争の技術からすれば、それがアメリカとロシアの間の力の配分に目立って影響を与えるということは考えられなかったからである。

同様に、アメリカが一九一七年デンマークからヴァージン諸島を手に入れたからといって、同国は中米諸国に対する現状変更を意図した政策に手をつけたわけではなかった。ヴァージン諸島の取得は、パナマ運河への通路の防衛という限りにおいて、アメリカの戦略的位置を大いに改善することにはなったが、アメリカと中米諸国との間の相対的な権力地位を変更するものではなかった。ヴァージン諸島の取得は、カリブ海においてアメリカがすでに手にしていた支配的な立場を一層強化することになったかもしれない。だが、この支配的な地位は、それによって初めて獲得されたわけではなく、したがってそれは現状維持政策と矛盾するものではなかった。もっとも、中米諸国に対するアメリ力の優位を強化することになったこの取得は、実際には現存の力の配分を補強し、その結果現状維持政策の目的に役立ったのだ、ということはできよう。

第五章　権力闘争——帝国主義

帝国主義でないもの

アメリカがヴァージン諸島を取得したことは、それを客観的に分析してみれば、この地域における現状維持政策の一部分にすぎなかったことがわかるはずである。にもかかわらず、カリブ海でのアメリカの立場を強化しようとするこのような、あるいはこれに類似した動きは、多くの観察者から帝国主義的であると非難されてきた。このような観察者たちは、「帝国主義的」という言葉を、ある特定のタイプの対外政策を客観的に性格づけるために用いるのではなく、自分の気に入らない政策を非難する言葉として使ってきた。このように、ある政策を論難する目的でこの言葉を恣意的に用いることが流行したため、今日「帝国主義」や「帝国主義的」という言葉は、この言葉を使うものがたまたま反対している対外政策のどんなものに対しても、その実際の性格に関係なく使われるようになったのである。

イギリス嫌いは、一九四〇年に、あるいは一九一四年においてそうしたように、一九七〇年のひとつの現実を指してイギリス帝国主義というだろう。ロシア嫌いは、ロシアが対外問題に関して行なうことは何であれ、それを帝国主義的と呼ぶだろう。ソ連は、一九四一年にドイツの攻撃を受けるまで、第二次世界大戦の参戦国すべてを指して帝国主義戦争を行なっていると称していた。したがって、その後ソ連が行なった戦争は、反帝国主義戦争と定義されなければならなかった。どこにおいても、アメリカの敵やその批判者にとって、「アメリカ帝国主義」という言葉は常套句となっている。さらにある種の経済システムや政治システム、また銀行家、実業家のような経済集団までもが、簡単に帝国主義的対外政策と同一視されるようになったということが、こうした混乱に輪をかけている。

「帝国主義」という言葉は、このようにみさかいなく使用されていくうちに、すべて具体的な意味を失ってしまった。たまたまその対外政策に異議を唱えるものからすれば、みな帝国主義者になってしまうのである。このような状況の下では、この言葉の通俗的な使用法とは縁を絶ち、この言葉に、国際政治の理論と実践に同時に役立つような、倫理的に中立で、客観的かつ明確な意味を与えることが理論家の研究課題となる。(1)

帝国主義とは実際何であろうか。それを問う前に、まず帝国主義でないのに帝国主義だとつねにみなされているものについて問いただしておかなければならない。われわれの注意をひくのは、さしあたり次の三つの最も一般的な誤解である。

〔一〕一国の力の増大を目ざす対外政策のすべてが必ずしも帝国主義のあらわれというわけではない。現状維持政策を論じたさい、このような誤解はすでに取り除いておいた。②帝国主義とは、現状の打破、すなわち二国ないしそれ以上の国家間の力関係の逆転を目的とする政策である、とわれわれは定義したのである。力関係の本質を損なわず、その調整だけを追求する政策は、なお現状維持政策の一般的な枠組みのなかで機能しているといえよう。

帝国主義と、力のあらゆる意図的な増大とが同じものであるという見解は、主として二つの異なるグループによってとられている。イギリス嫌いとか、ロシア嫌いとか、反アメリカ派のように、ある特定の国家とその政策に主義の上から反対する人たちは、自らが抱いている恐怖の対象の存在そのものを、世界に対する脅威とみなすのである。それゆえ、このように恐れられている国家が力を増大しはじめるたびに、その国に恐れを感じている人びとは、この力の増大が世界征服への踏み台になるとみなすにちがいないのである。それは帝国主義政策のあらわれにほかならない、というわけである。他方、どんな積極的な対外政策であれ、これをいずれ消滅させなければならぬ悪だとみなす人びとは、力の増大を求める対外政策を非難するだろう。一九世紀の政治哲学の継承者はそのような人びとであった。彼らは、このような対外政策と、彼らが悪の典型とみなす帝国主義とを同一視するのである。

〔二〕すでに存在する帝国の保持を目的とした対外政策は、必ずしも帝国主義ではない。ところが、イギリス、中国、ソ連、あるいはアメリカなどの国家が、ある地域でその優越的立場を維持するために行動すれば、それらは何もかも帝国主義的だと一般にみられがちである。その結果、帝国主義は帝国が構築されるその動的過程よりも、むしろすでに存在する帝国の維持、防衛、安定と同一視されるようになってしまった。しかし、「帝国主義」という言葉は既存の帝国の国内政策に使われる分には意味があるかもしれないが、それを本質的に静的で、保守的な性格の国際政策に適用することは、混乱を招くばかりか誤ってもいるのである。なぜなら、国際政治においては、帝国主義は現状維持政策と対照をなし、したがってそこには動的な意味が含まれているからである。いわゆる「イギリス帝国主義」の歴史は、この点で教訓的である。

イギリス帝国主義という観念の起源は、イギリスそのものにある。それは、一八七四年の選挙運動で、ディズレーリの率いる保守党によって最初に用いられた。この観念はディズレーリが考えだしたものだが、のちにジョーゼフ・チェンバレンとウィンストン・チャーチルがこれを発展させた。もともとそれは、保守党が自由党のコスモポリタニズムやインターナショナリズムなどと呼んだものとは対立するものであった。この観念が具体的に表明されたのは、「帝国連邦」(imperial federation)という政治プログラムにおいてである。このプログラムの最も重要な点は、㈠イギリスおよびイギリス領を、保護関税の下に統一的な帝国へと統合すること、㈡イギリス人の自由植民地を保留すること、㈢統一的な軍隊を創設すること、㈣ロンドンに中央代表機関をおくこと、であった。

しかし、このような「帝国主義的」プログラムが設計され、実施されたときには、イギリスの領土的拡張はほぼ終わろうとしていた。したがって、イギリス「帝国主義」プログラムは、本質的には拡張ではなく、強化のための政策だったのである。それはすでに所有しているものをまもり利用しようとするものであった。またそれは、大英帝国の成立によってもたらされた力の配分を安定させようとするものであったのである。

キップリングがイギリス帝国主義を「白人の責務」として正当化したときには、イギリス帝国主義の責務はとうに担われていたのである。一八七〇年代以来、イギリス帝国主義――すなわち、イギリス海外属領に関するイギリス対外政策――は、主として現状維持政策であり、厳密な意味で帝国主義的とはとうていいえなかった。しかし、イギリスその他の地域で反帝国主義者たちはディズレーリおよびチェンバレンの帝国主義スローガンを額面どおりに受け取り、しかも帝国主義の効果と帝国主義そのものとを混同し、とくにアフリカやインドにおけるイギリスの開拓政策や強化政策を「帝国主義的」だとみなして反対したのである。実際は、チャーチルが一九四二年に「イギリス帝国解体の責を負うこと」を拒否したとき、彼は帝国主義者としてではなく、対外問題に関する保守主義者、帝国の現状の防衛者としてそうしたのである。

イギリス「帝国主義」とその反対者たちは、帝国の強化や防衛と、帝国主義とを混同した顕著な見本である。しかし、それが唯一の事例であったわけではない。われわれがローマ帝国とローマ帝国主義について語るときには、当然アウグストゥスにはじまるローマ史の時代を考える。というのは、当時初めてローマ帝国(*imperium Romanum*)と呼ばれたものを支配した初代皇帝がアウグストゥスだったからである。だが、アウグストゥスがローマとその属領に帝国という政体を与えたときには、ローマの拡張は本質的にはすでに終了していた。ローマ共和国の対外政策は、ポエニ戦争からジュリアス・シーザーの共和国廃止に至るまで、言葉の真の意味で確かに帝国主義的であった。この間に、現実の政治的様相が変わって、ローマ人が形成された。しかし歴代皇帝の対外政策および彼らの止むことのない戦争行為は、すでに征服していたものの確保と保護というローマの主要目的に寄与したのである。ディズレーリからチャーチルに至る時代のイギリスの「帝国主義的」政策と同様に、帝政期ローマの対外政策は保守政策であり現状維持政策であった。たとえば、トラヤヌス皇帝時代のように数々の征服地をもっていたときなどは、こうした諸政策はローマ帝国とローマの優位を確かなものにするのに役立った。

同じことが、二〇世紀初頭から第二次世界大戦に至るアメリカ「帝国主義」の領土に関する事態にも本質的にあてはまる。今世紀前半の数十年間にアメリカ帝国主義をめぐる賛否の大論争が激しく起こったのは、それが一九世紀における帝国主義的大拡張の結果だったからにほかならない。論争の主題となった政策は、本質的には強化の政策、保護の政策、開拓の政策であり、要するに現状維持政策であった。ウィリアム・グラハム・サムナーが一八九八年に「スペインによるアメリカ征服」[3]と題して、アメリカの領土拡張政策に言及したとき、すでに達成された政策を彼は指していたのである。アルバート・J・ベヴァリッジ上院議員が、「われわれが野蛮人や老衰の民の間に政治を行なうことができるよう、神はわれわれをして政治に熟達させ給うたのだ」[4]と宣言したとき、彼は将来に向けて計画された拡張を支持することよりも、すでに確立した支配を正当化しようと努めたのである。

こうして、イギリスやアメリカのどちらの場合にも起こった、帝国主義に関する近代の論争の多くは、帝国主義的拡張の過程の後のことであって、その過程を回顧して非難したり正当化したりしているにすぎなかった。将来追求されるはずの現実の政策という点からみれば、論争は主として帝国主義的政策の結果、すなわち帝国の管理と保護に関してなされたということになろう。これについての説明はさしてむずかしいことではない。イギリスの場合、保守党による大英帝国の高揚、いってみれば大陸におけるナショナリズムのイギリス版の到来に伴って大論争がはじまったのである。大英帝国は植民地帝国であり、その限りで近代的帝国の原型となった。この結果、もっぱらというわけではないが、もともと経済的意味合いをもっていた植民地の取得と開拓が、帝国と同義語となってしまったのである。このように経済的意味を含んでいたという事実が、近代帝国主義を説明するさいに最も広く、最も体系的で、しかも最も人気のある思想体系、すなわち帝国主義の経済理論を生みだしたのである。この理論には、帝国主義の真の性格を曖昧にする誤解が含まれている。これがわれわれのいう三番目の誤解である。

帝国主義の経済理論

帝国主義に関するマルクス主義、自由主義、および「悪魔」理論

帝国主義の経済理論は、三つの異なった学派をとおして発展してきた。マルクス主義、

自由主義、それにいみじくも帝国主義の「悪魔」理論と呼ばれてきたものがそれである。[5]

マルクス主義の帝国主義論は、すべてのマルクス主義思想の根底にある確信、つまりあらゆる政治現象は経済的諸力の反映であるという確信にその基礎をおいている。したがって、帝国主義の政治現象は、その源である経済システムすなわち資本主義の産物にほかならない。マルクス主義理論によれば、資本主義社会はその生産物のための十分な市場と、その資本のための十分な投資対象とをこの社会自体の内部にみいだすことはできない。したがって、資本主義社会には、その余剰生産物のための市場と余剰資本の投資の機会とを得るために、より大きな非資本主義的地域や、ついには資本主義地域までをもみずからの支配下におこうとする傾向がある。

カウツキーやヒルファーディングなどの穏健なマルクス主義者は、帝国主義は資本主義の一政策であり、それゆえ帝国主義的政策は選択の問題であると信じていた。いいかえれば、資本主義が帝国主義的政策に傾斜するのは、状況如何によるのだというわけである。[6] 他方、レーニンとその後継者、とくにブハーリン[7]は、帝国主義と資本主義とを完全に同一視した。帝国主義は資本主義発展段階の最後の段階、すなわち独占資本主義と同一視されている。レーニンによれば、「帝国主義とは、資本主義の一発展段階であり、そこでは独占体と金融資本との支配が確立され、資本の輸出が顕著な重要性をもつに至り、巨大な国際トラスト間で世界の分割がはじまり、資本主義列強間で地球上のすべての領域の分割が完了している」[8]。

マルクス主義者からみれば、資本主義が主要な悪なのであり、帝国主義は、その必然的あるいは蓋然的なあらわれにすぎない。これに対して主としてジョン・A・ホブソン[9]に代表される自由主義学派は、おもに帝国主義に関心を寄せているが、彼らは帝国主義を資本主義そのものの結果としてではなく、資本主義体制の内部におけるある種の不適応現象であるとみなした。自由主義学派は、マルクス主義と同様、外国市場にはけ口を求めようとする余剰商品と余剰資本が帝国主義の根源だと分析する。だがホブソンとその学派によれば、帝国主義的拡張は避けがたいものではないし、またこれらの余剰を処理する最も合理的な方法ですらない。この余剰は購買力の不適性配分の結果生まれるものであるから、その解決策は、購買力の増大や過剰貯蓄の排除などの経済改革による、本国市場の拡大のなかにみいだされる。こうした国内対策が帝国主義にとって代わる方法だとする彼らの信念は、自由主義学派をマルクス主義から区別する主要な点となるのである。

帝国主義の「悪魔」理論は、以上対をなす二つの理論に引き比べ、その知的レヴェルにおいてはるかに低い。この理論は、平和主義者によって広く採用されており、また共産主義者の宣伝の常套手段にもなっている。この理論はまた、アメリカの第一次世界大戦介入が及ぼした財政上、産業上の利益の影響について調査したナイ委員会――この委員会の調査は、一九三四年から三六年までアメリカ上院のために行なわれた――の公式見解であったといってもよいだろう。この委員会の記録が公表されると、帝国主義の「悪魔」理論が、一時アメリカの対外問題についての最も俗受けする説明方法となった。理論の単純さがその人気を大いに助長した。この理論は、軍需品製造業者(いわゆる「死の商人」)、国際金融業者(いわゆる「ウォール街」)など、明らかに戦争で利益を得ている幾つかの集団を同一視している。彼らは戦争で利益を得ているから、戦争の勃発に関心をもつにちがいない。したがって、戦争の受益者は、自分自身を豊かにするために戦争を計画する「戦争屋」、「悪魔」に変身するというわけである。

極端なマルクス主義者は、資本主義と帝国主義とを同一視し、穏健なマルクス主義者およびホブソン学派は、帝国主義を資本主義体制内部の不適応現象とみるのに対し、「悪魔」理論の信奉者にとっては、帝国主義および戦争一般は、要するに、悪徳資本家の私的利益のための陰謀以外の何ものでもない、ということになる。

帝国主義理論への批判

帝国主義に関するあらゆる経済学的説明は、洗練されたものも未熟なものも歴史的経験のテストに失敗している。帝国主義の経済学的解釈は、幾つかの個別の事例に基づいた、限られた歴史的経験を歴史の普遍的法則に仕立てあげている。確かに一九世紀末から二〇世紀にかけて、それだけというわけではないにしろ、主として経済的目標のために戦われた戦争が幾つかある。その典型的な例は一八九九—一九〇二年のボーア戦争、および一九三二—三五年のボリビア・パラグアイ間のチャコ戦争である。ボーア戦争の場合にはイギリスの金採掘利権が主たる原因であったことは、ほとんど疑いの余地がない。チャコ戦争はもともと油田の管理をめぐる二つの石油会社間の戦争であった、と考える人が少なくない。

しかし資本主義の成熟期のどの時代をとっても、ボーア戦争を別とすれば、もっぱら、あるいは主として、その経済的目標のために大国が関与した戦争というものはなかった。たとえば一八六六年のオーストリア・プロシア戦争、および一八七〇年のプロシア・フランス戦争には、重要な経済的目標は何もなかった。これらの戦争は政治戦争であり、実際、帝国主義戦争であった。それらは、まずドイツ内部においてプロシアに有利になるように、ついでヨーロッパ国際システム内部においてドイツに有利になるように、新しい力の配分を確立する目的から戦われた。一八五四—五六年のクリミア戦争、一八九八年のアメリカ・スペイン戦争、一九〇四—〇五年の日露戦争、一九一一—一二年のトルコ・イタリア戦争、および幾つかのバルカン戦争の場合にも、仮に経済的目標を少しでも示しているとするなら、それはただ付随的役割だけである。二つの世界大戦はまちがいなく、世界の支配でないにしても、ヨーロッパの支配をかけた政治戦争であった。これらの戦争における勝利は当然経済上の利益をもたらし、とりわけ敗北はそのあとに経済上の損失をもたらした。しかし、これらの結果が文字どおり問題の核心であったわけではない。それらは、勝利と敗北の政治的帰結の副産物にすぎなかった。責任ある政治家の心中で戦争と平和の問題を決定させた動機が、これらの経済的な効果ではなかったことはいうまでもないところである。

以上のことから、帝国主義の経済理論は、帝国主義と同一ではないにしても密接な関連をもつとその理論が考えている歴史の時代、すなわち資本主義の時代の経験によって支持されているとはいえない。しかも、この経済理論が帝国主義と同一視しがちな植民地拡張の最盛期は、資本主義の成熟以前のことであり、それを、衰退する資本主義体制の内的矛盾のせいにするわけにはいかない。一六、一七、一八世紀に比べると、一九、二〇世紀の方が植民地獲得は少ない。資本主義の最近の局面では帝国の大規模な解体が、イギリス、フランス、ポルトガル、オランダのアジアおよびアフリカからの撤退という形でみられるのである。

資本主義以前の帝国建設過程に示された証拠に照らして諸理論をテストするならば、歴史の証拠は経済理論の主張に一層不利になる。古代にエジプト、アッシリア、ペルシア帝国の基礎を築いた諸政策は、政治的意味において帝国主義的であった。アレキサンダー大王の征服や紀元前最後の世紀におけるローマの諸政策も帝国主義的であった。七、八世紀のアラブ人の膨張も帝国主義のあらゆる特徴を示していた。教皇ウルバヌス二世は、一〇九五年クレルモン公会議で第一回十字軍の理由を次のような言葉で述べたが、これは帝国主義政策を支持するイデオロギー的主張の典型であった。「諸君の住むこの国土は、四方を海と山に閉ざされているため、諸君ら多数の人びとを養うに足らない。そのうえ地味は豊かでなく、それらを耕やすものに辛うじて足るだけの食物しか得られない。だからこそ、諸君は互いに殺し合い、奪い合い、そして戦いをし、諸君の多くのものが内紛に倒れるようなことになるのだ」[10]。ルイ一四世、ピョートル大帝、ナポレオン一世は、いずれも近代における前資本主義時代の偉大な帝国主義者であった。

資本主義以前の時代のこれらすべての帝国主義も、資本主義時代の帝国主義と同様、既存の力関係を打破し、代わりに帝国主義勢力の支配を確立しようとする傾向をもっている。さらにこれら二つの時代の帝国主義は、ともに経済的目標を政治的な考慮に従属させているのである。

アレキサンダー大王やナポレオン一世は、アドルフ・ヒトラーがそうであったように、個人的利得のために帝国主義政策に乗りだしたわけではなかったし、経済システムの不適応現象から逃れるためでもなかった。彼らが狙っていたものは、ちょうど企業家が、独占的あるいは半独占的に、産業界を支配するに至るまで次つぎと企業を併合していき、それによって産業「帝国」をつくりだそうとするときに目ざしていたものと全く同じであった。資本主義以前の帝国主義者、資本主義時代の帝国主義者、そして「帝国主義的」資本家が求めているのは、力であって経済的利得ではない。企業家はナポレオン一世と同様に、経済的必要ないし個人的な欲得からその「帝国主義的」目標にかき立てられるものでもない。帝国主義的拡張によって個人的利益を得ることや経済問題が解決することは、彼らすべてにとってまんざら悪い気のするものではないし、むしろ歓迎すべき副産物でもあるのだが、しかしそれらは帝国主義的な衝動をかり立てる目標ではありえない。

以上、われわれは、帝国主義が経済とか資本家とかあるいは何かほかのものによって決定されるのではないのだ、ということをみてきた。いまや資本家それ自体は、帝国主義者ではないことが理解できるであろう。経済理論、とりわけ「悪魔」理論によれば、資本家はその帝国主義政策を扇動する手段として政府を利用する。だが、経済的解釈を支持するために引き合いにだされる歴史的事例を調べてみると、たいていの場合、実際にはその逆の関係が政治家と資本家との間に存在していたことがわかる。帝国主義政策は一般には政府によってまず立案され、資本家はこの政策を支持するよう要求されるのだといってよい。したがって、歴史上の証拠は経済に対する政治の優位を示しているし、「国際政治に対する……金融資本の支配」ということは、シュンペーター教授の言葉を借りれば、まさに、「事実無根のおよそバカバカしい、新聞のつくり話[11]」にほかならないのである。

しかも、集団としての資本家――一部の個々の資本家はさておき――は、帝国主義政策の扇動者どころか熱烈な支持者でさえなかった。近代社会で資本家的要素を代表する集団や政党の印刷物とか政策は、帝国主義のように戦争をもたらしかねない対外政策には商工業階級が伝統的に反対する、ということを立証している。この点、ヴァイナー教授はこう述べている。

「平和主義、国際主義、紛争についての国際調停と和解、軍縮――これらが支持者をもつ限りということだが——を支持したのは、大部分中産階級であった。それに対し、膨張主義者、帝国主義者、対外強硬論者だったのはほとんど貴族や地主であり、しばしば都市労働者階級であった。イギリス議会では、ナポレオン戦争、クリミア戦争、ボーア戦争、それにヒトラーの台頭からドイツのポーランド侵略に至るまで、それぞれの時期において宥和論者だったのは、『金融関係者』、北部工業地区に生まれつつあった中産階級、ロンドンの『シティ』などのスポークスマンたちであった。わが祖国において、アメリカ革命、一八一二年の戦争、一八九八年の帝国主義、そして真珠湾攻撃まえのルーズヴェルト政権による反ナチ政策に対してきわだった反対が起こったのは、ほとんど実業界からであった。」(12)

一八世紀初頭の『スペクテーター』誌のアンドリュー・フリーポート卿から現代のノーマン・エンジェルの著書『大いなる幻想』に至るまで、「戦争は引き合わない」とか、戦争は産業社会と両立しえないとか、資本主義の利益からいえば戦争ではなく平和が要求されるとか、といったことが階級としての資本家の確信であったし、個人としてのほとんどの資本家の信念でもあった。というのも、平和のみが、資本家がその行動の基礎においている合理的計算を可能にするからである。また戦争は、資本主義の精神そのものと相容れない、非合理的要素と混沌とを伴うからである。しかし、現存の力関係をくつがえす試みとしての帝国主義は、いやおうなく戦争の危険をもたらす。それゆえ資本家は、集団としては戦争に反対であった。彼らは、戦争をもたらしかねない、また現実に何度も戦争をもたらした帝国主義政策をみずから引き起こしたのではなくて、疑惑にかられながらも圧力に押されてそれを支持したにすぎなかった。

では、このように経験的事実と全く合致しない、帝国主義の経済理論のような学説体系が、どうして人びとの心をとらえることができたのであろうか。次の二つの要因がこの学説を成功させた原因だと考えられる。すなわち、西洋世界における世論の動向と学説自体の性格がそれである。すでにわれわれは、政治問題を経済問題に還元しようとする近代の一般的な傾向を指摘した⑬。資本主義者もその批判者も同様にこうした根本的な誤りを犯している。前者は、前資本主義時代の古い足かせにとらわれることなく、資本主義がただその内なる法則だけに従って発展することに、全般的な繁栄と平和を期待していたのであり、後者は、そのような繁栄と平和は、資本主義制度の改革か廃止によってしか獲得しえないと確信していたのである。そして両陣営とも、経済的な救済策が政治問題を解決してくれるとあて込んでいたのである。こうしてベンサムは、戦争を招く帝国主義的対立をなくす手段としての植民地解放を主張し、プルードン、コブデン、およびその後継者たちは、関税を国際紛争の唯一の根因とみなし、平和は自由貿易を拡大することのなかにあると論じたのである。[14]

ドイツ、イタリアおよび日本の帝国主義は経済上の必要から生まれたわけだから、もしこの三国が借款や植民地を得たり、原料に接近していたならば、帝国主義政策を差し控えていただろう、とは今日よくいわれることである。この議論からすれば、もたざる国家は経済的な困窮から逃れるために戦争に訴えるだろう。もてる国家がもたざる国家の経済的困窮を救済すれば、もたざる国家が戦争に訴える理由はなくなる。古典的な資本主義の時代には、資本主義体制の支持者も反対者も、ともに企業家の行動を決定していると思われる経済的動機が、あらゆる人間の行動を導くものだと信じて疑わなかった。

帝国主義の経済学的解釈が容易に受け入れられるもうひとつの理由は、そのもっともらしさにある。シュンペーター教授がマルクス主義の帝国主義論について次のように述べたことはおおむね正しいといえる。すなわち、「現代の一連の生々しい事実は完璧に説明されるようにみえる。国際政治のすべての紛争は、強力な分析の一石を投じることによってたちどころに解明されるかのようである」[15]。帝国主義のような脅迫的かつ非人間的で、しばしば残虐な歴史的力の秘密、そして帝国主義を国際政治の特殊な型のひとつとして定義するという理論的な問題、さらには、とりわけ帝国主義を具体的な状況において認識し適切な手段でそれに対抗するということの実際上のむずかしさ、これらのことはすべて、マルクス主義の理論では、資本主義体制に固有な傾向ないしは弊害であるとされてしまう。理論的に理解するためにせよ、実際に行動するためにせよ、帝国主義の現象があらわれるとき、この単純な公式は、人を安堵させるような答えをほぼ自動的に与えてくれるのである。

帝国主義のいろいろな型

現状の打破を企図する政策としての帝国主義の真の性格は、一定の典型的な状況を考察することによって最もよく説明できよう。すなわち、その典型的な状況とは、帝国主義政策に有利な状況を意味すると同時に、積極的な対外政策に必要な主観的・客観的条件があればほとんどいやおうなく帝国主義政策を生みだすような状況をいうのである。

帝国主義の三つの誘因

戦勝　一国が他国と戦争するときよくみられることだが、勝利を予想している国家は敗戦国との力関係の変更を恒久化するための政策を追求する。この場合国家は戦争勃発時の目的とは無関係にこの政策を追求するであろう。この政策の目的は、たまたま戦争終了時に存在する戦勝国と敗戦国との間の関係を和平による新しい現状へと変えていくことにある。こうして、防衛戦争——これは戦争前の現状を維持するためのものである——の名の下に勝利者の方で開始した戦争は、勝利に近づくにつれ帝国主義戦争、すなわち現状の永久的変更のための戦争に変質していくのである。

「カルタゴの平和」は、交戦状態の終了時に存在する戦勝国と敗戦国との関係を恒久化しようとする平和の確立の別名になった。実際それによって、ローマ人はカルタゴ人との力関係を永久に自己に有利になるように変えたのである。第一次世界大戦を終了させたヴェルサイユ条約とそれに付随して締結された諸条約にも、多くの観察者からみれば、これと同様の性格があったことは否定できない。この種の平和の確立を目的とする政策は、われわれの定義では、帝国主義的と呼ばなくてはならない。この政策は、ほぼ対等なあるいは少なくとも完全に不均等とはいえない列強が相互に対立する場合には、一層帝国主義的なものになる。なぜならこの政策は、戦前の現状を、戦勝国が敗戦国に対して恒久的な支配者になるような戦後の現状に変えようとするものだからである。

敗　戦　この従属的地位——その恒久化が企てられるのだが——によって敗戦国は、戦勝国に有利に働いている局面を変えようという欲求、勝利によってつくりだされた現状を打破しようという願望、さらに、力のヒエラルヒーにおける戦勝国の地位をくつがえさなければならないという要求を容易に植えつけられるであろう。いいかえれば、戦勝国が勝利を見越して追求した帝国主義政策は、逆に敗戦国側の帝国主義政策を呼び起こすことになる。もし敗戦国が永久に没落したわけではなく、また戦勝国の主張のなすがままではないとすれば、敗戦国は失ったものを取り返したいと思うだろうし、できればさらに多くを獲得したいと思うだろう。

一九三五年から第二次世界大戦の終結に至るドイツ帝国主義は、他国の帝国主義の成功に対する反応としての帝国主義の典型的な例であった。一九一四年のヨーロッパの現状は、オーストリア、フランス、ドイツ、イギリス、イタリア、ロシアから成る大国の協調を特徴としていた。連合国側の勝利とその結果としての平和条約は、新しい現状を生みだした。それはフランスの帝国主義的政策の結果であったといってよい。フランスのヘゲモニーはこの新しい現状によって確立されたが、同時にそのヘゲモニーは、東ヨーロッパおよび中部ヨーロッパに新たに独立したほとんどすべての国との同盟において作動したのである。

一九一九年から一九三五年に至るドイツの対外政策は、当時の現状の枠組みのなかで実施されていたようにみえたが、実はその打破を密かに準備していたのであった。ドイツの対外政策は、ドイツに有利な譲歩を得ようと努めていたが、結局のところ少なくとも当面はヴェルサイユ条約によって確立された力関係を不承不承に受け入れるほかなかった。その対外政策はこれらの力関係に公然と挑戦するものではなかった。むしろ、調整だけを目的とし、その本質にはふれないままにしておくというものだったのである。ワイマール共和国が追求した「履行政策」――すなわち、ヴェルサイユ条約の履行――の性格は、とくにこのようなものであった。この試みは、民族主義者やナチスの激しい反対を呼び起こしたヴェルサイユの現状を、少なくとも一時的には受け入れつつも、結局はドイツの国際的立場を向上させるためのものだったのである。一九三三年ナチスが政権を掌握し、その体制を国内的に安定させると、一九三五年彼らはヴェルサイユ条約の軍縮条項を廃棄した。一九三六年には、ヴェルサイユ条約そのものを破棄して、ラインラントを占領し、独仏国境に接するドイツ領の非武装化の無効を宣言した。このような行動により、ナチス・ドイツの対外政策は公然と帝国主義的になっていったのである。というのは、これらの行動は、ヴェルサイユ条約の現状をもはやその対外政策の基礎としては認めず、その現状打破に向かって進むべしというドイツの決意を表わした一連の行動の最初のものだったからである。

弱さ

帝国主義政策を容易にするもうひとつの典型的な状況は、弱体な国あるいは政治的な真空地帯が存在する場合である。両方とも、強国にとっては魅力があり、また手に入れやすいものである。この状況から植民地帝国主義が成長したのである。それはまた、初期のアメリカ一三州連合を大陸国家に変えることを可能にした状況でもある。ナポレオンやヒトラーの帝国主義にはこのような性格が部分的にあった。ヒトラーの帝国主義は、一九四〇年の「電撃戦」の時期にはとくにこの性格をもっていた。第二次世界大戦の終局面から、それ以後一〇年間、強国と弱国との関係から生じた帝国主義については、ソ連と東ヨーロッパ諸国との関係がその例である。帝国主義の誘因としての力の真空がもつ魅力は、アジア・アフリカの新しい国家の生存にとっては、少なくとも潜在的な脅威となる。これらの諸国家には力という最も重要な要素が欠けているからである。

帝国主義の三つの目標

帝国主義が三つの典型的な状況から生まれるように、帝国主義は三つの典型的な目標に向かって進む。帝国主義の目標は、政治的に組織された地球全体の支配、すなわち世界帝国ということであるかもしれないし、あるいは、ほぼ大陸的な広がりをもつ帝国ないしヘゲモニーであるかもしれない。また、厳密に局地化された力の優越ともいえるだろう。いいかえれば、帝国主義政策には、予想される犠牲国の抵抗の度合いに左右されること以外は何の限界もないかもしれないし、あるいは大陸の地理的境界のような、地理的に決定される限界があるかもしれない。さらにそれは、帝国主義自身の局地的目的によって制限を受けるかもしれない。

世界帝国　無制限の帝国主義のうち顕著な歴史的事例として、アレキサンダー大王、ローマ、および七、八世紀のアラブ、ナポレオン一世、そしてヒトラーなどの膨張政策が挙げられる。これらはいずれも、合理的な限界を知らず、それ自身の成功を糧とし、もし優勢な実力によって止められなければ政治世界の限界にまでつきすすむような、膨張への衝動を共通にもっている。(16) この衝動は、支配可能な対象——自主独立の力によって征服者の権力欲に挑戦する、政治的に組織化された人間集団——がどこかに存在する限り、満たされることのないものである。後にみるように、この衝動は、まさしく節度に欠けており、無制限の帝国主義に特有の、征服可能なものはすべて征服しようとする欲望である。これが過去においては、この種の帝国主義政策の破綻のもととなったのである。その唯一の例外はローマであるが、その理由については後に論ずることにしよう。(17)

大陸帝国　地理的にその範囲を限定した帝国主義の型は、ヨーロッパ大陸に支配的地位を得ようとしたヨーロッパ列強の政策に最もはっきりと示されている。ルイ一四世、ナポレオン三世、ウィルヘルム二世が、その好例である。一八五〇年代にイタリア半島の支配を求めたカヴール率いるピエモンテ王国、バルカン諸国におけるヘゲモニーを切望した一九一二年と一九一三年のバルカン戦争のそれぞれの参戦国、地中海をイタリアの湖にしようとしたムッソリーニなども、大陸的な基盤をもたなかったが、地理的にその範囲を限定した帝国主義の事例である。一九世紀のアメリカの政策は、北アメリカ大陸の大部分にアメリカの支配を徐々に膨張しようとするものであったが、それは全くとはいえないものの、主として大陸の地理的限界によって決定されている。というのも、アメリカは、カナダとメキシコをその支配下におくことは可能であっても、そうしようとはしなかったからである。この場合、大陸的帝国主義は、みずからを大陸の局地的な部分に制限することによって調整されることになる。

これと同じような混合型の帝国主義は、西半球全体に対するアメリカ対外政策の本質を形成している。モンロー・ドクトリンは、アメリカ以外の列強に対して、現状維持政策を西半球のために要求することによってアメリカの防壁をつくった。この後ろ盾によってアメリカはその地域内での優越を確立することができたのである。しかし、これら地理上の境界内では、アメリカの政策は必ずしも一様に帝国主義的であったわけではない。アメリカの政策は、中央アメリカ諸国や南アメリカの特定国に対しては、しばしば露骨に帝国主義的になったが、アルゼンチンやブラジルなど他の国家との関係では、アメリカの既存の優位を維持することだけを求めたのである。しかしこの優位とて、意図的なアメリカの政策の所産というよりは、むしろ一種の自然な過程の結果であった。たとえアメリカの側に、現実のヘゲモニーという形でこれらの国家に対して自己の優位を押しつける力があっても、アメリカはそうしないよう努めた。ここにも、地理的に限定された政策の一般的枠組みのなかでの局地的帝国主義がみられるのである。

局地的優勢　局地的帝国主義の原型は、一八、一九世紀の君主の政策のなかにみられる。一八世紀には、フリードリヒ大王、ルイ一五世、マリア＝テレジア、ピョートル大帝、エカテリーナ二世が、この種の対外政策の推進者であった。一九世紀には、ビスマルクがこのような帝国主義政策をあやつる大家であり、この政策は現状を打破し、みずから選定した範囲内での政治的優勢を確立しようとするものであった。一方における、このような局地的帝国主義政策および大陸的帝国主義と、他方における無制限の帝国主義との間にある相違は、一方のビスマルクおよびウィルヘルム二世と、他方のヒトラーとの間にある対外政策の相違でもある。ビスマルクは中部ヨーロッパに、ウィルへルム二世は全ヨーロッパに、ヒトラーは全世界に、ドイツの優勢を確立しようとした。また、フィンランド、東ヨーロッパ、バルカン諸国、ダーダネルス海峡、およびイランに対する支配といったロシア帝国主義の伝統的な諸目標も、局地的な性質のものであった。

この型の帝国主義の範囲は、地理的に制限された型の帝国主義の場合と同様に、もともと自然の客観的事実の所産などではない。したがってこの客観的事実を超えてつきすむことは技術的にむずかしいわけではないし、また政治的に賢明さを欠くというわけでもないのである。それとは逆に、この範囲の決定は、何よりもまず、幾つかの選択肢の間の自由な選択の結果である。その選択肢のひとつは、現状維持政策であるかもしれないし、また別のそれは大陸的帝国主義であるかもしれない。さらに第三のものとして局地的帝国主義であるかもしれない。一八世紀には、この三番目の局地的帝国主義が優勢であった。というのは、いずれもほぼ同じ強さをもって存在している列強の協調が、大陸的帝国主義へのいかなる試みも断念させたからである。たとえばルイ一四世の経験は、そのような試みがいかに危険なものであるかを示していた。そのうえ一八世紀の帝国主義は、主として君主の権力と栄光という要件を動機としていたわけで、近代ナショナリズムの大衆的な感情によって動機づけられていたのではなかった。これらの要件は、君主の伝統とヨーロッパ文明という共通の枠組みのなかで作用していた。この枠組みが宗教的十字軍あるいは民族的十字軍の時代に必然的に欠けていた道徳的抑制を、政治の場にある行動主体に加えていたのである。

一九世紀には、局地的帝国主義政策に特有な選択の要素は、ビスマルクの対外政策の歴史においてこの上ないものとなった。ビスマルクは、ドイツにおけるヘゲモニーを目的とした、彼の局地的帝国主義の政策に優先して、プロシアのための現状維持政策を支持するプロシア保守派の抵抗をまず克服しなければならなかった。戦争に勝って自己の政策が実行できるようになると、ビスマルクは、彼がプロシアおよび後のドイツのヘゲモニーに課した限界を超えてそれ以上のことを欲する人びとから自己の政策をまもらなければならなかった。一八九〇年のウィルヘルム二世によるビスマルクの解任は、それまでの局地的帝国主義の終焉を意味し、同時にドイツの対外政策としては、大陸的帝国主義に少なくとも傾斜していく端緒となったのである。

帝国主義の三つの方法

帝国主義が典型的な形で生まれる状況との関連で、三つの型の帝国主義があること、またその目標という見地からも三つの型の帝国主義があることをいままで述べてきたが、それと同様に、帝国主義政策に用いられる典型的な方法についても、三つの型が区別されなければならない。つまりわれわれは、軍事帝国主義、経済帝国主義、文化帝国主義を区別しなければならないのである。しかも、これら帝国主義の三つの方法と帝国主義の諸目標とを混同するきらいが一般的にある。たとえば、経済帝国主義が他国民の経済的搾取のみを目的としているかのようにみなすのがその一例である。このような誤解は、帝国主義の経済理論からだけでなく、すでに述べたように[18]、国際関係における力の要素を無視することからも生じる。実際は、軍事帝国主義は軍事的征服を求め、経済帝国主義は他国民の経済的搾取を求め、文化帝国主義はある文化を別の文化によっておきかえることを求めるのだが、しかし、それらはつねに同じ帝国主義的目的の手段として追求されるのである。帝国主義の目的はつねに現状の打破にある。すなわち、帝国主義国とその犠牲者として想定されている国家との間の力関係の逆転がそれである。これは不変の目的であり、軍事的・経済的・文化的手段のいずれかひとつによって、あるいはそれらの結合によって実現される。ここでわれわれが関心を抱くのは、これらの方法に関してなのである。

軍事帝国主義

最もあからさまで古くから存在し、しかも最も粗野な形の帝国主義は、軍事的征服である。いつの時代にせよ偉大な征服者は、同時に偉大な帝国主義者であった。帝国主義的な国家からみた場合、この方法の利点は次の事実のなかにみいだされよう。すなわち、軍事的征服の結果生まれた新しい力関係の変化は、一般には勝ち目がないにもかかわらず敗戦国の方から再度戦いを挑むことによってしか起こりえない、という事実である。ナポレオン一世は、ヨーロッパならびに世界におけるフランスのヘゲモニーを確立するのに、フランス革命の理念の力だけに頼っていたのかもしれない。つまり、彼は、軍事的征服の代わりに文化帝国主義を選んだともいえよう。他方、もしナポレオン一世が軍事的征服を行ないそれを保持できたならば、彼は自己の帝国主義的目標をもっとすみやかに達成し、この征服過程で、戦闘の勝利が勝利者に与える最高の個人的満足を味わったことであろう。しかし、このようないい方だけが正しいという場合の条件そのものが、同時に帝国主義の方法としての軍事的征服の大きな陥穽を暗示しているのである。すなわち、戦争は賭けであるということ、いうなれば、それは勝つことがあると同様、負けることもありうるということである。帝国主義のもろもろの目的のために戦争をはじめる国民は、ローマがそうであったように帝国を獲得し、それを維持するかもしれない。あるいはナポレオンの場合のように、帝国を得たものの、さらに多くを得ようとする過程においてそれを失うかもしれない。あるいはまた、ナチス・ドイツや日本の場合のように、帝国を得たり、それを失ったり、さらには他の帝国主義の犠牲になったりするかもしれない。このように軍事帝国主義は、最も高価なものを賭して行なわれる賭けなのである。

経済帝国主義

経済帝国主義は、軍事帝国主義に比べれば強制的ではないし、一般には効果も少ない。そしてそれは、力を獲得する合理的な方法として存在する近代の産物である。だから、経済帝国主義は、重商主義および資本主義の膨張の時代につきものであった。現代におけるその顕著な事例は、「ドル帝国主義」と呼ばれるものである。だが、経済帝国主義は、イギリスやフランスの帝国主義の歴史においても重要な役割を果たした。一八世紀初頭以来、ポルトガルにおけるイギリスの影響は、経済的な統制によって強力に支援されていたし、アラブ世界におけるイギリスの覇権は、「石油外交」という言葉があてはまるような経済政策の成果であった。同様に、石油を政治的手段として行使する道を発見したアラブ産油国は、その石油を輸入する工業国に対して前例のない力をもつこととなった。フランスが大戦間に、ルーマニアなどの諸国で行使した優越した影響力は、かなりの程度まで経済的諸要因に基づくものであった。

われわれが経済帝国主義と呼んでいる政策に共通の特徴は、一方で帝国主義国と他の国家との間の力関係を変更することによって現状を打破しようとしつつ、他方では領土の征服によってではなく経済的統制によってそうしようとする傾向があることである。

ある国家が他の国家に対し支配権を確立しようとする場合に、もしその国家の領土を征服することができないとしても、あるいはそうするつもりがないにしても、この領土を統治しているものに対する規制を確立し、それによって、結局は同一の目的を達成しようとすることができよう。たとえば、中米諸国はすべて主権国家である。これらの国は、いずれも主権の諸特性を備えているし、主権国家にふさわしい道具立てを誇示している。しかし、その経済生活がほとんど完全にアメリカへの輸出に依存しているがゆえに、これらの国は、国内政策にせよ対外政策にせよアメリカの反対を招くようないかなる政策も、いっときたりとも追求することはできない。

この経済帝国主義のもつ性質は、他国を支配しそれを維持するうえでは目立たず間接的ではあるが、かなり有効な方法である。そしてこの性質は、二つのライヴァル同士の帝国主義が同じ政府に対する規制をめぐって経済的手段で競い合う場合には、とりわけきわだっている。イラン支配をめぐるイギリスとロシアの一世紀間におよぶ角逐——もっとも、それは長い間主として軍事手段によって行なわれてきたのだが——は、一例として挙げられよう。P・E・ロバーツ教授は、第一次世界大戦以前のイラン——当時はペルシアと呼ばれていた——におけるこのような状況について次のように述べている。

「ロシアは北方から、イギリスは南方から、それぞれペルシアを圧迫しているが、この二国の意向は非常に異なったものである。イギリスは、南ペルシアの貿易の大部分を手中にしめており、アデンから東方に向けてバルチスタンに及ぶアジアの全海岸に対する全面的な支配権を要求している。………だがイギリスは領土所有を不当に望んだことは一度としてなかった。………ロシアは、ヴォルガ川の航行の開発とトランス・カスピアン鉄道の建設によって、北ペルシアとの貿易の大部分を得ていた。だがロシアの商業上の防御手段は独占と禁制である。ロシアはペルシア領内の鉄道の敷設を禁止し、またペルシアを再興するおそれのある措置にはしばしば反対してきた。[19]」

今日のアメリカがそうしているように、当時「イギリスの商業的・政治的な対抗」だけが、ロシア圏内へのイランの完全吸収を阻んでいるようにみられたのである。

イランにおけるイギリス・ロシア間の経済的・政治的抗争が続いている間、イラン政府の対外政策や、またときには国内政策は、競争関係にある列強が加える経済的圧力とか、場合によっては軍事的な圧力の強さをそのまま反映した。イギリスが得られなかった経済上の特権をロシアが約束したり供与したりするときとか、またロシアが、みずから供与した特権を取り下げると脅したりするときには、ロシアの影響力が増大した。逆の場合にも同じことがいえた。またロシアは、イランに対し領土的野心をあえて実現しようとはしなかった。イギリスはそのような野心は何らもたなかった。その代わり両国とも、イラン政府――それは油田のみならずインドへの通路をも支配していた――を意のままにしようとしたのである。

文化帝国主義⑳

われわれが文化帝国主義とでも呼ぼうと考えているものは、帝国主義政策としては最も巧妙なものである。しかもそれだけで成功するとしたら、それは最も成功率の高い帝国主義政策ということになろう。文化帝国主義は、領土の征服や経済生活の統制を目的とはしない。その目的は、二国間の力関係を変えるための手段として、人間の心を征服し制御することにある。もしわれわれがA国の文化、とくにその具体的なすべての帝国主義的目標を伴う政治的イデオロギーが、B国の政策を決定する全市民の心を征服すると想像するならば、A国はより完全な勝利を獲得したことになろうし、またどんな軍事的征服者や経済的支配者にもまして、安定した地盤の上にその覇権を築いたということになろう。A国は、その目的を達成するために軍事力で威嚇したりそれを行使したり、あるいは経済的圧力をかける必要などなくなるだろう。なぜなら、こうした目的、すなわちA国の意思にB国を従わせるということが、優越した文化の説得力とより魅力ある政治哲学とによってすでに実現されているからである。

しかし、これはひとつの仮定にすぎない。現実には文化帝国主義は、他の方法による帝国主義を無用にするほど完全な勝利の域に達するということはない。むしろ文化帝国主義が近代において果たしている典型的な役割は、他の方法を補完することにある。それは、敵を軟化させ、軍事的征服や経済的浸透のための下地となるのである。近代におけるその典型的な発現形態は第五列〔敵の内通者集団〕である。第五列が近代において非常に成功した例は二つあるが、そのひとつは、第二次世界大戦の勃発前およびその緒戦において展開された、ヨーロッパにおけるナチスの第五列作戦である。これはオーストリアで最もめざましい成功を遂げ、一九三八年には親ナチス政府が、ドイツ軍部隊による同国の占領をもたらした。フランスでもかなりの成功をみた。ここでは、政府内外の多数の有力な市民たちが、ナチスの哲学とその国際的目標に改宗させられた。これらの国は、軍事的征服がその任務を完了する以前に、すでに文化帝国主義によって一部征服されていた、といってもいいすぎではない。イギリスは第二次世界大戦が勃発するや、国内にいる有名なナチス党員全部とナチス同調者とを拘禁することにより、文化的浸透がドイツ帝国主義の将来の犠牲者に与える危険にあらかじめ対処したのである。

現代のもうひとつの文化帝国主義の顕著な例は、共産主義インターナショナルである。これはナチス第五列よりも早くから存在し、いまなお残っているものである。共産主義インターナショナルは、その全盛期にはモスクワから指示を受け、あらゆる国の共産主義政党を指導し統制していた。そして同インターナショナルは、各国の共産主義政党によって追求される諸政策がソ連の対外政策と一致するよう配慮した。共産主義政党がその国民に影響を及ぼすようになれば、この国民に対するソ連の影響力はその分だけ増大した。また共産主義政党がその政府の支配権を握っているところでは、その共産主義政党を統制しているロシア政府がこの国の政府を支配することになるのである。

東ヨーロッパ諸国に対する支配を確立するためにソ連が用いた技術は、文化帝国主義と他の形での帝国主義的征服との有機的な相互連関を示す代表的な事例である。これらの国では、モスクワから指示を受けた共産主義政党を通じて共産主義を推進することは、ロシアによる支配という最終目的の単なる手段であったし、さらにそれは、その目的に適う他の手段とも調整されていた。したがって軍事的征服は、ロシアの東ヨーロッパ支配のための基礎であった。東ヨーロッパの経済生活に対するロシアの統制は、軍事的征服を補完すると同時に、幾分でもそれにとって代わる方法だったのである。そしてその結果として、東ヨーロッパのソ連に対する経済的依存という問題が起こるのである。最後にソ連は、東ヨーロッパの諸国民が伝統的にそれぞれの民族、宗教、党派に対して抱いてきた忠誠を、共産主義への忠誠、したがってソ連に対する忠誠にとって替え、彼らをソ連の政策に好都合な道具にしようと努めたわけである。

世界共産主義運動の支配をめぐって、さらには、まだどこの国の影響も受けていない諸国家への支配的な影響力をめぐって、ソ連と中国は競争しているが、ここでも、主として文化帝国主義のもろもろの手段が利用されている。この二大共産主義国は、自分の方がマルクスとレーニンの真の後継者であり、相手は共産主義の敵を助ける異端者だとすることによって、自分の方が支配的な影響力を要求する資格があると主張する。いろいろな政府や政治運動が共産主義の教義に執着している限り、この論争は、これら二大共産主義国のうちその論争を自分に有利に展開させうる側にとっては、力の源泉となる。

全体主義政府の文化帝国主義は、よく訓練され高度に組織化されている。なぜなら、これらの政府はその全体主義的性格のゆえに、自国の市民や外国の同調者の思想と行動に厳しい統制と指導的な影響力を行使することができるからである。文化帝国主義の技術は、全体主義者によって完成され、第五列という有効な政治的武器へとつくりあげられたが、一方では、文化的共感や政治的な親和感を帝国主義の武器として用いることは、帝国主義そのものとほぼ同じくらい古い歴史をもつのである。古代ギリシア史とルネッサンス期イタリア史は、軍事的征服よりはむしろ敵兵のなかにいる政治的同調者と提携することによって帝国主義政策をなし遂げる、といった事例に満ちている。近代になると、政府と提携しあるいはそれと一体化した宗教組織が、文化的性格をもつ帝国主義政策において重要な役割を果たした。この点で典型的なのは、帝政ロシアの帝国主義政策である。ロシアは、ロシア政府および正教教会の長としてのツァーの二重の地位を、外国にいる正教信仰者にまで同国の力を拡大するために利用した。一九世紀のバルカン諸国における支配勢力であったトルコのあとをロシアが引き継ぐことができたのは、主として正教教会をロシア対外政策の武器として利用した文化帝国主義のおかげである。

宗教以外の分野に関していえば、フランスの文化的使命(*la mission civilisatrice*)は、フランス帝国主義の強力な武器であった。フランスが、その対外政策のために、フランス文明の魅力的な特性を意識的に利用することは、第一次世界大戦前の東地中海地域の諸国におけるフランス帝国主義の基礎のひとつであった。二つの世界戦争においてフランスを支援した、あの世界中のあらゆるところから起こった民衆の同情の波は、文化帝国主義の成果であり、これが、二つの世界大戦末期の勝利の数年間には、逆にフランスの軍事帝国主義を強化することになった。国民文化の普及という形でなされる文化帝国主義は、全体主義的文化帝国主義に比べてみると、それに比肩できるほど機械的で規律あるものではないが、だからといって必ずしも効果が小さいわけではない。後者は何よりもまず政治哲学の親和感を利用するのに対し、前者は外国の有力な知識人グループに対してその文明の魅力的な特性を印象づけ、ついには、これらのグループはその文明の政治目的や方法も同じように魅力的なものと思うようになるのである。

文化帝国主義が一般に軍事帝国主義および経済帝国主義を補完する役割を果たしていることについては、すでに指摘した。同じように、経済帝国主義は、それだけが独立して存在することもときにはあるが、しばしば軍事政策を支援する。一方、軍事帝国主義は非軍事的方法の支援がなくても征服することはできるが、軍事力にのみ基礎をおいた支配は長続きしない。だから征服者は経済的・文化的浸透によって軍事的征服の下地をつくるだけではないのである。征服者は軍事力の上にだけではなく、何よりもまず被征服者の生活の統制と彼らの心の支配を基礎にしてみずからの帝国をつくろうとするだろう。ローマは別として、アレキサンダー大王からナポレオンおよびヒトラーに至るすべての偉大な帝国主義者たちが失敗したのは、まさしくこの最も微妙でしかも最も重要な仕事においてであった。彼らが人びとを他の方法ではすでに征服していたにもかかわらず、これらの人びとの心のなかを征服できなかったことが、その帝国の破滅のもとになったのである。ナポレオンに対抗して繰り返しつくられた同盟、一九世紀をつうじてロシアに対してなされたポーランド人の反乱、ヒトラーに対する地下組織の闘争、イギリス支配からの解放を求めるアイルランドやインドの戦いは、ほとんどの帝国主義政策が解決しえなかった、近代におけるあの究極の問題の代表的事例である。

政府がその国際活動の全体において経済帝国主義および文化帝国主義に関与する度合いは、第二次世界大戦以降非常に増大した。そうなったのには二つの理由がある。ひとつは、軍事帝国主義を公然と大規模に追求することがもはや対外政策の合理的な手段ではなくなったということである。というのも、軍事帝国主義は、それ自体のうちに自己破滅的な核戦争へエスカレーションする危険性をはらんでいるからである。したがって、力の帝国主義的膨張に専心している国家は、軍事的方法の代わりに経済的・文化的方法を選ぶであろう。もうひとつの理由は、植民地帝国が非常に多くの弱小国家に分解されたということである。それらの多くは、みずからの生存そのものを外部の援助に頼らざるをえないため、経済的・文化的手段によってその力を膨張する機会を帝国主義諸国に新たに開放することになった。こうして、中国、ソ連、アメリカは、いわゆる非同盟第三世界への力の膨張を求めて、あるいは少なくとも他国が力を膨張できないようにする目的で互いに張り合い、経済的・文化的資源を行使するようになる。新興国の弱さが、これらの国にこうした機会を与えるわけであるが、核戦争がわれわれにとって受容できないほどに危険なものであるがゆえに、こうした機会は合理的必要性をもつようになったのである。

帝国主義政策を見破りそれに対抗する方法

以上のような考察から、国際問題について賢明な意見をもとうとしている市民とともに対外政策の遂行に責任をもつ公人が直面しなければならない基本的な問題が生まれてくる。この問題は、他国が追求する対外政策の性格に関するものであり、したがってその国に関して採用されるべき対外政策の種類に関するものである。他国の対外政策は帝国主義的であるのか、そうでないのか。いいかえれば、それは既存の力の配分を打破しようとするものなのか、それとも現状の一般的な枠組みのなかでの調整を意図したものにすぎないのか。この問題に対する解答がその国民の運命を決定してきたのであり、誤った解答はしばしば致命的な危険ないし現実の破壊につながってきた。なぜなら、この解答に基づく対外政策が成功するか否かは、この解答が正しいかどうかにかかっているからである。帝国主義的な企図に対し、現状維持政策に適した措置によって対抗することは致命的であろうが、現状のなかで調整を求めるにすぎない政策を、あたかも帝国主義的な政策であるかのように処理することもまた、危険性がやや少ないというにすぎない。前者の誤りの代表的な事例は、一九三〇年代後半のドイツに対する宥和政策である。

後者の誤りは、第一次世界大戦勃発以前の数十年間における、ヨーロッパ列強の対外政策に対して決定的な影響を与えた。

政策の問題——封じ込め、宥和、恐怖

帝国主義政策と現状維持政策とでは、根本的にその本質が異なっているから、それらに対抗するために企図された政策も、根本的に異なったものでなくてはならない。現状維持政策に対抗するのにふさわしい政策は、帝国主義政策に対抗する政策としては十分ではない。現存の全体的な力の配分のなかで調整を求める現状維持政策に対しては、ギヴ・アンド・テイクの政策、均衡政策、妥協政策によって処理できよう。要するにそれらは、所与の全体的な力の配分のなかで調整技術を駆使する政策であり、最小限の損失で最大限の利益をあげるためのものである。現存の力の配分を打破しようとする帝国主義は、少なくとも封じ込め政策によって対抗されなければならない。これは現存の力の配分を防衛しつつ、帝国主義国の側からなされるなお一層の侵略、膨張、あるいは現状に対する別の侵害を阻止することを企図するものである。封じ込め政策は、中国の万里の長城やフランスのマジノ線のような、実際にあったものであれ、一九四五年にソビエト圏と西側世界との間に引かれた軍事境界線のような想像上のものであれ、ともかくひ

とつの壁を築くものである。要するに封じ込め政策は、帝国主義国に対して「ここまではよし。だがこれ以上はだめだ」と伝えることによって、その線を越えて進むことは事実上確実に戦争を招くのだと警告するのである。

これに対して宥和政策は、現状維持政策に適した方法で帝国主義の脅威に対処しようとする対外政策である。宥和政策は、帝国主義をそれがあたかも現状維持政策であるかのように取り扱おうとする。宥和政策がまちがっているのは、妥協政策を、現状の保持に都合のよい政治環境――妥協政策はここになじんでいる――から、帝国主義的攻撃にさらされた環境――妥協政策はここになじんではいない――に移し変えるところにある。宥和政策は、帝国主義政策を現状維持政策と取りちがえてしまうことによって誤りを犯す、堕落した妥協政策だといえよう。

「宥和政策」という言葉をむやみに非難の言葉として用いる今日の風潮からみて、宥和政策と帝国主義とが論理的に相互に関連づけられているということは注目に値する。いいかえるなら宥和政策は、他方で帝国主義政策を前提にしているのである。それゆえ、もしA国がB国に対し宥和政策を遂行しているといえば、それは同時に、B国がA国に対して帝国主義政策を遂行しているということを意味するわけである。もし後者のいい方がまちがっているとすれば、前者のいい方は無意味になろう。

宥和政策をとるものは、帝国主義国が次々にだしてくる要求の目的を、合理的に限定されたものとみなす。確かにその目的は、それ自体では現状の維持と両立するし、したがってその固有の価値に沿って、あるいは妥協によって処理されなければならないだろう。彼の誤りは、帝国主義の要求が決してそれだけで独立しているわけでもなければ、また特定の不満から生まれたものでもなく、ついには現状の打破をもたらすに至る鎖の輪のひとつにすぎない、ということを見落としている点にある。法原則ないし道義原則に基づいて、あるいは外交取引をつうじて、相反する政策を和解させることは、実際、外交——それは承認されている現状の範囲内で、当事者双方の側で作用している——の大きな課題である。両者は現存の力の配分を受け入れているのだから、原則に基づくにせよ、妥協によるにせよ、ともかくその相違を解決することは可能である。なぜなら、この解決がどのようなものであれ、それは両者の間の基本的な力の配分には何ら影響しないからである。

しかし、一方あるいは双方が帝国主義的な企図をもっている場合、いいかえれば、現存の力の配分の根本的な変更を求める場合には、状況はちがってくる。その場合、法原則ないし道義原則に基づいて、あるいは取引の方法によって個々の要求を解決していくことは、この解決が力の配分に与える影響の如何にかかわらず結局帝国主義国に有利に力の関係を少しずつ変更していくことになるだろう。というのは、妥協によって有利になるのはいつでも帝国主義国の方であるし、また帝国主義国は原則が帝国主義国の側に都合よく働くようにその要求の基礎を注意深く選択するからである。結局これらの漸進的な変更は、帝国主義国に有利になるように力関係を逆転させるであろう。帝国主義国は、妥協と宥和とのちがいを知らない相手から、血も流さないで、しかも決定的な勝利を勝ちとることになろう。

ドイツは、他の諸国の軍縮の失敗と、フランスやロシアの軍備増強を指摘して、ヴェルサイユ条約の軍縮条項を否認し、一九三五年に公然と帝国主義政策を展開した。ドイツのこの主張は、われわれがそれだけを取り上げ、隠された目標を無視するならば、平等の法原則に照らして決して非があるわけではなかった。書類上の抗議と机上の同盟とを別にすれば、帝国への道を踏みだしたドイツのこの第一歩に対する唯一の実質的な反応といえば、三カ月後に締結されたイギリス・ドイツ海軍協定があっただけである。イギリスはこの協定で、イギリスの三五パーセントを超えない海軍力をドイツに対して認めた。一九三六年のドイツによるラインラント再占領と同年末のライン川水路の国際管理の否認にも、われわれが仮にこういった要求のみせかけだけの合理的制限を真実のものと受け取るならば、平等の法原則の裏付けがなされていたといえよう。さらに、一九三八年のオーストリア併合は、民族自決の原則によって容易に弁護されるものであった。つまりこの原則は、第一次世界大戦において、連合国が主張していた戦争目的のひとつでもあったからである。

一九三八年の後半、ドイツはチェコスロヴァキアのドイツ人居住地域を要求した。ミユンヘン和解はドイツの要求を容認した。ミュンヘン和解の直前に、ヒトラーが、チェコスロヴァキアのドイツ人居住地域の要求はドイツがヨーロッパでしなければならない最後の領土的要求であると宣言したとき、彼は、これらの領土併合それ自体が目的であり、それは十分合理的な範囲内にあるものだと実際に述べていた。彼は、ドイツの政策はヨーロッパの現状の一般的な枠組みのなかで遂行されており、それをくつがえすつもりはないこと、したがって他のヨーロッパ列強はドイツの対外政策をそのような観点からみてそれ相応に対処すべきであると主張した。第二次世界大戦の勃発五カ月前の一九三九年三月末ごろになって初めて西欧列強は、それまで現状維持政策であるかのようにみえていたものが、実は初めから、世界的な範囲ではないにしても大陸全土にわたる帝国主義政策であった、ということをヒトラーのチェコスロヴァキア全土の併合とポーランドに対する領土的要求によって確信するに至ったのである。

そのころ、ヨーロッパにおける力の配分はすでにドイツに有利な形に変わっていた。

ドイツの力のなお一層の増大は、戦争によらないでは防ぐことができないほどに変貌を遂げていたのである。ドイツはヴェルサイユ体制の現状に公然と挑戦できるほど強力になっていたし、またヴェルサイユの秩序と一体化することによって得ていた諸国家の威信——すなわち、力をもっているがゆえの名声——が失墜してしまった結果、これらの諸国はもはや単なる外交手段によっては、現状に残されているものを防衛することができなくなっていたのである。つまり降伏か戦闘かのいずれかしかなかった。こうして、一九三八年の宥和政策論者は売国奴となるか(彼らが、ドイツ帝国主義に対する抵抗を絶望的なものだと思うならば)、それとも一九三九—四五年の英雄となるか(彼らがその結果にかかわらず、抵抗は道義的に要求されており、そのうえ成功の機会すらあるのだと考えていたならば)であった。最終的な破局と、この破局が国際舞台における行動主体に突きつけた悲劇的な選択は、帝国主義政策に、それがあたかも現状維持政策であるかのように対応したという過ちをそもそもの初めに犯したことによって予定されていた、といわなければならない。

いったん封じ込め政策が帝国主義政策を抑制することに成功してしまえば、あるいはもし帝国主義政策がその目標を達成したために、ないしはみずから疲弊してしまったために終わったとすれば、封じ込め(非妥協的な抵抗の政策)は、妥協(ギヴ・アンド・テイクの政策）の背後に退くことになるかもしれない。このような政策は、帝国主義を和らげようとするときには邪道であっても、その帝国主義的な欲望を捨て去った現状維持政策との和解を目的とするときには美徳となる。ウィンストン・チャーチル卿が、一九五〇年一二月一四日下院で演説したとき、この政策の特色についてこう述べている。

「どんな宥和政策もありえないという首相の言明もまた、ほぼ普遍的な支持を受けているといっていいだろう。それは、わが国にとってはよいスローガンである。しかしながら、下院ではそれはもっと正確に定義されるべきだと思われる。われわれがいわんとしているのは、弱さや恐怖による宥和政策ではないのである。宥和政策そのものは、状況によってよくも悪くもなる。弱さと恐怖からくる宥和政策は、無益でもあり致命的でもある。強さからくる宥和政策は寛大にして高尚であり、世界平和への最も確実にしておそらくは唯一の道である。」

対外問題の遂行の責任者が最も陥りやすいもうひとつの基本的な誤りは、これまでに検討してきたこととは逆のことである。それは、現状維持政策を帝国主義政策と誤解することである。そうすることによって、A国はB国に対して、軍備、基地、同盟のような、防衛を意図した幾つかの措置をとる。これに対して、今度はB国が対抗措置に訴えるだろう。なぜなら、いまやB国にはA国が帝国主義政策を開始したと映るからである。これらの対抗措置は、B国の政策などについて最初に抱いた、A国の側の誤解をさらに強めることになろう。そしてこれが繰り返されるのである。結局、両国がそれぞれ自国の政策についての誤りをただすか、さもなければ次第に増大する相互不信を互いに助長し合って戦争という結末を招くかのいずれかになるのである。最初の誤りから悪循環が展開されるわけである。いずれも現状の保持を求めているにすぎないのに他国の帝国主義的企図を確信する二国ないしはそれ以上の国家は、他国の誤りのなかに自国の判断および行動の誤りの根拠をみいだすのである。このような状況において、事態の成り行きを破局的な結末から救うものは、ほとんど超人的な努力以外の何ものでもないといってよいだろう。

一八七〇年のプロシア・フランス戦争から一九一四年の第一次世界大戦勃発までのヨーロッパ外交史は、このような状況をよく示している。一八七〇年ドイツの勝利によって戦争が終結し、ドイツ帝国の基礎がおかれてからは、同国の対外政策は主として防衛的なものとなった。それは、ドイツがヨーロッパで獲得した地位の保持、およびドイツに敵対するフランス・ロシア間の同盟がドイツの地位に挑戦するかもしれないという危険性、つまりビスマルクの有名な同盟の悪夢(*cauchemar des coalitions*)に関するものであった。ドイツ、オーストリア、イタリア間の三国同盟は、この防衛政策の手段であった。それはまたロシアとの再保障条約によっても支援された。この条約は、もしロシアあるいはドイツのいずれかが第三国との戦争に巻き込まれたならば、相互に中立であることを保障するというものであった。

一八九〇年ビスマルクを解任すると、ウィルヘルム二世はこの再保障条約の失効を決定したが、それは主として、この条約の継続がオーストリアを遠ざけ、したがって三国同盟を破壊するかもしれないという恐れからであった。そのとき(一八九一年および一八九四年には)ロシアはフランスと協定を結んだ。この協定は、性格としては防衛的であり、しかも三国同盟の意図に対する恐怖に刺激されたものである。とりわけ一八九四年の軍事協定の条項は、三国同盟が防衛的装置から帝国主義的な装置へと変容する可能性を予想したものであった。こうして、この軍事協定は三国同盟がある限り有効であるとされたのである。この協定の主要な条項は次のような規定を設けていた。すなわち、もしフランスがドイツまたはドイツの支援を受けたイタリアによって攻撃されたならば、ロシアはフランスに軍事援助を与える。もしロシアがドイツまたはドイツの支援を受けたオーストリアによって攻撃されたならば、フランスはロシアに対して同じことをなす。

また、三国同盟の兵力が動員された場合には、フランスとロシアはすみやかにその兵力を動員する。

まず最初は、敵対的な同盟の恐怖が三国同盟の結成を促した。ついで三国同盟の崩壊の懸念が、ドイツによるロシアとの友好関係の断絶を導いた。最後に、三国同盟の意図に対する恐怖が、フランス・ロシア同盟をもたらした。これら二つの防衛同盟の相互の恐怖と、ウィルヘルム二世の気紛れな帝国主義的言辞が生みだした一般的な不安とが、第一次世界大戦以前の二〇年間にわたる外交術策に影響を及ぼしたのである。これらの術策は、既存の同盟体制を破壊して新しい結合を求めるか、それまで超然としていた列強に現存の同盟の支持を求めるかのいずれかであった。一九一四年の全面戦火は結局逃れられないものとなった。なぜなら、もし自国に有利な変更によって機先を制しておかなければ、相手国は自分たちに決定的に有利になるよう力関係を変えるだろうという恐怖が渦まいていたからである。相対立する両陣営においてとくにロシアとオーストリアが、この恐怖にかり立てられた。他国の不信を招く帝国主義への恐怖が反作用して帝国主義を生みだし、それがまた当初の恐怖に実体を与えることになるのである。

相互の恐怖が互いに偏見を抱かせるこうした事態がとりわけ目についたのは、敵対する対外政策が、世界を包み込んでしまうようなイデオロギー(21)によって塗りたくられているときである。この場合、現実に追求されている対外政策は、このイデオロギーに一致しているかもしれないし、そうでないかもしれない。世界革命とか世界の共産化といった共産主義のイデオロギーは、非共産主義国に対して、共産主義国の対外政策は必然的に世界的帝国主義に奉仕するものだという恐怖を引き起こす。その結果、ソ連や中国などの国家が国際政治という将棋盤において行なうどんな行動も、それ自身の価値に基づいて判断されずに、帝国主義的イデオロギーということから評価されることになる。一方、共産主義哲学は、資本主義諸国が本来的に好戦的であり「帝国主義的」だとの前提に立っているがゆえに、西側が法と秩序の遵守や、侵略と破壊に対する反対を公言しても、共産主義諸国からは、それは帝国主義政策のイデオロギー的偽装にすぎぬと解釈されてしまうのである。

両方の側にあるこうした神話的な現実認識が、互いに相手方の帝国主義を牽制しようとする政策を呼び起こす。そして、こうした政策がまた、あらゆる当事者の心のなかで最初の神話的解釈を強めることになる。こうして大国は、悪循環に陥ってしまうのである。最初は恐怖が、彼らにイデオロギーの言葉で現実を解釈させる。そして、この恐怖はイデオロギーに培われていく。ついで彼らは、実在していそうもない危険から身をまもるために何らかの措置をとるが、そのことが相手方の恐怖と現実に対する誤解とをつのらせることになる。さらにまた対抗措置がとられ、同じように相手の恐怖と誤解を強め、これが繰り返し行なわれるのである。こうして、こちらの恐怖が相手の恐怖を支え、相手の恐怖がこちらの恐怖を支えることになる。互いに恐怖に陥り、この恐怖をやわらげようとして軍備競争に引き込まれると、どちらの側も、最初に仮定した相手の帝国主義を現実の経験的なふるいにかけることができなくなる。もともと現実への神話的な認識にすぎなかったものが、いまや自己充足的予言になってしまう。つまり、相互恐怖から生まれる政策が、最初の仮説が正しかったことを示す経験的証拠であるかのように思われるのである[22]。

見破ることのむずかしさ

帝国主義と認めないまま帝国主義と妥協しようとする宥和政策、帝国主義など存在しないのに帝国主義を生みだしてしまう恐怖といったものは、賢明な対外政策が回避しようと努力しなくてはならない二つのまちがった応答である。それはまた致命的な誤りでもある。賢明な対外政策は、帝国主義がどこに存在するかを認識し、その特殊な性格を測定するものであるが、それは五つの困難に直面するであろう。そしてそれらはいずれも厄介な性格をもっている。

第一の最も基本的な困難は、レーニンの死後から一九三〇年代中期の大粛清まで第一級の共産主義理論家であったブハーリンが指摘したものである。彼は、帝国主義の非経済的な説明に反論して、帝国主義をこう要約している。すなわち、「帝国主義は征服政策である。しかし、すべての征服政策が帝国主義であるわけではない」[23]。このような言い方は確かに正しいし、また現状の枠内で展開される征服政策とそれを打破しようとするものとのちがいについてわれわれがすでに述べたことと一致している[24]。具体的な状況で両者を区別することは、非常にむずかしい。ヒトラーの究極目的が何であるかを、ある程度確実に知りうるにはどうしたらよかったのだろうか。一九三五年以後、ヒトラーは次々に要求をだした。そのいずれもがそれ自体現状維持政策と十分調和することができた。しかしどれも、帝国にいたる布石であったといってよい。個々の行動そのものは漠然としていた。したがって、それらを要素とする政策の実際の性質がどのようなものであるかは、これら個々の行動によって明らかにされるということはなかったのである。では、人はわれわれの質問に対する解答をどこにみいだすことができるだろうか。

その解答——これは仮説的で、疑問の余地があるにはあるのだが——は、帝国主義政策には好都合だと指摘した三つの典型的な状況のうちの二つのものに求めることができるといえよう。まず、ヴェルサイユ条約の現状を打破しようとする欲求は、そもそも最初からナチスの計画の主要点のひとつであり、一九三三年にはドイツ政府の公式の綱領となった。この目標からみれば、ドイツ政府がその機会が到来するや、計画の実現を求める対外政策を追求するだろうということは予見されえたであろう。この機会とは、ヴェルサイユ条約の現状から利益を得ていた諸国がもはやこの現状を効果的に防衛することができずまたその意志もなくなったときをいうのである。

こうした第一の基本的な困難は、次のような事実によってさらに厄介なものになる。すなわち、初めは現存の力の配分のなかで調整を求めようとした政策は、それが成功あるいは挫折するにつれてその性格を変える可能性があるという事実である。言葉を換えていえば、当初の目標が既存の力の配分のなかで容易に達成されると、膨張しようとしている国家は、おそらく自分たちが、弱体で優柔不断な相手と交渉しているのだと思い込むようになる。そして現存の力関係の変更が、大して努力もせずにまた危険もなく達成されうるものだ、とこれらの国家は思うようになるかもしれない。食欲というものは食事がでると起こるものである。こうして現状の枠内で膨張政策が成功すると、それは一夜のうちに帝国主義政策へと変貌を遂げるであろう。同じことは、現状の枠内で膨張政策が失敗した場合にもあてはまる。目標を限定しても、現存の力関係のなかでは達成されそうに思えず、また実際に挫折した場合、その国家は、自分の欲するものを確実に獲得しようとするならば力関係そのものを変更しなければならないとの結論に達することになろう。

政策が純粋に領土的な観点から表明される場合には、その目標たる領土的目標の性格は、追求されている政策の本質をときに示唆するということはある。たとえば、目標が戦略上の要地であるとすれば、それを獲得することはそれ自体特定地域の力関係を変えることになる。ところが、このようにはっきりとみきわめる手だてが期待できない場合がある。したがって、対外政策としておもに経済的ないし文化的浸透といった媒介手段が用いられる場合には、さらに別の困難に直面するほかはない。これらの方法も、それが役立っている政策の性格からみれば漠然としており、しかもその曖昧さは、領土的目標を明示する軍事的方法よりもはるかに大きいのである。経済的・文化的膨張は、概してその範囲がはっきりしていない。これらは、非常に多様で輪郭のはっきりしない人びとを相手にしている。そのうえこれらは、不特定多数の国民によって広範囲に遂行される。帝国主義の手段としての経済的あるいは文化的膨張と、表面にあらわれた経済的・文化的政策のほかにいかなる権力的な目標も隠していない——したがって帝国主義的でない——ものとを識別することは、確かにむずかしい問題である。ここでもう一度、帝国主義政策に有利な典型的な状況についてふれることは、その問題を考えるうえで役立つにちがいない。

スイスがこれまで国際領域で追求してきた積極的な経済政策には、決して帝国主義的な色彩はなかった。イギリスの外国貿易は、ときには一定の国家に対して帝国主義的な性格をもっていた。今日、その目的の大部分は純粋に経済的なものである。すなわち、これはブリテン諸島に住む人びとのために、生活必需品を得ようとしているにすぎない。それは有利な貿易収支による経済的生存が目的であって、外国に対する政治権力の維持や獲得が目的ではない。第二次世界大戦以後、イギリスの経済政策が、ときに政治的要件に従うことはあったが、それはエジプトやイランなど特定の戦略的地域に関してだけであった。これらの政治的要件のうちには、帝国主義的な性格をもつものがあったかもしれないし、あるいは一定の条件の下ではそうしたこともあるであろう。

スペインのラテン・アメリカへの文化的浸透は、おおむね、帝国主義的な意味をもつものではなかった。というのは、アメリカとの関係でスペインの方が軍事的に弱体であったので、ラテン・アメリカにおける力関係をスペインに有利なように変えることは許されなかったからである。フランスの文化的使命は、一定の国および一定の時期にはそれ自体目的となっていた。しかし別の状況や国においては、それは帝国主義的目的に従属していた。この場合にも、経済的・文化的膨張の性格は政治状況の変化とともに変わるのである。機会が訪れるやいなや、国家がそれ自体を目的として獲得しておいた、「善意の貯水池」(reservoir of good will)とか他国との貿易における優越的地位は、たちまち政治権力の源泉になり、権力闘争における有力な手段と化すだろう。しかし状況が再び変化すれば、急激にその特性はなくなってしまう。

これらの困難がすべて克服されて、ある対外政策が帝国主義だと正しく認識されるようになってもなお、別の困難がでてこよう。それは帝国主義の種類に関するものであり、次にわれわれはそれを取り扱わなくてはならない。つまり、局地的な帝国主義が成功した場合、その成功が誘因となってその帝国主義はますます膨張し、ついには大陸的あるいは世界的な規模のそれになるかもしれないということである。もっと具体的にいえば、国家は局地的な優勢を不動にし堅固にするために、もっと広範囲に力の優勢を獲得しなければならないと思うようになるだろうし、さらには世界的規模の帝国においてのみ十分な安心が得られると感じるだろう。帝国主義にはしばしば、攻撃的あるいは防衛的な言葉で合理化されるダイナミックな力が存在しているが、この力が、限定された地域から大陸へ、そして大陸から世界へと帝国主義を膨張させるのである。フィリッポスとアレキサンダー大王のマケドニア帝国や、ナポレオンの帝国主義がこの種のものであった。他方、世界的規模の帝国主義政策は、優勢な勢力の妨害を受けて、地理的に限られた地域に後退するかもしれないし、また局地的優勢に満足するかもしれない。あるいはこの種の帝国主義は、帝国主義的な傾向を完全に失って、現状維持政策に変容するかもしれない。地理的に限られた帝国主義から局地的帝国主義へ、局地的帝国主義から帝国主義的傾向の全面的かつ永久的な喪失に至るまでの展開過程は、一七、一八世紀におけるスウェーデン帝国主義の歴史のなかにたどることができよう。

以上のことからわかるように、帝国主義的傾向を評価し、ついでこれに対抗する政策を明確に評価することは決してできるものではない。帝国主義政策もその対抗政策も絶えず評価しなおされ、再定型化されなければならない。しかし、対外政策の決定者は、帝国主義的膨張にせよ、その他どんなタイプの対外政策にせよ、特定の類型を永久的なものと考え、類型が変わったときでもつねにもとの類型に合致した対外政策を追求する誘惑にさらされているのである。世界的規模の帝国主義に対しては、局地的帝国主義にふさわしい対抗措置とは別の措置が必要であろうし、前者に適した措置によって後者に対抗する国家は、避けようとしているまさにその危険を招くことになるだろう。他国の帝国主義政策における変化をすみやかに認識することが必要だといっても、そこにはまた別の困難が横たわっており、またそのような変化に自国の対外政策をすみやかに適応させることに失敗すれば、それはまた別の過ちのもとになるのである。

最後に、帝国主義は、あらゆる対外政策が分かちもっているひとつの問題を提起する。しかも帝国主義は、それをとくに鋭い形で提起する。すなわち、イデオロギー的偽装の背後に隠された対外政策の真の性格を見破らなければならないという問題である。国際舞台における行動主体は、自己が追求している対外政策が何のためであるかをめったに明示しない。そして、帝国主義政策は、それを追求する人びとの発言のなかにその真実の顔をみせるということはまずありえない。追求されている政策の本性は、イデオロギー的偽装のヴェールの背後に隠されている。そうしなければならない理由およびこれらのイデオロギーがとる典型的な形については、第七章で論ずるつもりである。対外政策の見かけと本質を区別することがいかに困難であるかは、それを論じていくうちに明らかにされよう。

第六章　権力闘争――威信政策

威信政策とは何か。それは国際舞台における権力闘争の三番目の基本的な発現形態である。近代の政治文献において、このことが認識されたことはめったになかった。威信政策がないがしろにされてきたのには三つの理由がある。この政策に対する軽視は、まずそれが微妙でとらえ難いさまざまな関係を有していることと無関係ではない。すでに述べたように[1]、顕著な理論的・実際的関心は、これまで現実に行使されたものにせよ、脅しのために使われたものにせよ、実力という形での権力の物的側面に主として向けられてきた。そのため威信政策を理解することがおろそかにされたのである。次に威信政策は、外交の世界で実際に行なわれている貴族的な社交形式を主要な伝達手段としてきたことである。儀礼上の規則、位階や席次をめぐる論争、空虚な形式主義、これらがつきものの外交の世界は、まさしく民主的生活様式のアンチテーゼというよりほかはない。権力政治が選良主義の隔世遺伝以外の何ものでもないことを十分納得していない人ですら、外交官の行なう威信政策のなかに、時代錯誤的ゲーム――それは、滑稽で愚劣なうえに、国際政治の仕事に何ら有機的な関連をもたない――をみてとるものなのである。
最後に、権力の維持や獲得とは対照的に、威信が目的そのものになることはめったにないということである。よくあることだが、威信政策は、現状維持政策や帝国主義政策がその目的を達成しようとするときに用いる手段のひとつである。このことから、威信政策は重要ではなく体系的な検討にも値しないなどと簡単に結論づけられてしまうのである。

しかし威信政策は、その遂行がしばしばいかに誇張されようとも、またいかにばかばかしいものであっても、実際には国家関係の本質的要素であることは否定できない。それは、威信への欲求が個人間の関係の本質的要素であるのと同じである。ここでも、国際政治と国内政治とは、同一の社会的事実が別の形態であらわれたものにすぎないことが明らかになる。どちらの領域においても、社会的に認められたいという欲求は、強くてダイナミックな力となる。それが社会関係を決定し、社会制度を創造する。個人は、同胞によって自己評価が確認されるのを望むものである。彼は、自分の徳・知性・力に対して他者が送る賞賛によってのみ、自分自身優れた資質だとみなしている部分を十分自覚できるのだし、それを愉快に思うこともできるのである。また、傑出しているという他者からの評判をとおしてのみ、彼は自己の安全と富の力がどの程度自分自身に帰せられるべきものか知ることができる。こうして、生存と力――いわば、人間社会におけるむきだしの要素――を求めてなされる闘争においては、他人がこちらについて思っていることは、われわれの実際の姿と同じくらい重要となる。本来もっているものよりは、同胞の心にうつるイメージ(すなわち、われわれの威信)――それは歪んだ姿にすぎないかもしれないが――の方が、社会の構成員としてのわれわれのありようを決定するのである。

そこで、他者がある人の社会的位置に関して抱いている心的イメージが、その人の現実の状態以上のものではないまでも、少なくともそれを忠実にあらわすよう留意することは、必要であるだけでなく重要な仕事である。これはまさに、威信政策とはいったい何を指しているのかという問題にほかならない。威信政策の目的は、ある国家が現実にもっている力を、またもっていると信じている力、ないしはもっていると他国に信じさせたい力を、他国に印象づけることである。この目的には、二つの特殊な手段が有効である。ひとつは、最も広義の外交儀礼であり、もうひとつは軍事力の誇示である。(2)

外交儀礼

ナポレオンの生涯から二つのエピソードを取りだしてみよう。それらは、一国を代表する支配者の権力地位が儀礼の形のなかにあらわれることをはっきりと象徴的に示している。ひとつは、ナポレオンが権力の頂点にあることを示すエピソードであり、いまひとつのエピソードは、彼がこの頂点を去ったことを示している。

一八〇四年ナポレオンが教皇立ち会いの皇帝の戴冠式に臨んださい、この二人の支配者は、いずれも互いの優位を誇示することにきわめて重要な関心を寄せた。ナポレオンは、教皇の手による王冠の授受を拒否し、みずからの手でそれをいただいた。それだけでなく、儀礼上ある工夫をこらすことによっても、自己の優位を主張するのに成功した。そのときのことを、ナポレオン麾下の将軍のひとり、警務大臣のロヴィーゴー公爵が回顧録にこう記している。

「彼は、教皇との会見のためヌムールを目ざして進んだ。儀式ばったことを避けて、狩猟会という名目がとられた。列席者たちは、皇帝の整えた公式の馬車に乗り込んで、すでに森の中で待機していた。馬にまたがり、狩猟服に身を包んだ皇帝が、従者たちを引き連れてやってきた。会見の行なわれたのは、半月が丘の頂きにかかる時分であった。教皇の乗った二頭立ての馬車が目的の場所まで来て止まると、白装束の教皇は馬車の左手からぬかるみの地面に降り立った。彼はその純白の絹の靴で降り立つのを潔しとしなかったのではあるが、結局そうせざるをえなかったのである。
ナポレオンは教皇を迎えるために馬から降りた。そして彼らが抱擁しあっている間に、故意に動かされた皇帝の馬車は、あたかも御者の不注意からそうなったかのように二、三歩前方に進んでおり、従者たちが左右の扉を開けて待っていた。馬車に乗り込む段になって、皇帝が右の扉に赴いたため、宮廷武官は左手に教皇を案内した。こうしたわけで二人は同時に両方から馬車に乗り込んだのである。かくて、皇帝みずからがごく自然に右側の座を占めた。この第一歩は交渉なしに決められ、しかも教皇のパリ滞在中ずっとまもられる儀礼となったのである。[3]」

もうひとつのエピソードは、一八一三年、ドレスデンで起こった出来事である。ロシアでの敗北後、ナポレオンは全ヨーロッパ連合によって脅かされていた。やがてこの連合はライプチヒでの悲惨な敗北を彼に味わわせることになるのだが、これは、そのほんの少し前のことである。ナポレオンは、オーストリア宰相メッテルニヒとの九時間に及ぶ会談で、オーストリアが反ナポレオン連合に加わるのを阻もうと努めた。その間メッテルニヒはナポレオンを、死を宣告された男として遇したが、ナポレオンは、ヨーロッパの支配者——実際、それまでの一〇年間はそうであった——としてふるまった。とりわけ荒々しいやりとりのあったあとで、ナポレオンは、あたかも自分の優位を試すかのように、帽子を取り落とし、敵対する連合軍のスポークスマンがそれを拾い上げてくれるのを期待した。メッテルニヒがそれに対して無関心を装ったとき、アウステルリッツとワグラムの勝利者ナポレオンの威信と力に決定的な変化の訪れたことが、彼ら二人には明白になったにちがいない。メッテルニヒは、この会談の終わりにナポレオンに向かって「確かにあなたの負けだ」と語ったと、そのときのことを書きとどめている。

外交官同士の関係が、威信政策の手段として役立つのは当然である。外交官は各国の象徴的な代表だからである。(4) 外交官に払われる敬意は、実際には彼らの国家に対して払われるのであり、外交官が払う敬意は、実際には彼らの国家が払うものだといえる。外交官が与えたり受けたりする侮辱は、実際には、彼らの国家が与えたり受けたりする侮辱である。これらを示す事例や、国際政治においてこうしたことが重要な意味をもった事例は、歴史上枚挙にいとまがない。

たいていの宮廷では、勅使は諸侯によって紹介されるが、外国大使の場合は、一般の高官が元首に紹介するのを慣例とした。一六九八年、ルイ一四世がヴェニス共和国の大使をロレーヌ公に紹介させたとき、ヴェニス共和国議会はフランス大使に、ヴェニス共和国がこの栄誉を永久に感謝するであろうことをルイ一四世に伝えるよう請い、ルイ一四世宛に特別の礼状を送り届けた。この儀礼行為は、フランスがヴェニス共和国を、王国と同様に強大であるとみなしていることを意味した。ヴェニスはこうして得た新しい威信に対して、フランスに感謝の意を表したわけである。また教皇庁では、教皇は国の種類により、別々の広間でその外交代表と接見していた。王位にあるものの大使やヴェニスの大使は、「サラ・レギア」(君主の間)で、その他の諸侯や共和国の代表は、「サラ・ドゥカレ」(公爵の間)で迎えられた。ジェノア共和国は「サラ・ドゥカレ」に替えて「サラ・レギア」でその代表を接見してもらうために、教皇に何百万もの金の提供を申し入れたといわれる。しかし教皇は、この申し出を受け入れることを拒んだ。ジェノアと自国とが対等に遇されることを欲しなかったヴェニスの反対のためである。待遇の平等は、威信——すなわち、力をもっているがゆえの名声——の対等を意味しており、威信においてまさっている国家はこのようなことに同意するはずもなかったであろう。

一八世紀末コンスタンチノープルの宮廷には、スルタンに拝謁する大使やその随員は、宮廷官に腕をとられ、頭を垂れるという慣例がまだ残っていた。大使と宰相との間で通例の挨拶がかわされたあと、宮廷官はこう宣言したものである。「われらが神に賞賛あるかな。ゆえに異教徒をしてわが栄光に輝ける王権に臣従の礼をつくせしむべし」と。

このように他国の代表に屈辱感を与えることは、彼らの代表する国家の力が劣っていることを象徴させようと意図するものであった。

セオドア・ルーズヴェルト大統領の時代には、すべての外交代表は、一月一日にはそろって新年の挨拶のため大統領を訪問したものだったが、タフト大統領はこのようなやり方を変え、大使と公使とを別々に迎え入れるよう命じた。この変更を知らされていなかったスペインの公使は、一九一〇年の一月一日、諸国大使と大統領との会に出席のためホワイトハウスに赴いて、入場を断られた。そのためスペイン政府はこの公使を召還し、アメリカ政府に対し抗議を申し入れた。これは、その植民地を失い三流国になり下がった国家が、昔日の偉大さにみあった威信を求めての、せめてもの主張であった。

一九四六年のパリの戦勝記念式典でのこと、他の大国代表は一列目にその座を占めたのに対し、ソ連外相は二列目に座らされたため、彼は抗議の意を込めてその場を立ち去るということがあった。長い間国際社会の低い地位に甘んじていた国家が、文句なく大国の地位を得ると、その新しい地位にみあった威信を要求するものである。一九四五年、ポツダム会談のさいには、チャーチル、スターリン、トルーマンのうち、誰が最初に会議場に入るべきかで意見が一致せず、結局、三人同時に三つの入口から入ることになった。これら三人の政治指導者は、それぞれ自国の力を象徴していた。したがって、彼らのうちひとりにだけその優位を許すことは、他の二国としては認めがたい威信の優越をその国家に与えてしまうことになるだろう。彼らは、力が対等であることを主張していたから、その威信の保持に関心を寄せたのは当然のことであった。この場合、対等こそ威信を示す表現にほかならなかったのである。

最近の事例を二つ挙げておこう。フランスは、ドゴールがヨーロッパ共同体の超国家的傾向に反対したので、それまでとられてきたスタイルに異議を唱えた。

「つまりこの伝統的なスタイル――縦縞のズボンとモーニング・コートにシャンペン――は、共同市場委員会の委員長ワルター・ハルシュタイン博士が、信任状を提出する加盟国代表に応接するときにとられてきたのである。

ハルシュタイン博士がこのような儀式によって大使の信任状を受けとるのは、博士がドゴール大統領などの国家元首と対等の地位にあるような印象を与える、とパリでは考えられたのである。

フランスの主張によれば、委員会は政府などというものではなく、したがってその儀式にしてももっと格式を落としたものにすべきだというわけである。これは、ヨーロッパ共同体のいわゆる超国家的外観に反対するフランスの意向の一面を物語るものである。

フランスは共同体を主権国家の集合体としかみなしていないのである。[5]」

一九六八年一一月に開始されることになっていたアメリカ、南北ヴェトナム両政府、民族解放戦線(ヴェトコン)の間の和平交渉は、会議用のテーブルの形をめぐる論争で一〇週間も遅れた。

北ヴェトナムは、まず正方形のテーブルか、四つのテーブルを円形ないし菱形に配置することを提案し、それが認められない場合は完全な円形のごく普通のラウンド・テーブルの使用を申しでた。これに対しアメリカは、まず二つの半楕円形のテーブルが互いに向き合うように配置されることを提案した。いわば楕円形がまんなかで切り離された格好である。それが認められないことがわかると二つの半円形のテーブルを幾分離し、その間に書記官の長方形のテーブルを二つおくという形を提案した。この提案に関してアメリカは、二つの半円形のテーブルの距離をちぢめて、間におかれた書記官のテーブルと接してもよいと歩み寄った。しかし書記官の二つのテーブルは、どちらの側でも彎曲した半円形のテーブルから数インチ突きでざるをえなかった。[6]結局、名札、国旗ないしそれに類する紋章をおかない円形テーブルを用いることで合意に達した。そして幅およそ三フィート、長さ四・五フィートの二つの長方形のテーブルが、書記官用として、円形のテーブルから一八インチのところに向かい合っておかれることになった。

このような一見ばかばかしい手続きの背後に、果たして何が隠されているのだろうか。北ヴェトナムは、独立した交渉団体としてヴェトコンを承認するよう主張した。アメリカはこの戦争に関して長い間もちつづけてきた考え方に沿って、次のような前提が承認されることを望んだ。すなわち、ヴェトコンは北ヴェトナム体制の延長にすぎないという前提である。それゆえ、テーブルの形に関する論争は、この紛争の本質を象徴的にあらわすものだったのである。ヴェトナム戦争とは、ヴェトコンをその道具として使った北ヴェトナムの侵略の結果だったのであろうか。それともヴェトコンは純粋の人民軍であり、北ヴェトナムから支援を受けたりそそのかされたとしても、この北ヴェトナムによって生みだされたものではないのだろうか。あれやこれや問題になったテーブルの形は、その本質的な問題を事前に判断するものだったといえよう。そして最終的に合意をみたテーブルの形は、この問題を一時棚上げにしたように思われた。

すべての外交官が互いに競い合うパーティの政治的重要性については、ワシントンの社交界を扱ったある論説の、次の引用部分がよくそれを物語っている。

「さて、外国の大使館が、こうしたありとあらゆるパーティを主催することによって、自国に有益なものを実際に買うことができるものかどうか。これについては当然論議の余地がある。実際何を手に入れたか調べる手だてはない。しかし、ほとんどすべての大使たちは、恐ろしく真剣に社交の場を求め、それを自分の仕事の最も重要で生産的な側面のひとつだと考えている。多分彼らは正しいであろう。

しかし結局のところ、大使は、派遣された首都での諸活動を社交慣例によって厳しく制限されるのである。確かに大使は、ヒル〔ワシントンの国会議事堂〕での議員たちとの交際や、議会での論議の状態と経過に対する自分の反応を人前にさらすことを望みはしない。だが大使は、アメリカの諸問題や要人についての正確な印象を十分つかむために、あちこちに顔をださねばならないし、逆に彼自身の性格や自国の性格について、幾らかなりとも一般の人びとに印象づけなければならない。これらの目的にとって、社交界は大使のほとんど唯一の手だてとなるのである。そして、仮にこうした集まりのなかで大使が魅力的でも練達でもないとしたら、彼は、むずかしい立場にある自国のためにはあまり役に立つ人間とはいえないだろう。

ラテン・アメリカ人は、ワシントンで最も大がかりな金のかかるパーティを開くのだが、そのわりに、手にするものはごくわずかでしかないようにみえる。そのために彼らはただ単に遊びに浮身をやつしているとみなされがちである。だが、それはまちがっている。ラテン・アメリカ人が手に入れようと懸命になっているものは、何よりも威信であり、アメリカ一家のなかの対等の地位なのである。誰もまねのできない一連の豪華なパーティで、彼らが富だけでなく礼儀正しい物腰と陽気で楽し気な気分をふりまくことが、その目的のために何の役にも立っていないなどと誰がいえよう(7)。」

ある国家が保有している力、あるいは保有していると思っている力、また保有していることを他の国家に信じさせたいと思っている力を誇示する政策としての威信政策は、国際会議のための場所の選定にあたってとりわけ多くの成果を挙げるものである。多くの対立する要求が互いに競い、それらが妥協によって解決されえず落着できないような場合、威信競争に加わっていない国が会合の場所にはしばしば選ばれる。オランダのハーグやスイスのジュネーヴが、国際会議に適した場所とされてきたのも、このような理由からである。よくあることだが、それまで好まれていた会合場所から別の場所に変わるということは、力の優勢が変化したことを物語るものである。一九世紀の大半は、ほとんどの国際会議はパリで開かれた。しかし、一八七八年のベルリン会議はフランスに対する勝利によって再興なったドイツ帝国の首都で開かれたのだが、このことはヨーロッパ大陸において支配勢力となったドイツの新しい威信を全世界に誇示することになった。ソ連は、初めジュネーヴに国連本部をおくことに反対していた。というのも、以前国際連盟本部のあったジュネーヴは、戦間期にロシアの威信が低かったことを表わしていたからである。しかし、ニューヨークで開かれる国連の会合での力の配分からみて、ソ連が永久に少数派であり、アメリカの指導の下にある多数派に立ち向かわなければならないことがはっきりすると、こんどはソ連は、アメリカの優位とは何ら象徴的なつながりのないジュネーヴに国連本部を移転させるべきだと主張したのである。一九七二年ニクソン大統領が周恩来中国首相と会ったのが、ワシントンでも、またどこかの中立国でもなく、まさに北京であったということは、アジアおよび世界における力の配分に変化が生じたことを関係諸国に想起させるための象徴的な意味をもつものであった。

通常、ある特定の分野や地域で優越的な力をもつ国家は、その分野や地域に関する問題を扱う国際会議については、その会議がその国家の領土内か、少なくともその近隣国で開くよう主張するものである。したがって、海洋に関する問題を扱う国際会議は、ほとんどロンドンで開かれてきたし、日本に関する国際会議はワシントンか東京で開かれてきた。第二次世界大戦後のヨーロッパの将来に関する国際会議は、そのほとんどが、モスクワやヤルタのようなロシア領か、ポツダムのようにソ連に占領された地域か、テヘランのようにロシア領の隣接地で開かれた。だが、一九四七年末までに、政治状況はすっかり変わってしまい、その結果トルーマン大統領は、ワシントン以外のどこであれ、スターリンと会うつもりはないと相当強い調子で言明することができたのである。(8)

軍事力の誇示

威信政策は、外交儀礼のほかに、その目的を達成する手段として軍事的示威行動を用いる。軍事的な強さは一国の力の明白な尺度であるがゆえに、その示威行動はその国家の力を他国に印象づけるのに有益である。たとえば、平時の陸・海軍の演習に外国の軍事代表が招待されることがあるが、これは、軍事上の秘密を彼らに知らせるためではなく、その国の軍備を彼らやその政府に印象づけるためなのである。一九四六年、太平洋での二回の原爆実験に外国のオブザーヴァーを招待したのは、アメリカにこれと同じような目的を果たす意図があったからである。このとき、外国のオブザーヴァーには、アメリカの海軍力とその技術上の成果が強く印象づけられた。『ニューヨーク・タイムズ』紙は、「国連原子力管理委員会の二一人のオブザーヴァーは、……アメリカが世界の海軍を多数集めたよりもっと大規模な艦隊に爆撃を加えているのだと、本日、認めた」(9)と報道した。他方、外国のオブザーヴァーは、原爆が水上および水中でどんな効果を及ぼすか、また原爆を独占している国家がそれをもたない国家に比べ、軍事力においていかに優越することになるのかを思い知らされることになったのである。

海軍による示威行動は、過去においては威信政策の好ましい手段であった。海軍には、地球の隅々にまで国旗を掲げて一国の力をもち込むことのできる高度の機動性があったからであり、またその外観が大いなる印象を与えたからである。一八九一年におけるロシアのクロンシタット港へのフランス艦隊の訪問と、一八九三年におけるフランスのツーロン港へのロシア艦隊の答礼訪問は、世界政治史上の分岐点をなすものであった。なぜなら、この両国の相互訪問は、フランスとロシアの政治的・軍事的連帯を世界に示威し、まもなくそれは、両国の政治的・軍事的同盟へと具体化していったからである。大海軍国は極東諸港に海上艦隊を定期的に派遣して、西方の力の優位をこの地域の人びとに誇示してみせた。アメリカは、ときおり軍艦をラテン・アメリカ諸港に派遣したが、それは西半球でアメリカの海軍力が最高であることを関係諸国に想起させるためであった。

海軍国の要求が植民地地域や半植民地地域で先住民とか競争国の挑戦を受けた場合、これらの国家は必ず軍艦を自国の力の象徴的代表としてその地域に派遣してきた。この種の威信政策のよく知られた例としては、一九〇五年ウィルヘルム二世がドイツ軍艦を率いてモロッコのタンジール港を訪問したことが挙げられる。これは、モロッコに対するフランスの要求に対抗することを目的としていた。アメリカ艦隊が、第二次世界大戦以来、イタリア、ギリシア、トルコに寄港しながら行なってきた地中海海域の巡航は、ロシアの野心に対する明白な回答を意味している。西側同盟が、その統合兵力による演習にさいして、西ヨーロッパで最も脆弱な地域を選ぶのは、大西洋同盟の軍事力と、西ヨーロッパの現状の防衛にこの力を使用する決意とを、ソ連ばかりか、西側同盟諸国自身に対しても誇示するためである。

軍事的なタイプの威信政策を最も徹底させた形態は、部分的ないし全面的な兵力の動員である。威信政策の手段としての兵力動員は、今日では時代遅れであるかもしれない。というのは、これからの戦争では、全面的な準備がおそらくつねに必要とされるからである。しかし過去においては、それも一九三八年、三九年ごろには、予備役の特定の階級のものや、兵役義務のあるすべてのものを軍に召集することは、威信政策の有力な手段となっていた。たとえば、一九一四年七月、ロシアが軍隊を動員したのに引きつづいて、オーストリア、ドイツ、フランスが兵力を動員した。フランスとチェコスロヴァキアは一九三八年九月にそれぞれ陸軍を動員し、フランスはさらに一九三九年三月と九月にも陸軍を動員した。これらはいずれも、自国の軍事的な強さと、自国の政治目的のためにその兵力を行使する決意とを、敵味方に等しく誇示することが目的であった。

この場合、威信——力をもっているということに対する声価——は、戦争に対する抑止力として、また戦争のための準備として利用されているのである。他の国家が戦争に突入するのを抑止できるほどに自国の威信が大きくなることは望ましいことである。同時に、仮にこの威信政策が失敗したとしても、戦争が現実に勃発しないうちに軍隊を動員することによって、自国がその状況下で可能な最も有利な軍事的立場を獲得することは好ましいことである。この点で、威信政策と軍事政策は重なり合い、同一政策の二つの異なった面となる傾向がある。平時のみならず戦時における外交と軍事の両政策間の密接な関係については、別に論ずる機会があるであろう⑩。

威信政策の二つの目標

威信政策には、二つの究極目標があると考えられる。すなわち、純粋な威信、あるいはずっと頻繁にあることだが、現状維持政策あるいは帝国主義政策を支えるための威信である。国内社会では、威信はしばしばそれ自体のために追求されるが、威信が対外政策の主たる目標となることはめったにない。威信は、せいぜい対外政策の望ましい副産物にすぎない。力をもっているということに対する声価よりも、その実質の方が対外政策の究極目標だとされるのである。国内社会の個々の成員は、社会制度や行動準則の統合されたシステムによって、生存と社会的立場とを保護されている。それゆえこの場合には、人は一種の無害な社会的ゲームとして威信の獲得競争にふけることもできよう。しかし、国家は、国際社会の構成員として、自己の生存と権力地位をまもるためにおもに自己の力に頼らなければならないから、国際舞台におけるその権力地位に威信の得失が及ぼす影響を無視することはとうていできないであろう。

したがって、すでに指摘したように、力の重要性を過小評価する国際問題の観察者が、威信の問題を軽くとりがちなのは偶然ではない。同様に、無鉄砲な自己中心主義者だけが、威信政策をそれ自体を目的として追求しがちなのも偶然ではない。現代ではヴィルヘルム二世とムッソリーニがその好例である。新たに得た国内での権力に陶酔した彼らは、国際政治を一種の個人的なスポーツとみなしていた。つまりそこでは、みずからは有頂天にしかも他国民をけなしておのれの個人的優位を楽しむというわけである。しかし、そのために彼らは国際舞台と国内社会とを混同することになった。国内で力あるいは少なくともその外形を示威しても、それはせいぜい無害な愚行以外の何ものでもなかったであろう。しかし外国に対するこのような示威は、自己の信条や見栄に相応した力をもたない使い手にとっては身の破滅を導く危険な火遊びになる。ワンマン政府――すなわち、絶対君主制とか独裁制――は、支配者の個人的栄光をその国民の政治的利益と同一視する傾向にある。対外政策をうまく実践するということからすれば、このような同一視は重大な弱点になる。なぜならそれは、国益が危機に陥っているのを顧みずに、あるいは力が国益を擁護することができるのを無視して、威信のための威信政策を生むことになるからである。一九六五年から一九七五年に至るアメリカのインドシナ政策は、このような分析に照らしてみるとよく理解できよう。

威信政策が現状維持政策と帝国主義政策のために果たす機能は、国際政治の本性そのものから芽ばえる、といってよい。国家の対外政策はつねに、歴史のある時点でさまざまな国家間に存在する力関係の評価から生みだされるものである。またそれは、近い将来あるいは遠い将来に展開すると予想される力関係の評価の所産でもある。たとえば、アメリカの対外政策は、イギリス、ソ連、アルゼンチンとの力関係におけるアメリカの力に対する評価に基づいているし、またこれらの国家の将来ありうる力の発展についての評価に基づいている。同様に、イギリス、ソ連、アルゼンチンの対外政策も、同じような評価に基づいている。そしてこうした評価は、それを最新なものにするため絶えず検討されるのである。

威信政策のおもな機能は、こうした評価に影響を及ぼすことにある。たとえば、ラテン・アメリカ諸国に対して、西半球におけるアメリカの優位は侵しえないと確信させるほどにアメリカがこれら諸国にその力を印象づけることができるなら、西半球におけるアメリカの現状維持政策は挑戦を受けることはなかろうし、しかもその成功は確実なものになるであろう。ヨーロッパが一九二〇年代および一九三〇年代初期に享受していた相対的な政治的安定は、主として世界最強の軍事力をもつフランスの威信によるものであった。また一九三〇年代後半のドイツ帝国主義の勝利は、おもにその威信政策の成功に負うものである。この政策によってドイツは、現状維持に関心のある諸国家に、ドイツ自身が無敵ではないにしても、その優位を確信させることができた。たとえば、ポーランドやフランスにおける「電撃作戦」(Blitzkrieg)の記録映画を、とくに政治・軍事の指導者からなる外国の観客にみせたことは、こうした目的に明らかに有効であった。一国の対外政策の究極目標が何であれ、威信——力をもっているということに対する声価——は、対外政策の成否を決定するうえでつねに重要な、ときには決定的な要因となる。したがって、威信政策は、合理的な対外政策に不可欠な要素なのである。

第二次世界大戦後二〇年間にわたり、西側世界とソ連圏との諸関係を支配してきた冷戦では、何よりも威信という武器が主役であった。アメリカとソ連は、自国の軍事力、技術上の成果、潜在的な経済力、政治的な諸原則を互いに印象づけようと努めたが、それらは、互いに相手側の士気を弱め、また戦争を生む取りかえしのつかない行動をとるのを思いとどまらせるためであった。同様に両国は、同盟国、敵の同盟国、それにどちらにもかかわっていない諸国家に対しても、上述のような諸特性を印象づけようとした。両国のねらいは、同盟国の忠誠を保ち、敵の連合の団結を弱め、かかわりをもっていない諸国家の支持をかちとることにあった。

威信が政治的武器としてとくに重要なものになったのは、権力闘争が政治的圧力や軍事力という伝統的な方法によってだけでなく、人間の心をめぐる闘争として展開される時代においてである。アジア、中東、アフリカ、ラテン・アメリカの広大な地域にわたって、冷戦は、何よりも二つの相争う政治哲学、経済体制、生活様式の競争として闘われた。言葉を換えればこのことは、これらの地域では威信——実行能力と力をもっていることに対する声価——が主要な争点になり、そのために政治戦争が行なわれたのだということである。この闘争のおもな手段は宣伝であり、それは自分の側の威信を高め敵国の威信を低めようとする。また対外援助もその手段であり、それは援助供与国の経済的・技術的熟練ぶりを被援助国に印象づけることを意図したものである。

現実の力の行使を凌ぐほど、威信を追求する国家の力に対する評価が高まれば、威信政策は、まさに勝利を獲得したことになろう。そして二つの要因、すなわち、たち打ちできないほどの力だという評価と、この力の行使は自制されているという評価とが、このような勝利を可能にするのである。ローマ帝国、大英帝国、それにアメリカのいわゆる善隣政策は、こうした二つの要因がまれに結びついた典型的な事例である。

ローマ帝国が長命だったのは、何よりもその圏内でローマ人という名に込められた深い畏敬の念に負うている。このことは、ローマ帝国と同様の規模をもつ帝国が概して急速な解体という宿命を避けることができなかったことと好対照をなしている。ローマは、帝国を構成するどの地域よりも政治的才覚と軍事的強さにおいてまさっていた。ローマは、その優位がもたらす苦しみを被支配者に対して軽減してやることによって、ローマ人の支配から逃れたいという気持ちを彼らから奪ったのである。せいぜい被支配者のうち一、二のものが反乱を起こしても、それはローマに十分挑戦できるほど強力な連合を形成するだけの誘因とはならなかった。孤立した反乱は、ローマの優勢な力によって迅速かつ効果的に処理され、その結果はローマの力の威信をますます増大させたにすぎなかった。あえてローマに挑戦しようとした人びとの悲惨な運命と、ローマ法の保護の下にローマへの忠誠をもちつづけた人びとの平和で繁栄した生活とのきわだった相違こそが、その力の行使において中庸を得ていたというローマへの世評をいやがうえにも高めたのである。

大英帝国の場合にもこのことがいえる。ローマと同様、適度に自制された力に対する評判は、大英帝国の礎のひとつとなった。観察者は、たった数千のイギリス人官僚が数億のインド人を統治したその能力に驚かされる。まして自治領を帝国に結びつけていた自発的な忠誠のもろもろの絆についてはいうまでもない。しかし、たち打ちできない力をもつというイギリスに対する評価も、イギリスが第二次世界大戦で日本によってなめさせられた屈辱的な敗北によって永久に損なわれることになった。そして、長い時間と知恵によって練りあげられた寛大な支配の思い出も、アジアのいたるところで従属民族があげた民族解放の叫び声にかき消された。それまでの二重の威信は過去のものとなり、力ずくで帝国を維持するための資力は全く役に立たないものとなっていたため、アジア地域において大英帝国の威信が長く生きつづけることはもはやなかったのである。

善隣政策の時代においては、西半球におけるアメリカのヘゲモニーもまた、力の現実の行使よりは、むしろこの挑戦し難い力に対する評価に基づいていた。西半球におけるアメリカの優位が明白かつ圧倒的だったので、アメリカ大陸の諸共和国間におけるアメリカの地位は、威信だけで十分保証された。アメリカは、ときには、当然手にすべき威信に固執せずにすませることさえできたのである。というのは、こうして示されたアメリカの自制によって、南方の隣国にとってはそのヘゲモニーが受け入れられやすいものになったからである。だからこそ、アメリカは善隣政策の開始以来、汎米会議をアメリカよりはラテン・アメリカ諸国で開催するよう心がけてきたのである。西半球では、アメリカは実質的にも他国が挑戦できないような力をもっていたから、このような圧倒的な力に伴う威信を全面的に押しだそうとはしなかったし、また西半球の幾つかの国が少なくとも威信という形でのみせかけの力を操作するのを認めていた。そうすることが賢明である、とアメリカは思っていたからである。

威信政策の三つの堕落

しかし国家にしてみれば、威信政策を追求するだけでは十分とはいえない。威信政策は、国家によって過大に追求される場合と、過小に追求される場合がある。いずれの場合にも国家は失敗の危険を冒すことになるだろう。自国の力をしっかりと認識もせずに、実際の重要性とは全く釣り合わないほどある特定の行動に威信を付与する場合、それは過度の威信政策を追求しているということになろう。一国の威信は、歴史における特定の時期の特定の行動が成功したか失敗したかということによって決められるものではない。それとは全く反対に、威信は一国の品格と行動、その成功と失敗、その歴史的名声と願望との総体を反映したものである。この点、一国の威信は銀行の信用に非常によく似ている。大きな、定評のある財力と実績をもつ銀行は、小規模でしかもたびたび不調に陥る競争相手の銀行にはできそうもないこと——たとえば過失を犯すとか、事業の失敗に耐えること——をなしうる余裕がある。広く知られているその銀行の力は、このような不運にもかかわらず、その威信が損なわれずにすむほど大きいのである。同じことは国家についてもいえる。

大きな力を確実にもっており、その競争相手からもそう認められているがゆえに、国家は敗北を喫したり、危機にさらされて現在の地位から後退しても、威信を失墜せずにすむといった事例が歴史のページにはたくさんみられる。フランスの威信がより高かったのはどの時点だったか。同国がインドシナやアルジェリアで勝利を収められず、また敗北するとも思っていなかったあの戦争を行なっていたときであろうか、それともこれらの負けいくさを終わらせたときだったであろうか。また、長期的にみて、一九六二年〔一九六一年の誤り〕におけるピッグス湾での失敗によってアメリカの威信はどの程度傷ついただろうか。フランスが知恵と勇気を示して、その「名誉」をかけた二つの負けいくさを清算したとき、第二次世界大戦の開始以来達せられることのなかったほどにその威信は高まった。ピッグス湾はアメリカの威信にほとんど影響を及ぼさなかった。アメリカの威信は依然として力と成功によって重々しいものである。どの国家も、世論の一時的な動揺と、国家の力と威信の恒久的な基礎とを混同しないよう注意しなければならない。だから、ある特定の場合における威信は、それが反映している力と同様、一国の総体的な力と威信の文脈のなかでみられなければならない。後者が偉大であれば、それは前者に反映するし、前者が不十分だとしても、後者によって補われるものである。

国家はまた自国の力を誇張して表現するあまり、実際に所有している力以上の評価を得ようとして過度に威信を追求してしまう。この場合、国家は、その実質よりは、むしろみせかけの力に基づいてその威信を築く。ここから威信政策は、こけ脅しの政策に変容するのである。最近の歴史における顕著な事例としては、一九三五年のエチオピア戦争から一九四二年のアフリカ戦役に至るイタリアの政策が挙げられる。イタリアは、地中海を同国の湖にするという目的から帝国主義的膨張政策に乗りだしたが、エチオピア戦争と一九三六—三九年のスペイン内乱を通じて、当時世界最大の海軍力をもって地中海における支配勢力だったイギリスにあえて挑戦した。その場合イタリアは、同国が第一級の軍事国家であるかのような印象をつくりだして、そうしたのである。他国がこのみせかけの力を実際にあえてテストしてみようとしない限りは、イタリアはこの政策に成功していた。しかし、実際にテストされてみると、多くの宣伝策略によって意図的につくりだされていたイタリアの力に対する評価と、その現実の力との差異が明らかになった。このテストによって、イタリアの威信政策はこけ脅し政策にすぎないことを暴露されたのである。

こけ脅し政策の本質は、兵隊の服装をした二〇人のエキストラに舞台を歩きまわらせたあと、いったん舞台裏に姿を消させ、また舞台に戻らせるといったことを何度も繰り返すことによって、非常に多くの兵士が行進しているかのような錯覚を起こさせる芝居の演出のなかによく示される。無知なものや間抜けものはこうしたみせかけの軍事力にたやすく欺かれるだろうが、そのことを心得た公正な観察者は、こうしたペテンにひっかかることはないだろう。そして、もし舞台での演出がこの「軍隊」に別の「軍隊」と戦闘することを要求するならば、こけ脅しは誰にも明らかなものになる。このとき、こけ脅し政策はその本質が露わにされ、そのからくりも本来の形で示される。こけ脅し政策は短期的に成功をみることは容易であるが、長期的にみれば、それは現実に行なわれるテストが無期延期にでもなったときにはじめて成功するものである。しかしそんなことは最高の政治的手腕をもってしても、できるものではない。

幸運と政治的知恵によってできる最善のことといえば、国家の実際の力を評判どおりの水準に高めるためにこけ脅し政策の最初の成功を利用することくらいのものである。こけ脅しを受けた国が、相手の力に的はずれの配慮をしている間に、こけ脅しをした当事国は、威信と実際の力とを一致させる時間を得るのである。したがって力の競争に後れをとった国家は、とくに軍備の分野においては、こけ脅し政策によってその弱点を隠すと同時に、そのハンディキャップを克服しようと努めるであろう。一九四〇―四一年の秋から冬にかけてイギリスが現実に侵略の危険にさらされていたとき、イギリスは実際の軍事的な強さをはるかに上まわる威信をもっていた。そのことがドイツ人にイギリス領土を侵攻しようとする試みを思いとどまらせた、おそらく最も重要かつ唯一の要因であっただろう。イギリスは結果として、みせかけの防衛力を維持しつつ、他方で実際の防衛力を獲得することができたのである。しかしこの場合でも、このこけ脅し政策がヒトラーの軍事上の失敗に助けられた幸運に加えて、この政策がイギリスにとってさほど自由に選択しえたものではなく、むしろ命がけの最後の手段として、ほとんどやむをえざる必要からとられたものだということに注意しなくてはならない[11]。

このようなわけで、国際政治においてこけ脅し政策をとることが概して過ちを犯すことになる、というのはやはり真実である。一方、これとは全く逆に、実際にもっている力以下の評価に甘んじるのも同様にまちがいである。この「消極的な威信政策」の顕著な例としては、戦間期、そしてとくに第二次世界大戦の最初の二、三年におけるアメリカとソ連が挙げられよう。

アメリカは、第二次世界大戦の勃発当時、すでに潜在的には世界最強国であり、ドイツと日本の帝国主義に反対であることを公然と宣言していた。にもかかわらず、ドイツと日本は、第一等国としてのアメリカなど全く眼中にないかのように、好き勝手にふるまった。この議論からすれば、真珠湾攻撃の意味は、アメリカの軍事的な強さに対する軽蔑を暗示していたという点にあろう。アメリカの力に対する評価——すなわち、アメリカの威信——は低かったから、日本は、アメリカの軍事的な強さが真珠湾の打撃から立ちなおり、戦争の成り行きに影響を及ぼすのに間に合わないだろうという仮定に立って戦争計画を立てたのである。同様にアメリカの威信は低かったため、ドイツとイタリアは、アメリカにヨーロッパの戦争に参加させないよう努めるどころか、一九四一年一二月一〇日アメリカに宣戦して、その参戦を促すのに熱心であるかのようにすらみえたのである。ヒトラーは一九三四年に以下のように宣言している。「アメリカ人はとうてい兵士とはいえない。このいわゆる新世界の劣性と退廃は、その軍事的非能率からいっても明白である」(12)。

このような極端な過小評価は軍事力の評価に関する限り、主としてアメリカの威信政策の欠如のためということができよう。アメリカは自国の人的・物的潜在力が軍事力という観点からみればどういう意味をもつのかということを他国に示威するどころか、反対に巨大な潜在力を現実の戦争手段に変える能力はあっても、その意志はないのだと世界にやっきになって示しているかのようであった。その結果アメリカは、敵からの軽視と攻撃、自国の政策の失敗、さらには自国の死活的利益に対する致命的な危険といったものを招くことになったのである。

ソ連も、これと同じような結果に出くわさなければならなかった。もっとも、それは威信政策を無視したためではなく、それに失敗したためである。戦間期をつうじて、ソ連の力に対する評価は低かった。ドイツ、フランス、イギリスは、自国の対外政策のためにときおりソ連の支持を確保しようとしたが、ソ連の力に対してはどの国も、その政治的イデオロギーへの嫌悪とそれがヨーロッパ全域に広まるという恐怖を差しおいて、それでもなお同国の力を高く評価するというほどではなかった。たとえば、一九三八年のチェコスロヴァキアの危機のさいに、フランスとイギリスはドイツの帝国主義的膨張を容認するか、それともソ連の援助によってそれを抑制するかの二者択一に直面した。このとき西ヨーロッパ列強は、たいしてためらうことなくソ連の協力の申し入れを断ってしまった。それほどソ連の威信が低かったのである。ソ連の軍事的威信が最低線まで下がったのは、一九三九―四〇年の対フィンランド戦においてであった。小国フィンランドは巨人のソ連との戦いにもちこたえることができるようにみえたのである。こうしたソ連の威信の欠如が、ドイツ参謀本部のみならず連合国参謀本部にも、ソ連はドイツの攻撃によく耐えられまいと確信させる要因のひとつとなったのである。

しかし賢明な対外政策にとって、威信と実際の力との間の食いちがいはどうでもよいわけではない。なぜなら、もしソ連が一九三八年か一九三九年に、あるいは一九四一年に、実際そうであったとおりに強力だとみなされていたならば――すなわち、もしソ連の威信がその力と釣り合ったものであったならば――他の諸国家の対ソ政策はすぐさまちがったものになっていただろうし、ソ連および世界の運命も同様にちがったものになっていたであろう。今日ソ連が、想像されるほど強いのか、それともそれ以上に強いのか、あるいはもっと弱いのかということは、ソ連にとっても世界の他の国々にとっても根本的に重要な問題である。同じことは、アメリカについても、また国際政治に積極的な役割を果たしている他のどの国家についてもあてはまる。威信政策を賢明なものにすることは、国家が保有している力を過不足なく世界の他の国々に示威することにほかならない。それがこの政策に課された任務である。

第七章　国際政治におけるイデオロギーの要素

政治的イデオロギーの本質(1)

　政治の基本的な発現形態、すなわち権力闘争は、しばしばありのままにはあらわれない。このことは、国内政治にせよ国際政治にせよ、あらゆる政治に特有なことである。むしろ、追求されている政策の直接目標としての権力の要素は、倫理的、法的あるいは生物学的な用語で説明されたり正当化されたりするものである。いってみれば、政策の真の性格は、イデオロギー的正当化や合理化によって隠されるのである。

　個人が権力闘争に深くかかわればかかわるほど、それが何のためのものなのかわかりにくくなる。ハムレットが母に語りかけた言葉が何の効果も生まなかったように、それは権力を渇望するすべてのものに対して何の効果ももたらさないであろう。

「………母上、お願いです、

ご自分の心を甘やかしてはなりませぬ。
苦い言葉を吐くのはあなたの罪のなすわざ、それを私の狂気のせいにするとは。」〔小田島雄志訳『シェイクスピア全集』Ⅰ、白水社、一九七三年、所収、「ハムレット」二七八ページ〕

このことはまた、トルストイの『戦争と平和』のなかでは、次のように述べられている。

「人間は、一人で行動する場合、常に自己の内部にある一連の判断を有しているものであり、それが自分の過去の行為をみちびいてもきたし、現在の行動の弁解としても役立ち、将来の活動について自分が予想できるようにしてくれる、と思われるものである。人びとの集団もこれとまったく同じことをやっているのであり、判断だの弁明だの、全体の活動についての予想だのを考えだすのを、行為に参加していない人びとにまかせているだけの話である。

われわれの知っている理由や、知らない理由で、フランス人が滅ぼし合ったり、斬り合ったりしはじめる。すると、この事件に呼応し、附随して、これはフランスの福祉や、自由や、平等のためにどうしても必要なことなのだという弁明が、人びとの意志表示のなかにあらわれる。人びとが斬り合いをやめると、その事件にともなって、権力の統一やヨーロッパへの抵抗などの必要を説く弁明があらわれる。人びとが自分の同類を殺しながら、西から東へ進んでいくと、この事件にも、フランスの栄光とかイギリスの卑劣さとかいう言葉がついてまわる。事件に対するこれらの弁明が、ちょうど、相手の権利を認めたうえでの殺人や、イギリスを貶《おとし》めるためのロシアでの数百万の殺戮と同じように、何ら一般的な意味をもたず、それ自体矛盾していることは、歴史がわれわれに示しているとおりである。だが、これらの弁明はその当時においては、必然的な意義を有しているのである。

これらの弁明は、事件を起こす人びとから道義的責任を取り除いてくれる。こうした一時的な目的は、列車の前方のレールから雪を除くために動いている除雪ブラシのようなもので、人びとの道義的責任を払い清めてくれる。どんな事件を検討する際にも心に浮かぶきわめて素朴な疑問、すなわち、いったいどうして何百万もの人間が一緒になって犯罪や、戦争や、殺戮などを犯すのだろうという問題は、これらの弁明がなければ、とうてい説明されえないだろう。(2)」

政治舞台の行動主体は、政治的イデオロギーの仮面の背後に彼の政治行動の真の性格を隠すことによって、「行為する」よりほかはない。個人は特定の権力闘争から距離をおけばおくほど、その真の性格を理解することが容易になるものである。それゆえ、本国人よりも外国人の方が、ある特定の国の政治をしばしばよく理解するし、また、およそ政治とは何かということを理解する能力が、政治家よりむしろ学者の方にあるというのも偶然ではない。一方政治家は、自分が行なっていることについてみずからを欺くという根深い傾向をもっている。すなわち彼らは、自己の政策に言及する場合、権力の言葉ではなく、倫理原則や法原則あるいは生物学的必要といった言葉を使うのである。いいかえれば、政治はすべて不可避的に権力の追求であるのだが、一方でイデオロギーは、行動主体や観衆がみずからこうした権力の競争に巻き込まれるのを心理的にも道義的にも受け入れやすいものにしてくれるのである。

このような法原則、倫理原則あるいは生物学的必要は、国際政治の領域で二重の機能を果たす。それらは、すでに述べておいたが、(3) 政治行動の究極目標――この究極目標の実現のために政治権力が追求されることになるのだが――であるのか、それともあらゆる政治に固有な権力の要素をその背後に隠す口実や欺瞞的なみせかけであるのか、のどちらかである。こうした原則や必要は、前者あるいは後者の機能を果たすかもしれないし、また、同時に両方の機能を果たすかもしれない。たとえば、正義といったような法的・倫理的原則、あるいはそれ相当の生活水準というような生物学的必要は、対外政策の目標であるかもしれないし、イデオロギーであるかもしれない。あるいは、同時にその両者であるかもしれない。ここでは、国際政治の究極目標を取り扱っているわけではないから、倫理原則、法原則あるいは生物学的必要については、それらがイデオロギーの機能を果たす限りにおいてのみ論ずることにする。

まずこれらのイデオロギーは、特定個人の偽善の偶然の産物ではないということである。そのようなものなら、対外問題を立派に処理させるために、もっと誠実な別の人にそれを委ねてしまえばすむはずである。イデオロギーをそのようにみることからは、いつも失望しか生まれない。フランクリン・D・ルーズヴェルトやチャーチルの対外政策の虚偽性をあばくことに最も口やかましかった反対派の人びとが、ひとたび対外問題を処理する責任を負わされると、こんどは彼ら自身イデオロギーによる偽装を利用して支持者たちを驚かしたものである。政治舞台の行動主体が、自己の行動の直接目標を隠すのにイデオロギーを利用せざるをえなくなるのは、まさしく政治の本質である。政治行為の直接目標は権力であり、そして政治権力は人の心と行動に及ぼす力である。だが、他者の権力の客体として予定された人びとも、彼ら自身、他者に対する権力の獲得の意図をもっているのである。こうして、政治舞台の行動主体は、つねに、予定された主人であると同時に、予定された従者なのである。彼は他者に対する権力を求めるが、他者も彼に対する権力を求めるのである。

政治的存在としての人間に、このような相反する存在傾向があるのに対応して、こうした条件に関する彼の道義的評価にも相反する傾向がある。人間は自己の権力への欲求を正当なものと考える一方で、彼に対する権力を獲得しようとする他者の欲求を不当なものと非難するであろう。第二次世界大戦の終了以来、ロシア人はその権力構想を、自身の安全保障に対する考慮から正当なものだとみなした。しかし、彼らはアメリカの力の膨張を「帝国主義的」であり世界征服への準備だと非難してきた。アメリカはロシアの欲望に同じような烙印を押しながら、みずからの国際的目標を国防上必要なものとみなすのである。ジョン・アダムズは、この点について次のように述べている。

「権力は、それが弱者の理解も及ばぬ偉大な魂と遠大な視野をもつと同時に、神の法をすべて侵害しているにもかかわらずみずからは神に代わってその務めをなしているのだ、などとつねに考えるものである。人間の情熱、野心、貪欲、愛、怒りなどには、きわめて形而上的なとらえがたさがつきまとい、またきわめて圧倒的な雄弁さがあるがゆえに、それらは巧みに思慮と良心とに取り入って、これら両方をその味方に変えてしまうのである。」

このような価値二面性は、権力の問題に接近するすべての国家に特徴的なことであるが、それは国際政治の本質に内在するものでもある。イデオロギーを排除して、権力が欲しいなどと率直に言明する一方で、他国の同じような欲望に反対するような国家は、権力闘争において大きな、おそらくは決定的な不利を被ることをたちまち思い知らされるであろう。権力への欲求をこのように率直に告白してその意図を明言する対外政策は、結局、他の諸国家を団結させて、それに対する激しい抵抗を呼びさますことになるだろうし、その結果、その国はそうしなかったとき以上に力を行使しなければならなくなるであろう。他方、こうした告白は、国際社会に普遍的に認められた道義規準を公然と侮辱するのに等しい。したがってその国は、対外政策を追求するのに熱心でなくなるか、あるいは、やましい心からそれを追求するほかない立場に追い込まれるだろう。政府の対外政策の背後で国民を団結させ、全国民のエネルギーと資源とをその支持のために動員するには、国家のスポークスマンは、権力よりむしろ、国家の生存といった生物学的必要や、正義などの道義原則に訴えなければならない。これは一国が、熱狂と、犠牲をもいとわぬ自発性とを勝ち得る唯一の方法であり、それらがなければいかなる対外政策も、その強さを試される最終テストに合格することはできない。

国際政策のイデオロギーを不可避的に生みだし、それを国際舞台における権力闘争の武器へと転化させるのは、こうした心理的諸力にほかならない。政府の対外政策が国民の知的確信と道義的評価に訴えることができれば、その政府は、このような魅力を備えた目標を選択することに失敗したり、あるいは選択された目標にそのような魅力がいかにもあるようにみせかけることに失敗した敵対者に比べ、測りしれない利益をすでに得ていることになる。イデオロギーは、すべての観念がそうであるように、国民の士気を高め、それによって国家の力を高める武器であると同時に、その行為そのものが敵対者の士気を弱める武器でもある。ウッドロー・ウィルソンの十四カ条は、連合国の士気を強化し、第一次世界大戦で連合国に共同で対抗した国々〔ドイツ、オーストリア・ハンガリー(その同盟国トルコとブルガリアを含むこともある)〕の士気を弱めることによって、第一次世界大戦での連合国の勝利に大きく寄与したが、(4) これは道義的要因が国際政治にとっていかに重要であるかを示す典型的な事例である。

対外政策の典型的イデオロギー

帝国主義政策が実際上つねにイデオロギー的偽装に訴えるのに対し、現状維持政策はありのままに提示されることがより多い。これは国際政治の本質の当然の帰結である。また、ある種のタイプのイデオロギーは、ある種のタイプの国際政策に対応するということも、国際政治の本質の当然の帰結であるといえよう。

現状維持のイデオロギー

現状維持政策は、しばしばその本性をあらわすことができる。だからそれは、イデオロギー的に偽装をしなくてもすむことが多い。というのも、現状は、それが存在しているまさにそのことによって、すでに一定の道義的正統性を獲得しているからである。現に存在していることは、それ自体人から支持されるものをもっているにちがいないということである。そうでなければ、それは存在しないだろう。デモステネスは、そのことをこう述べている。

「というのは、誰しも自分の所有物を防衛する場合はいざしらず、それを殖やすために、すすんで戦争に訴えるようなことはしないからだろう。人はみな、失う危険のあるものをまもるためには死にものぐるいで戦うが、それを殖やすためにそうはしないのである。確かに人は殖やすことを自分の目的にするにはするが、それが妨げられたからといって、その相手から何か不正を被ったとは思わないものである。」⑤

現状維持政策を追求する国家は、すでにもっている力を保持しようとするわけであるから、他国民の恨みを鎮め、自国民の不安を除いてやる必要などないだろう。このことは、領土の現状の維持が道徳的ないし法的な攻撃にさらされていないとき、また国力が伝統的にこの現状維持にもっぱら使われてきたとき、とりわけそうである。スイス、デンマーク、ノルウェー、スウェーデンのような国家は、ためらうことなく現状の維持という言葉でその対外政策を定義できる。なぜなら、これらの国の現状は正統なものとして一般に認められているからである。その他の国、たとえばイギリス、フランス、ユーゴスラヴィア、チェコスロヴァキア、ルーマニアなどは、戦間期に主として現状維持政策を追求したが、それらの対外政策は、領土の防衛を目的とするものだと単に宣言するだけでは十分ではなかった。一九一九年の現状の正統性そのものが、これら諸国家の内外で挑戦されていたがゆえに、彼らはこの挑戦に対処できる道義原則に訴えなくてはならなかったのである。そして平和と国際法がこの目的をかなえてくれたのである。

平和と国際法は、現状維持政策のためのイデオロギーとして非常に役立つ。帝国主義政策は、現状を攪乱することによってしばしば戦争を招き、またつねに戦争の可能性を考慮しておかなくてはならない。したがって、平和主義を指導原理として宣言する対外政策は、同じ理由で反帝国主義的であり、現状の維持を支持するものだといえる。現状維持政策の目標を平和主義的な言葉で表明することによって、政治家は、帝国主義的な敵対国に戦争屋という烙印を押したり、また自己および自国民の良心から道義的ためらいを取り除いてみせる。また彼は、現状の維持に利害関係をもつすべての国からその支持を得ることを望むこともできるのである。⑥

国際法も、現状維持政策のために同様のイデオロギー的機能を果たす。どんな法秩序も、もともと静的な社会的力であることを免れない。法秩序は、力の配分をはっきりさせ、具体的な状況のなかでそれを確定し維持するのに必要な、基準と手続きを提供する。国内法は、立法、判決、法の執行という高度に発達したシステムをつうじて、一般的な力の配分の枠内での適応や、ときにはかなりの変革すら認めることがある。国際法には、合法的な変革を促進するこのようなシステムがないため、後に示すように、⑦それは、その性格そのものによって、第一義的のみならず本質的にも静的な力といわなければならない。それゆえ、特定の対外政策を支持するために、「法の下での秩序」、「通常の法的手続き」といった国際法の呪文を唱えることは、つねに現状維持政策のイデオロギー的偽装を意味することになるのである。もっと具体的にいえば、国際連盟のような国際組織が、ある一定の現状を維持するために設立された場合、この組織を支持することはその特定の現状を支持するのに等しい。

第一次世界大戦の終了以来、現状維持政策を正当化するためにこのような法治主義的イデオロギーを利用することは、かなりありふれたものになった。過去の同盟が消滅してしまったわけではないが、いまやそれは全面的な法的機構のなかでの「地域的取極」にとって替えられる傾向にある。また「現状の維持」という言葉は、「国際平和と安全の維持」にとって替えられつつある。現状の維持に同じ利害関係をもつ多数の諸国家は、特定の原因から生じる脅威から共通の利益をまもるのに、以前のように「神聖同盟」という形によってではなく、「集団安全保障体制」とか「相互援助条約」という形でそうする傾向にある。また現状の変更はしばしば小国を犠牲にして行なわれる。したがって、たとえば一九一四年のベルギーとか、一九三九年のフィンランドやポーランドのような小国の権利を擁護するということは、適当な条件の下では現状維持政策の別のイデオロギーになりうるわけである。

帝国主義のイデオロギー

帝国主義政策は、つねにイデオロギーを必要とする。なぜなら、現状維持政策とはちがい、帝国主義は絶えずその正統性を立証しなければならないという重荷を負わされているからである。帝国主義は、打破しようとしている現状が打倒されるべきものであることを証明しなくてはならないし、多くの人が現在あるがままのものに対してもっている道義的正統性が、新しい力の配分を求めるより高次の道義原則に従うべきであることも立証しなければならない。こうしてギボンの言によれば、「どんな戦争も、その動機が自衛のためなのか復讐のためなのか、あるいは名誉のためなのか宗教的情熱のためなのか、あるいはまた権利のためなのか便宜のためなのかは、征服者の法制のなかに容易にみいだされる」ということになろう⑧。

帝国主義の典型的なイデオロギーは、それが法的な概念を利用する限り、実定国際法、すなわち現にあるがままの国際法に頼るわけにはいかない。すでにみたように、国際法の静的な性格は、当然国際法を現状維持のイデオロギーにするからである。逆に帝国主義の動的な性質は、動的なイデオロギーを要求する。法の領域で帝国主義のイデオロギー的必要を満たすのは、自然法——すなわち、あるべき法——の理論である。帝国主義国は、現にある国際法は現状を象徴しているがゆえに不当なものだとしてこれに反対し、正義の要請を満たすより高次の法に頼るであろう。こうして、ナチス・ドイツは、ヴェルサイユの現状の修正要求を、何よりもまずヴェルサイユ条約によって侵害されたとされる平等の原則の上に基礎づけたのである。たとえば、ヴェルサイユ条約がドイツから完全に剝奪した植民地に関する要求や、この条約の一方的な軍縮条項に対する修正要求は、まさに平等の原則に基づくものであった。

帝国主義政策が、敗戦によって生じた一定の現状に対して向けられるのではなくて、征服を招く原因である力の真空からそれが生まれる場合には、征服をやむをえない義務だとする道義的イデオロギーは、不当な実定法の代わりに正しい自然法に訴えるのである。この場合、弱小民族を征服するのは、「白人の責務」、「国家的使命」、「明白なる運命」、「神聖な信託」、「キリスト教徒の義務」だとされるのである。とくに植民地帝国主義は、しばしばこの種のイデオロギー的スローガンによって偽装されていた。地球上の有色人種に「西方文明の恵み」をもたらすのは、征服者の使命であるといったスローガンがその一例である。東アジアの「共栄圏」という日本人のイデオロギーも、これと同様、人道主義的使命といった意味をおびている。宗教的信仰につきものの熱情をもった政治哲学が帝国主義政策と合致する場合には、いつでもそれはイデオロギー的偽装の重宝な手段と化すのである。アラブ帝国主義はまずアラブの膨張期をつうじて、宗教的義務を遂行するものだとしてみずからを正当化した。ナポレオンの帝国主義は、「自由、平等、博愛」の旗印の下にヨーロッパを席捲した。ロシア帝国主義は、とりわけコンスタンチノープルとダーダネルス海峡に野望をもっていたが、正教信仰、汎スラヴィズム、世界革命、資本主義の包囲からの防衛といったスローガンをあいついで、あるいは同時に利用した。

近代では帝国主義のイデオロギーは、とくにダーウィンとスペンサーの社会哲学の影響を受けて、生物学的な議論を好んで利用した。適者生存の哲学を国際政治に適用してみた場合、この哲学は、弱者が強者の力の予定された客体であるという自然現象を、強国の弱国に対する軍事的優越という形のなかにみてとるのである。この哲学によれば、もし強者が弱者を支配しなければ、またもし弱者が強者と対等なものになろうとするならば、それは自然に反するというわけである。強国には「日の当たる場所」にでる権利がある。つまり強国は「地の塩」だというわけである。有名なドイツの社会学者ウェルナー・ゾンバルトが第一次世界大戦で発見したように、ドイツの「英雄」は必ずイギリスの「商売人」に勝つにちがいない。劣等人種は支配人種に奉仕しなければならぬというのは、悪党と愚者だけが反対する自然の掟であり、奴隷と人種根絶は支配人種の当然の勲功というわけである。

共産主義、ファシズム、ナチズム、さらに日本帝国主義は、こうした生物学的イデオロギーに革命的な転回を与えた。地上の主たることをもともと約束された国家が、生まれつき劣等な国家の策略と暴力とによって低い地位におかれている。活力はあるが貧しい「もたざる国」は、豊かではあるが退廃した「もてる国」によって、地上の富から隔絶されている。理想に鼓舞されたプロレタリア諸国家は、財布をにぎっている資本主義諸国家と戦わなければならない。また人口過剰のイデオロギーは、第二次世界大戦前のドイツ、イタリア、日本でとくに好まれた。ドイツ人は、「空間に恵まれぬ国民」であり、もし「生活空間」を獲得できなければ「窒息」するほかはなく、またもし原料の供給源を獲得できなければ「餓死」するほかない、というわけである。あれこれのちがいはあるが、イタリアと日本も、三〇年代にその膨張政策を正当化し、帝国主義的目標を偽装するためにこのイデオロギーを使ったのである。⑨

しかし、帝国主義による偽装と正当化のうち最も広く実践されるのは、いつでも反帝国主義というイデオロギーであった。⑩これが広く利用されるのは、あらゆる帝国主義的イデオロギーのうち最も効果的なものだからにほかならない。ヒューイ・ロングによれば、ファシズムが反ファシズムを装ってアメリカに立ちあらわれるように、帝国主義は反帝国主義を装って多くの国に登場したのである。一九一四年の場合も、一九三九年の場合も、どちらの陣営も他方の帝国主義からみずからを防衛すると称して、戦争に突入した。ドイツは、一九四一年ソ連を攻撃したが、それはソ連の帝国主義的意図を未然に防ぐためということであった。第二次世界大戦終了後、アメリカやイギリスの対外政策は、ソ連や中国の対外政策と同様、他国の帝国主義的目標によって正当化されてきた。このように、自国の対外政策をその実際の性格とは無関係に、反帝国主義的な――すなわち、現状の防衛と保護を目的とする――ものだとすることによって、国民に良心を示し、その主張が正しいとの確信を与えるのである。これなくしては、いかなる国民もその対外政策を心から支持し、そのために首尾よく戦うことはできないであろう。また同時に、それは敵を混乱させるであろう。なぜならば、その敵はイデオロギー的に準備不足のため、どちらの側に正義があるのか、もはやわからないからである。

「第三世界」の諸国家がこれまでに表明してきた経済的要求には、強いイデオロギー的要素が含まれている。これらの国の多くがかかえている経済的困苦の責任は、本来的な貧困、不合理な経済政策、腐敗、無能力といったさまざまな理由に帰せられるにちがいないが、典型的には、富める先進工業国のせいだとされているのである。それゆえ、いわゆる南北紛争について、世界のもてる国ともたざる国との間で熾烈に戦われるさいに用いられる言葉は、既存の強大国と政治的に弱い新興国との間の紛争の真の主要目的、すなわち力の新たな配分という問題そのものをおおい隠すと同時に、それを正当化するのである。

曖昧なイデオロギー

反帝国主義のイデオロギーは、それが曖昧であるがゆえに有効なのである。それは観察者を混乱させてしまう。観察者は自分が帝国主義のイデオロギーにつきあっているのか、紛れもなく現状維持政策に接しているのか、いつも確信がもてるというわけではないのである。あるイデオロギーが、いわば特定のタイプの政策を処方するためではなくて、現状を防衛するものとともに、帝国主義を推進するものによっても利用される場合にはつねに、結果として混乱を引き起こすことになってしまうのである。伝統的に、とりわけ一八世紀と一九世紀には、バランス・オブ・パワーが、現状を防衛するものにも帝国主義を推進するものにもイデオロギー的武器として用いられた。(11)現代では、民族自決や国際連合のイデオロギーが同じような機能を果たしている。冷戦がはじまってからは、それらはますます強固に平和、緊張緩和、デタントといったイデオロギーに結びつけられることになった。

ウッドロー・ウィルソンによって表明された民族自決の原則は、中部ヨーロッパならびに東ヨーロッパ諸民族の外国支配からの解放を正当化した。民族自決の原則は、理論的には帝国の現状ばかりか、いかなる種類の帝国主義とも対立するものであった。そのことは旧来の帝国主義国——ドイツ、オーストリア、ロシア——にも、また解放された小国にもあてはまる。しかし、旧帝国秩序が崩壊するや、なお自決の名の下に、ただちに新しい帝国主義が呼び起こされた。なかでもポーランド、チェコスロヴァキア、ルーマニア、ユーゴスラヴィアの帝国主義が顕著なのは当然のことであった。というのは、旧帝国秩序の崩壊のあとに生じた力の真空は満たされなければならなかったし、新しく解放された諸国民はそれを満たすために存在していたからである。彼らが力を行使できる立場に立つや、今度は新しい現状の防衛のために全く同じ民族自決の原則を唱えた。この原則は、第一次世界大戦の終了から第二次世界大戦の終了に至るまで、これら諸国の最も有力なイデオロギー的武器であったのである。

ヒトラーが領土膨張政策を偽装し正当化するために民族自決の原則を思いついたのは、彼の宣伝の才のひらめきによってであった。民族自決の旗印の下にチェコスロヴァキアとポーランドのドイツ人少数派が、いまやチェコスロヴァキアとポーランドの、国家としての存在基盤を掘りくずす役割を担うに至った。ちょうどそれは、かつてチェコ人、スロヴァキア人、ポーランド人が、民族自決のイデオロギー的な旗印の下でオーストリア・ハンガリー帝国の国家としての存在基盤をつきくずす役割を果たしたのと似ていた。ヴェルサイユの現状の保護者には、かつて彼ら自身のものであった民族自決というイデオロギー的武器を自分たちに向けられたいま、法と秩序というイデオロギー以外に、この現状をまもるべき何のイデオロギーもなかったのである。それゆえ、オーストリアとチェコスロヴァキアは降伏し、ポーランドは致命的な危険にさらされた。ミュンヘン和解がチェコスロヴァキアに関するドイツの要求を認めたとき、ロンドンの『タイムズ』紙は、ドイツのイデオロギーは、われわれ自身のイデオロギーでもあるとして、次のように声明した。「ヴェルサイユ条約の公然の原則である民族自決は、それを規定した条約本文を向こうにまわしてヒトラー氏によって唱えられた。そして、彼の訴えは認められたのである」(12)。国際政治においてイデオロギーが重要であるという例として、また、曖昧なイデオロギーはそれがうまく利用された場合人を混乱させる効果をもつという例として、これほどまでにきわだったものは現代史においては珍しい。

国際連合は当初から、中国、フランス、イギリス、ソ連、アメリカ、およびそれらの同盟国の手段として役立てられるはずであった。すなわちその目的は、第二次世界大戦でのこれら諸国の勝利によって確立された現状を維持することであった。しかし、第二次世界大戦の終結後数年も経たぬうちに、この現状は、暫定的なものにすぎないということ、および、諸国家による相対立した解釈や要求を突きつけられているということがはっきりした。したがって国際連合のイデオロギーは、これら諸国家によって、それぞれ特定の解釈を正当化し特定の要求を偽装するために使われているのである。すべての国家は、国際連合のチャンピオンとしてあらわれ、彼らが追求している特定の政策を支持するために国連憲章を引用するわけである。これら諸国家の政策は相対立するものであるから、国連と国連憲章を引き合いにだすことは、一般に認められた原則に照らして自国の政策を正当化するためと同時に、その真の性格を隠すためのイデオロギー的装置にもなる。このイデオロギーは、その曖昧さのゆえに敵を混乱させ、味方を強化する武器となるのである。

第二次世界大戦の終了以来、これと同じ機能をますます強く果たすようになったのは、平和、緊張緩和、デタントといったイデオロギーである。大量破壊の現代兵器で戦われることになる第三次世界大戦に対する一般の恐怖を考えるなら、いかなる政府でも、自国民および他国民に対して、その対外政策の平和的意図を信じさせることができなければ、自己の政策に対する彼らの支持を得ることは望むべくもない。こうして「平和会議」、「平和攻勢」、「平和十字軍」が、冷戦における宣伝の標準的な武器になったのである。平和的意図がこのようにほとんど世界中で宣言されるようになると、追求されている現実の対外政策をそれによって論じることは無意味になる。なぜなら現代戦争の測りしれない破壊性を考えるなら、どの国家も戦争よりは平和的手段によってその目的を追求するようになるのはごく当然のことだからである。しかも、それに加えて、こうした平和的意図の宣言は、二つの重要な政治的役割を果たす。すなわち、こういった宣言は、その平和目的のヴェールのかげに実際の政策を隠すことになる。また、このような宣言は、政策が実際にはどんなものであれ、それに対する善意の人びとの支持をいたるところで集めることになる。なぜならこれらの政策は、善意の人びとがあらゆるところで熱心に願っている目標、すなわち平和の保持を目的としたものだと説明されるからである。

同様のことは、軍縮、とりわけ「全面的かつ完全な」形での軍縮に関する、ほとんど世界中でなされている言明にもあてはまる。軍備競争を終わらせることは、人道的・政治的・経済的理由から望ましいものだと広く考えられている。しかし、世界の政治的条件が軍縮を不可能なものにするということは、過去二〇年間の経験から明らかである⑬。どんな種類の軍縮の試みも、すべて完全に失敗してきたことを考えるならば、諸政府が自分たちの政策は「全面的かつ完全な」軍縮を志向するものだと言明しても、彼らは実際には、平和と軍備競争の負担からの解放とを切望している世界の諸国民の心に対して単なるイデオロギーを訴えているにすぎない。こうしたアピールは、現に追求されている対外政策を、そうしない場合よりもずっと容易に他国民に受け入れさせるという目的に役立っているのである。

識別のむずかしさ

ところで、これらイデオロギー的偽装を見破り、その背後にある実際の政治的諸力と諸現象をとらえることは、国際政治を学ぶものにとって最も重要でむずかしい問題のひとつである。この仕事が重要なのは、それができなければ、たまたま問題にしている対外政策の性格を正しく測定することが不可能だからである。帝国主義的傾向とその特定の性格を認識できるかどうかは、一般に帝国主義的欲望を広く否認するイデオロギーのみせかけと、追求されている政策の実際の目標とを明白に区別できるかどうかにかかっている。しかし、これを正確に区別することはむずかしい。なぜなら、行動主体が信じているものとか、信じているとみせかけようとしているものはさておき、あらゆる人間行動の真の意味をみぬくことは一般にむずかしいからである。この概括的問題は、少なくとも一般論としては、国際政治に特有な二つのむずかしさが加わることによって、一層厄介なものとなる。ひとつは、威信政策に象徴的な誇りや虚勢と、実際の帝国主義のイデオロギー的偽装とを区別することである。もうひとつは、現実に追求されている政策の真の意味を、現状維持とか局地的帝国主義のイデオロギーの背後に発見することである。

われわれはまえにウィルヘルム二世の対外政策に言及したが、彼の政策はその言葉と表現からみるならば、明らかに帝国主義的なものであるという印象を与える。だが、実際には帝国主義的な構想と神経症的な傲慢さとの奇怪な混合物であった。逆に、ヒトラーとムッソリーニの対外政策がもっていた真の帝国主義的本質は、三〇年代後半に至るまで一般に認識されることはなく、国内向けの虚勢と高慢にすぎないのだともっともらしく説明されていた。意識的にせよ無意識的にせよ、イデオロギーによる偽装の背後に隠された対外政策の真の性格を確かめることは、現状維持のイデオロギーが偽装として使われるときとりわけ困難になる。第二次世界大戦に続く時代のアメリカおよびソ連の対外政策は、こうしたむずかしさを示すきわだった事例である。

米ソ両国とも、ほとんど同じ現状維持のイデオロギーの言葉で対外政策の目標を表明してきた。ソ連もアメリカもこう宣言してきた。すなわち、両国はテヘラン、ヤルタ、ポツダムの諸協定、ならびに、戦争終了時における軍司令官同士の了解などによって確立された軍事境界線を越える領土的野心を何らもっていないこと、両国は自由かつ民主的な政府があらゆるところで確立されるのを望んでいること、両国は安全と国防を考慮して行動していること、そして、両国が自国の願いに反して自国の防衛を余儀なくされているのは、相手方の資本主義的あるいは共産主義的帝国主義に対してであること、といった具合である。

ほとんどのアメリカ人は、またほとんどのロシア人は、これらの主張がそれぞれ自国の対外政策の真の性格を正しく表現したものであると断固確信している。しかし、両方とも正しいということはありえず、どちらか一方が、あるいは両方ともまちがっているかもしれないのである。なぜなら、ソ連がアメリカの対外政策を誤解しているのかもしれないし、アメリカがソ連の対外政策を誤解しているのかもしれないからである。あるいは両国とも互いに誤解しているのかもしれないのである。世界の運命を左右するともいえるこの謎の解明は、イデオロギーの性格のみに求められてはならず、一国の対外政策を決定する諸要因の総体に求められるべきである。これに関しては、後述することにしよう。(14)

第三部　国　力

第八章　国力の本質

国力とは何か

これまでにわれわれは、力《パワー》とは、人が他者の心と行動とに及ぼす力、すなわち人間が相互に社会的に接触している場合につねにみいだされる現象を意味する、と述べてきた。またわれわれは、「国家の力」とか「国力」については、あたかもこれらの概念が自明のものであり、力一般についてこれまで述べてきたものによってそれらが十分説明されているかのように述べてきた。だが、個々人が力を求めることは容易に理解できるとしても、国家と呼ばれる集合体が力を欲することをどう説明すべきであろうか。国家とは何か。われわれが力に対する欲望や行動の源泉を国家に帰する場合、そのことは何を意味しているのだろうか。

国家それ自体は、明らかに経験的なものではない。したがって国家それ自体をみることはできない。経験的に観察できるのは、国家に属する個人だけである。それゆえ、国家は一定の特質を共通にもっている多数の個々人から抽象されたものであり、この特質こそが個々人を同一国家の構成員とするのである。個人は、国家の構成員として考え、感じ、行動するが、それに加えて、教会、社会的階級あるいは経済的階級、政党、家族にも属し、それらの構成員として考え、感じ、行動することもできるわけである。個人は、これらすべての社会集団の構成員であることとは別に、純粋にまた単に一個の人間でもあるから、人間として考え、感じ、行動する。したがって、われわれが、ある国家の力や対外政策について経験的な言葉で述べる場合には、同じ国家に属する一定の個々人の力や対外政策を指しているにすぎないのである。マルセル・プルーストは次のようにいっている。「国家の生命は、それを構成する細胞の生命を繰り返し拡大しているにすぎない。個々人の行動を決定する神秘、反作用、および法則を理解できない人は、諸国家の闘争について、聞くに値するものを開陳することなど望むべくもない」。

だが以上のことは、もうひとつのむずかしい問題を提起する。アメリカの力とか対外政策とかは明らかに、アメリカ合衆国と呼ばれる国家に属するすべての個人の力とか対外政策とかを指すのではない。アメリカが第二次世界大戦とともに世界の最強国として出現したという事実は、大多数の個々のアメリカ人の力に影響を与えはしなかった。しかしこの事実は、アメリカの対外問題を処理するすべての人びとの、とくに、国際舞台で同国を代弁し代表する人びとの力に影響を及ぼした。なぜなら、国民は国家《ステイト》——その諸機関は国際問題に関し国民の代表として行動する——と呼ばれる法的機関として対外政策を処理するからである。つまり、国家の諸機関が、国民を代弁し、国民の名において条約を取り決め、国民の目標を明らかにし、その目標を達成する手段を選択し、国民の力を維持、増大、示威しようと努力するのである。国家の諸機関とは、国際舞台でその国民の代表としてあらわれるさいに、その国民の力を行使し、政策を追求する人びとのことなのである。われわれが国家の力および対外政策について具体的に論ずる場合、われわれが指しているのは、実はいま述べた人びとのことなのである。

さて、個々人の力が国力の変動によって影響を受けないのに、どうして国家におけるこの大多数の構成員は彼ら自身をその国家の力や対外政策と同一化したり、この力と対外政策とを自分たちのものとして経験したりするのだろうか。しかも、彼らが、力に対する個々の欲望への情動的な執着をしばしば凌ぐほどに激しい感情で国家との同一化を経験するということが、どうして起こるのだろうか。われわれは、この課題を問うことによって、近代ナショナリズムの問題を提示しているのである。以前においては、集合体——個人はこの集合体の力および力に対する欲望とみずからを同一化するのだが——は、血縁、宗教、あるいは封建領主や君主に対する共通の忠誠などの絆によって形成された。現代では、個人が国家の力や政策とみずからを同一化することによって、いま述べた古い同一化が大いに無用なものとなってしまったか、あるいはいずれにしろ、それらの重要性が奪われてしまったのである。このような近代ナショナリズムの現象を、われわれはどのように説明することができるだろうか。

われわれは、対外政策のイデオロギーを検討することによって次のようなことがわかった。すなわち、個人の心のなかでは、他者のもっている力への欲望に不道徳という烙印を押している、ということである。こうした態度が生まれる根拠のひとつは、他者の力の犠牲になるかもしれないものが、この犠牲の脅威から自己の自由をまもろうと欲することのなかにある。もうひとつの根拠は、力に対する個人の欲望を抑圧し制限しておこうとする社会全体の努力にある。社会は、個人の力の衝動を制御するために、無数の行動準則と制度的装置とを設けた。これらの準則と装置は、個人の権力衝動を、それが社会を危険に陥らせることのないような経路に向けるか、またはその衝動を弱めたり全く抑圧したりするのである。法、倫理、慣習、そしてたとえば、競争試験、選挙戦、スポーツ、社交クラブ、友愛団体といった無数の社会制度、および取決めなどは、すべてそうした目的に役立っているのである。

したがってほとんどすべての国民は、国家共同体のなかでは力に対する自己の欲求を満たすことはできない。国家共同体のなかでは、ただ比較的小さな集団だけが、他の集団による強い制限を受けることなく大多数の国民に対して永続的に力を行使するのである。大多数の人びとは、力の主体であることよりも力の客体であることの方がずっと多い。国民は、国境内では力の欲求を十分に満足させることができないので、この満たされない欲望を国際舞台に投影する。そこで彼らは、国家の権力衝動と自己を同一化することによって代替的な満足感をみいだすのである。アメリカの市民が自国の力について考える場合には、ローマ市民が自己をローマおよびローマの力と同一化し、さらに自己を外国人と見比べて「われはローマ市民なり」(*Civis Romanus sum*)というときに感じたであろうようなものと同類の、意気揚々とした気持ちをそのアメリカ市民は体験するのである。われわれが、かなり強い力をもっている国の構成員であること、つまりその工業力と物質的富において卓越した国家であることを自覚するとき、われわれはうぬぼれたり大きな誇りを感じたりするものである。そのことは、まるでわれわれすべてが個人としてではなく集団として、つまり同一国家の構成員としてそうした絶大な力を所有しかつ制御しているかのようである。したがって、われわれの代表が国際舞台で行使する力は、われわれ自身のものとなる。また、われわれが国家共同体の内部で味わう欲求不満は、国家が個人の代わりに力を充足することによって償われているのである。

国家の個々の構成員の内面で作用しているそうした心理的傾向は、社会それ自体の行動準則と制度において正当化される。社会は、国家共同体内で個人の力に対する欲望を制御し、また個人の強大化を求める権力衝動に対しては非難する。しかし同時に、社会は、個人として権力衝動が満たされずに不満を抱く大多数の人びとが、みずからを国際舞台での国家の権力闘争と同一化しようとする性向を奨励したりほめたたえたりする。個人が自己のために追求する力は、ある範囲内で、また一定の形態をとる場合にのみ大目にみられるべき悪とされる。イデオロギーで偽装される力、国家の名において推しすめられる力、そして国家のために追求される力は、すべての市民が求めようと努力すべき善となる。国家の象徴は、とくにそれが軍事力および他国との関係に関連する限りでは、個人を国家の力と同一化するための手段となる。社会の倫理と慣習は、報酬を約束したり刑罰で威嚇したりすることによって、いま述べた同一化を魅力あるものにしがちなのである。

したがって、国民のうちのある集団が、国際社会において、力に対する国家の欲望の最も戦闘的な支持者であるとか、そうでなければ、その欲望に全く関係をもちたがらないということは、偶然ではない。これらの集団は、元来、他の人びととの力の客体であり、自己の権力衝動のはけ口をほとんど完全に奪われている。また、これらの集団は、みずからが国家共同体内でもつことのできるどのような力を所有するにも、最も不確かな形でしかそうすることができないのである。とくに下層の中産階級——たとえばホワイトカラー勤労者——のみならず、大部分の労働大衆(1)は、自己と力を求める国家の欲望とを全く同一化している。さもなければ、彼らは自己と国家の欲望とを全く同一化しようとしないのである。この場合のおもな例としては、とくにヨーロッパではマルクス主義全盛期の革命的プロレタリアートを挙げることができる。アメリカでは労働大衆は、これまで同国の対外政策にわずかしか関与していなかったが、一方でホワイトカラー勤労者は、対外政策においてますます重要な役割を担ってきているのである。

したがって、われわれはここで、近代ナショナリズムの基盤をさぐる必要があるのであり、さらには、近代において対外政策がますます狂暴な形で追求されている、その状況を解明しなければならない。西洋社会、とくにその下層階級における個人の不安の増大によって、また、西洋社会一般の原子化によって、個人の権力衝動の欲求不満が非常に大きくなってしまった。そのため、この欲求不満は、力への集団的・国家的欲望との同一化——これは、個人の欲求不満に対する補償的行為であるが——に対する個人の欲求を増大させた。こうした増大は、質的なものであると同時に量的なものでもあったのである。

近代ナショナリズムの基盤

ナポレオン戦争の時代以前には、国民のきわめて小さな集団だけが、その国家の対外政策と自己を同一化していた。対外政策は実際のところ、国家の政策ではなく王朝の政策であったし、同一化の対象は、国家というような集合体の力および政策というよりは、むしろ個々の君主の力および政策であった。ゲーテが自叙伝のなかの意味ある一節でいっているように、「われわれはみなフリードリヒ(大王)のためを考えたが、プロシアのためにどんな関心をもっただろうか」。

トマス・ジェファーソンは、一八〇九年二月一九日、ジョン・ホリンズに宛てた手紙でこう書いた。「こうした知的集団は、その国家がいかに戦争状態にあろうとも、つねに平和である。これらの集団は、学界と同じように、全地球に偉大な友愛をつくりあげ、その交流はいかなる文明国家によっても決して邪魔されない」。

ナポレオン戦争と同時に、国家の対外政策および戦争の時代がはじまった。すなわち、国家の大多数の大衆が、自己を王朝の利益と同一化するということに代わって、自己を国力および国家政策と同一化する時代がはじまったのである。そうした変化が指摘されたのは、タレーランが、一八〇八年にアレクサンドル皇帝にこう述べたときである。「ライン、アルプス、ピレネーはフランスの征服地であり、その他の地域は皇帝が征服したものであります。後者の地域はフランスにとって何ら重要な意味をもっておりません」。第一次世界大戦までは、ヨーロッパの社会主義政党の党員がどの程度まで、それぞれの国家の力および政策と自己を同一化していたかは疑問である。だが、第一次世界大戦のすべての交戦国における大部分の労働者がその戦争に全面的に参戦したという事実は、実際上、全国民がおのおのの国家の力および政策と自己とを同一化していた、ということを明示するものであった。

ナショナリズムからの後退——みかけと現実

しかし、第二次世界大戦が起こると、第一次世界大戦時にみられたような極度の同一化というような状態からの、ある種の後退が生じた。このような後退は、社会のピラミッドの頂点と底辺に起こった。一方では、イギリスとフランスの知的・政治的・軍事的指導者たちから成る、小規模だが強力な親ファシズム集団は、みずからを自国と同一化することを拒否するか、あるいは、みずからを国民の敵と同一化することさえした。こうしたやり方から影響を被った指導者たちは、とくに自国の戦闘初期の政治的弱さや軍事的弱さからいって、国内で占める自己の権力地位に不安感をもっていたし、また、敵国だけが、社会的ピラミッドの頂点にある彼らの権力地位を保障してくれるように思えたのである。他方では、フランスとソ連の両国に忠誠をつくさなければならないフランス共産党員は、一九四一年におけるドイツの対ソ攻撃によって仏ソ両国への忠誠が実際に生まれるようになったとき初めて、みずからを完全に自国家と同一化することができたのである。ドイツがフランスに攻撃を加えただけでは、侵略者に対する積極的な反撃を彼らに起こさせることはできなかった。しかし、ドイツの対ソ攻撃が、共通の大義の下にフランスとソ連を同盟国にしたのであり、またその攻撃によって、フランス共産党員はドイツ侵略者がフランスに侵入するという状況のなかで、仏ソ両国共通の敵に反抗することができたのである。フランス共産党員とフランスの国家政策との同一化は、フランスの政策をロシアの利益および政策と同一化することにその基礎をもっていたわけである。外国の利益および政策に対するこうしたフランス共産党員の忠誠――それは、自国の利益および政策に優先する――というものは、一般にみられる現象であり、そのこと自体、民族国家の団結と生存そのものに対する挑戦である。(2)

この国家的連帯の分裂作用は、忠誠の対象を自国から他国へ替えるということであって、その分裂作用がナショナリズムからの後退であるとはまずいえない。いわば、フランス共産党員はみずから、ソ連の政策を支持するロシアの民族主義者に変わったのである。このナショナリズムにみられる新しい問題は、そのナショナリズムが、ある国家――外国――との同一化を要求する一方で、他国がその市民の忠誠を要求するのを認めない、という矛盾なのである。

自国家から他国家への忠誠の転換――そのことは、世界的規模の政治運動の源泉であるが――でさえつかのまの間奏曲でしかなかったということは、国家的連帯の強さを証明している。なぜならわれわれは、共産主義政府や共産主義運動において国家的団結が復活したことを目撃しているからである。それらの政府や運動は、それぞれの個別的な国益をソ連の国益に優先させはじめていたのである。ソ連によって指導され、またソ連の援助を受けた一枚岩的な世界共産主義運動は、「多中心主義」にとって替わられた。その「多中心主義」においては、国家的忠誠や国益が政治哲学上の結集力に優先しているのである。

しかし、ナショナリズムからの後退は、第二次世界大戦の余波として西ヨーロッパの統合運動という形で本当に起こってきた。その証拠として、この運動はこれまでに、超国家的組織をつくりだすということからすれば三つの具体的な成果を挙げている。すなわち、ヨーロッパ石炭鉄鋼共同体、共同市場(ヨーロッパ経済共同体)、およびユーラトム(ヨーロッパ原子力共同体)がそれである。[3] 第二次世界大戦による破壊と、それに伴うヨーロッパの政治的・軍事的・経済的没落という、二つの経験がヨーロッパ統合運動を生みだしたのである。この運動の支持者たちは、これらの経験から、少なくとも西ヨーロッパにおいては、民族国家は時代遅れの原則に立つ政治組織であるとの結論をださざるをえないのである。しかもこの政治組織は、その構成員の安全と力を保障するどころか、むしろ、その構成員に無力と究極的な消滅――この消滅は、相互の関係によって、あるいはより強力な隣国によってもたらされる――を運命づけているのである。個人のみならず個人の属する国民社会のこうした激しい不安感が、ヨーロッパの政治的・軍事的・経済的統合という形での政治的創造力を生みだすのか、「中立主義」――つまり、積極的な対外政策を全く放棄すること――への後退という形での政治的無力感を生みだすのか、あるいは、個々の国家とその国民とのより強固な同一化という形での政治的絶望を生みだすのか、このことは将来になってはっきりするであろう。

ナショナリズムの蘇生に対抗する力となっているものは、政治家、知識人および技術専門家が次のような認識、すなわち輸送・通信・戦争の近代技術からくるある種基本的問題は、どの単一国――いかなる強国であろうとも――の利益や解決能力をも超えるものだ、という認識をますますもつようになったことである。核エネルギーの管理、自然環境の保護および回復、食糧や天然資源の供給は、そういった種類の問題なのである。これらの問題は、個々の国家が自国の優位を目ざして他国と抗争することによっては解決できない。すべての国家、あるいは相当数の国々は、これらの問題の解決に共通の利益をもっており、こうした共通利益は各国の個別利益を超える共通の政策のなかに生かされるべきものである。ある少数のエリートたちは、世界政治におけるこうした新しい要素に気づいており、また、この要素に知的に対応しようと試みてはいるものの、国家の実際の対外政策の運用は、この新しい要素によってはほとんど影響を受けてはいない。反対に、対立する国益を満足させるために対抗しているもろもろのナショナリズムが、世界各国の共通利益を実現する目的で創設された国連やその専門機関のような組織を支配していることは、ナショナリズムが依然衰えない強さをもっていることを証明している。[4]

個人の不安と社会の分裂

質的には、個人がその国家と自己とを同一化するということの感情的な強さは、その特定社会の安定度——それは、その構成員の安全感に反映される——に反比例する。社会の安定性とその構成員の安全感が増大すればするほど、攻撃的なナショナリズムにはけ口を求める集団的感情の機会はますます少なくなり、また、その逆のこともいえる。⑤一七九〇年代のフランスの革命戦争と一八一二―一五年の反ナポレオン解放戦争は、大衆不安に彩られた近代の最初の例である。この大衆不安は、国内社会の不安定から生まれ、さらにそれは、侵略的な対外政策および戦争と大衆との強烈な同一化作用という形で感情的な爆発を導いたのであった。社会の不安定は、一九世紀をつうじて西洋文明において激しいものとなった。この不安定は、二〇世紀になると、とくに宗教という形での伝統の紐帯から個人を解放した結果として、また生活および労働の合理化の増大、さらには循環する経済危機をつうじて永続的なものとなった。これらの要因で生じた集団不安は、定着し感情的に強められた民族主義的な同一化のなかに、感情的なはけ口をみいだしたのである。西洋社会がさらに不安定になるにつれて、不安感は深まり、個人に代わる象徴的代替物としての国家への情動的な愛着は絶え間なく強くなっていった。そうした状態は、二〇世紀に世界戦争、革命、経済的・政治的・軍事的な力の集中、経済危機などが起こるとともに、激情的な世俗宗教を生みだすに至ったのである。いまや力をめぐる競争は、善悪間の闘争というイデオロギーの次元で起こってきた。対外政策は神聖な使命に変容した。戦争は、世界の他の地域に住む人びとに真の政治宗教をもたらすための十字軍として遂行されたのである。

以上述べてきたような、社会的分裂や個人の不安と、近代の民族主義的な権力衝動の強烈さとの関係を、われわれは、これら三つの要素が他のどの国よりも強く展開したドイツ・ファシズムを素材としてきわめて都合よく研究することができる。ドイツにおいては、社会的分裂に向かう近代の一般的傾向は、いろいろな立場を調停したり取りなしたりするというよりは、むしろ極端に走る国民性のなかのある諸要素の結合によって極限にまで追いやられた。また、その傾向は、次の三つの出来事——それは、ドイツの社会組織を、国家社会主義の激情にまんまと騙されるほどまでに弱めた——によっても極度に高められたのである。

これらの出来事の最初のものは、第一次世界大戦での敗北である。この敗北は、旧来の政治的価値や政治制度の破壊のみならず、敗戦そのものの原因であると思われる革命と結びついていた。革命は、君主制のもとで社会的ヒエラルヒーの頂点あるいはその近辺を占めていた人びとに、力の喪失と、社会的地位の不安定とをもたらした。さらに、大多数の人びとを取り巻く社会的状況は、次のような考え方の衝撃によって、同様に影響を受けた。すなわち、敗戦および革命はともに、ドイツを破壊するために活動している国内外の敵の反逆的なたくらみの結果である、ということである。このように、ドイツが国外の敵によって「包囲され」ているだけではなく、ドイツ自身の政治組織体が、目にみえない敵対的な組織――それはドイツの能力を弱め、その破壊に熱中した――によって打ち倒されたのである。

第二の出来事は、一九二〇年代初期のインフレーションであった。これは、中産階級の大半を経済的にプロレタリア化し、また、誠実および公正取引という伝統的な道義原則を、国民一般の生活のなかで破壊しないまでも弱めてしまった。中産階級は、彼らが経済的にプロレタリア化したのに抗議して、自己に都合のよい最も反プロレタリア的かつ民族主義的なイデオロギーを利用したのである。とくに中産階級の下層はそれまでは、自分たちがプロレタリア階級に優越しているということで、少なくともわずかな満足感をいつも得ていた。ところが一九二〇年代のこの時期は、彼らが社会のピラミッド全体のなかで自己を位置づけてみた場合、つねに社会の頂点より底辺の方にずっと近かったのである。確かに、彼らの地位は、現実には社会のピラミッドの底辺ではないとしても、不愉快にもそれに近いものであった。それだけに、彼らの欲求不満や不安と、民族主義的同一化の傾向とがつながっていくのである。いまや、インフレーションが彼らを社会の底辺にまで押しやってしまい、プロレタリアートというあまり特色のはっきりしない大衆との社会的・政治的同一化を避けようとする絶望的な闘争のなかから、彼らは国家社会主義の理論と実践に救いをみいだしたのである。なぜなら、国家社会主義は、軽蔑すべき下等人種と、優越感と征服の対象となる外敵とを、彼らに提供したからである。

最後に、一九二九年の経済危機が挙げられる。それによって、ドイツ国民のあらゆる種類の集団は、いろいろな形で社会的地位の実際の喪失ないしその喪失の脅威に直面し、さらには知的・道義的・経済的不安に見舞われた。労働者たちは、恒常的失業の現実ないしその脅威に直面した。インフレーションの経済的荒廃状態から一度は立ち直った中産階級の諸集団は、自分たちが再び獲得したものを失おうとしていた。生産業者は、増大したいろいろな社会的義務を処理しなければならなかったと同時に、革命の恐怖に悩まされていた。国家社会主義は、そうした恐怖、不安、欲求不満のすべてを、二つの外敵、つまりヴェルサイユ条約やボルシェヴィズムと、それらに対する国内の支持者といわれる人びとに向けた。国家社会主義は、これらすべての挫折した感情を、民族主義的狂信という一本の強烈な流れに向けた。こうして、国家社会主義は、真に全体主義的方法で個々のドイツ人の欲望をドイツ国家の力の目標と同一化することができたのである。近代史をみても、あれほどまでに同一化が完全であったことはない。個人が、力に対する自己の欲望をみずからのためにある領域のなかで追求するとしても、その領域があれほどまでに小さかったこともほかにはなかった。さらにその同一化は、国際舞台で情動的な勢いに乗って侵略性へと変容していったが、このときの情動的な勢いに比肩できるものは近代文明にはみあたらない。

近代史をみても、国家との集団的同一化へと個人の欲求不満を変容させるということが、ナチス・ドイツの場合以上に包括的で徹底的であった国はほかにない。しかしそれにもかかわらず、近代ナショナリズムのドイツ的な変種は、ソ連やアメリカのような他の大国のナショナリズムと比較してみると、質的にというよりはむしろ程度において異なるにすぎないのである。ソ連においては、大多数の人びとにとっては、自己の権力衝動を国内社会で満足させる機会というものはなかった。一般のロシア人労働者や農民にとって、自分が見下げるべき人は誰もいなかったし、しかも彼らの不安は、警察国家の策略と低い生活水準とによって強められた。ここでもまた、全体主義体制が、これら欲求不満、不安、および恐怖を国際舞台に投影することになるのである。この国際舞台で、ロシア人個々人は、「世界で最も進歩した国」、「社会主義の祖国」と同一化することによって、力に対する自己の欲望を補償する形での満足をみいだしている。ロシア人が自己と同一化している国家はつねに資本主義という敵によって脅かされているという確信――それは表面的には歴史的経験によって裏書きされてはいるが――は、ロシア人の個人的恐怖および不安を集団的次元にまで高めることになる。こうして、ロシア人の個人的恐怖は自分よりも国家について不安を抱くように変えられる。このように、国家との同一化は、権力衝動と恐怖を国際舞台に投影することによって、その権力衝動を満足させたりその恐怖を軽減したりするという二重の機能を果たしているのである。

アメリカにおいては、国家の力が個人によって私物化され自分のものとして体験される過程は、一九世紀をつうじて西洋文明で発展した典型的なパターンとだいたい似ている。すなわち、個人が国家の力および対外政策と自己とを同一化することは、中産階級の典型的な欲求不満や不安によって大きく展開する。しかもアメリカ社会は西洋文明を享受している他のどの社会よりもはるかに中産階級的社会なのである。それより重要なことは、アメリカ社会ではいかなる階級分裂があろうとも、その分裂は中産階級の価値や欲望の公分母によって、解消されないまでも緩和される傾向がみられるということである。そのため、個人が中産階級としての欲求不満や欲望によって国家と自己とを同一化することは、ソ連におけるプロレタリアの同一化と同じように、アメリカ社会でもほとんど支配的であり典型的なのである。しかし他方では、アメリカ社会は比較的大きな流動性をもっているために、社会的・経済的改善への道が大多数の人びとに開かれている。このような開かれた機会によって、過去においては、それも、少なくとも平時においては、ソ連やナチス・ドイツにおける類似状況と比較すれば、その同一化の情動的な強さはむしろ低く保たれる傾向にあったのである。[6]

しかし最近は、社会の原子化の増大、国際共産主義によって象徴されているような世界革命の脅威、地理的孤立性の相対的な消滅、そして核戦争勃発の危険性などに付随して新しい諸要因があらわれてきた。したがって、一九七〇年代になると、個人の欲求不満や不安が強まり、それによって、各個人の側からすれば国家の力および対外政策と自己とのより激しい同一化が誘発されたのである。それゆえ、もし国内の欲求不満と国際的な不安定とがつねに増大に向かう現在のすう勢が阻止されなければ、アメリカは、ソ連とナチス・ドイツで最も極端なあらわれ方をしたあの近代文化の諸傾向をますます強く帯びるようになるかもしれない。すなわちアメリカは、個人と国家とのより一層の完全かつ激しい同一化を助長するような諸傾向をかなりもつようになりそうなのである。現代の対外政策が残虐で無慈悲となる根拠のひとつは、実はこのような完全かつ激しい同一化のなかにある。しかもこうした対外政策においては、力に対する諸国家の欲望が相互に衝突するのであり、同時にこの種の対外政策は、無条件の献身や強い感情――昔は宗教の問題だけがこのようなものを支配することができたのだが――によって、事実上全国民から支持されるのである。

第九章　国力の諸要素

他の諸国家と相対しているある国家の力は、どのような諸要素によって形成されるのだろうか。国力と呼ばれているものを構成する諸要素には、どのようなものがあるだろうか。われわれは、ある国家の力がどの程度のものかを決めようとするとき、どのような諸要素を考慮しなければならないだろうか。力を構成する比較的安定した要素と、つねに変化している要素の、二種類の要素群が区別されなければならない。

地　理

国家の力を決定する諸要素のなかで、明らかに地理が最も安定した要素である。たとえば、アメリカの大陸領土が、東に三、〇〇〇マイル、西に六、〇〇〇マイル以上の広がりをもっている水域によって他の大陸から隔てられているという事実は、世界におけるアメリカの地位を決定する永続的な要因である。今日、このような要因の重要性は、ジョージ・ワシントン大統領の時代やマッキンレー大統領の時代と比べて同じでないことは自明である。だが、われわれがよく憶断するように、輸送、コミュニケーション、戦争行為などの技術的発展によって、海洋という孤立的要因がすっかり意味を失ってしまった、と考えるのはまちがっている。この孤立的要因が、五〇年前とか一〇〇年前に比べて今日ずっとその重要性を弱めていることは確かである。しかし、アメリカの権力地位という観点からすれば、同国が、たとえばフランス、中国、ロシアと直接に接しているのではなく、広大な水域によってヨーロッパ大陸とアジア大陸から分離されているということは、今でも非常に大きな意味をもっている。いいかえると、アメリカの地理的位置というものは、政治的決定に及ぼすその意義が過去の別の時期と比べて今日どれほど異なっていようとも、永続的重要性をもつ基本的要因――すべての国家の対外政策はこれを考慮しなければならない――なのである。

同様に、イギリスがイギリス海峡という小さな海域によってヨーロッパ大陸から引き離されているということは、ジュリアス・シーザーにとってのみではなく、ウィリアム征服王、フェリペ二世、ナポレオン、あるいはヒトラーにとっても見過ごすことのできなかった要因である。その他の諸要因が歴史の経過とともにどれだけその重要性を変えようとも、二、〇〇〇年前に重要であった地理的要因は今日でもなお重要である。したがって、対外事象の任にあたる指導者はすべて、その点を考慮しなければならないのである。

イギリスの島国的位置についてあてはまることは、イタリアの地理的位置についてもいえる。イタリア半島は、アルプス山脈の高い山岳地帯によってヨーロッパの他の地域から分断されている。また、アルプス山脈の渓谷は、北部イタリア平野の南方へゆるやかに下っているが、北方へはけわしく切り立っている。こうした地理的状況は、イタリアおよび同国と関係のある他の諸国家の政治・軍事問題を考える場合に重要な条件となった。なぜなら、われわれが知っている戦争行為のすべての条件の下では、この地理的状況のために、イタリアから中央ヨーロッパへ侵入することは極端に困難であったが、北部からイタリアへ侵入することはずっとやさしかったからである。したがって、他国によるイタリアへの侵入は、イタリアによる他国への侵入よりもはるかによく起こった。この永続的な地理的要因がポエニ戦争のときのハンニバルから第二次世界大戦時のクラーク将軍に至るまで、政治的・軍事的戦略を決定してきたのである。

スペインの国際的地位にとって、ピレネー山脈は、やや変化はしたがほとんど永続的な機能を果たしてきた。ヨーロッパはピレネー山脈をもって終わるといわれてきた。ピレネー山脈は、スペインが外部世界へ接近するのをむずかしくすることによって、知的・社会的・経済的・政治的発展の主流——これがヨーロッパの他の地域を変化させた——からスペインを切り離す障壁として実際上機能してきた。スペインもまた、ヨーロッパ大陸で起こった大半の政治的・軍事的大災害から免れてきた。大陸の政治から除外されたこのようなスペインの地位は、少なくとも部分的には、ピレネー山脈という山の障壁によってつくられた地理的隔離が生みだした結果なのである。

最後に、ソ連の地理的状況を考えてみよう。ソ連は、地球上の陸地域の七分の一にも及び、また、アメリカ領土の二倍半という巨大な陸地面積を占めている。ベーリング海峡から、以前は東プロシアの首都であったケーニヒスベルク——現在ではカリーニングラードと呼ばれている——まで航空路で約五、〇〇〇マイルもあり、また、バレンツ海にあるムルマンスクからイランの北部国境にあるアシュハバードまではその距離の半分である。このような膨大な領土的広がりこそは、外部からロシアを軍事的に征服しようとするあらゆる試みをいままで失敗させてきた、あの巨大な力の永続的な源泉なのである。この広大な陸地は、外部の侵入者に、彼らが征服した領土を、征服されずに残っている領土に比べて小さいと思わせるほどに大きかったのである。

ある国が、その急速な回復が望めないほどに領土の相当部分が征服されてしまうと、通常は、その征服された国民の抵抗意志はくじかれてしまう。すでにみてきたように、これが軍事的征服の政治的目的なのである。これと同じような征服——とくにナポレオンやヒトラーのときのように、征服がある限定された目標をもたずに、国家としてのロシアの存在そのものを狙っていた場合——は、ロシアの抵抗をむしろ刺激するという効果をもたらしたのである。なぜなら、ロシアの征服された地域は、ロシアの支配下に残されていた地域に比べて小さかっただけではなく、侵入者の仕事は彼が奥地に前進するにつれて一層むずかしくなったからである。つまり、侵入者は、敵国深く絶えず長く延びる兵站線に沿って、ますます多くの部隊を補給しつづける必要があった。したがって、こうした征服の目的がまずいことが明らかとなり、また征服の目的が無限のものになろうとするやいなや、ロシアの地勢からいって、ロシア領土の征服は、征服者にとって財産というよりむしろ負担になってしまったのである。征服者が領土を併合し、そのことによって強くなる代わりに、むしろその征服領土こそが征服者を飲み込み、征服者の勢力を弱めてしまうのである。

国力のひとつの源泉としての領土の規模の重要性は、核戦争の可能性によって高められている。核保有国は、敵国に対する核の脅威を確実なものにするために、その核施設ばかりでなく工業中心地や人口集中地を分散するに十分な広がりをもつことのできる領土を必要としている。核破壊力が広大な範囲に及ぶのに、自国が比較的小規模の領土しかもっていないということによって、イギリスやフランスのような伝統的な国民国家は、核の脅威を信ぴょう性あるものにする能力においてきわめて不利な条件をもつことになる。アメリカ、ソ連、中国のような国家が主要な核大国の役割を果たすことができるのは、まさに準大陸的規模の領土をもっているからである。

しかし、もうひとつの地理的要因はソ連の国際的地位にとっては弱点にも財産にもなっている。つまり、われわれが事実として指摘しているのは、高い山脈も広い河川もソ連をその西方の隣国から切り離すものではないということ、そしてポーランドの平原と東ドイツの平原はロシア平原と自然のつながりをもっているということである。そのため、ソ連側でもソ連西方の隣国側でも、ロシアの西部国境への侵入に対しては、何ら自然的障害はない。こうして、一四世紀から今日に至るまで、白ロシアとロシア固有の最西部は絶えざる侵略と反撃の舞台となったし、ロシアとその西方の隣国とが相対する戦場となったのである。ロシアが自然の国境——つまり、イタリアやスペインの場合のように地理的要因によって自然に決められた国境——をもっていないことが、同国と西方諸国との間に行なわれた紛争の永続的な原因となったのである。同様に、反対の理由からであるが、ライン川——その獲得をフランスはつねに切望しながらもほとんどそうする力をもたなかった——によってフランス・ドイツ間の国境を設定できるかできないかが、ローマ時代以来両国間の紛争の永続的な原因となってきたのである。ロシアについてみると、ボルシェヴィキ党員のヴィシンスキー外相は、革命政権がダーダネルス海峡に関して帝政ロシアの政策に追従していると非難されたことに対して、地理的要因が最重要性をもっていることを要約して次のように述べた。「軍艦が地中海から黒海へ航行する必要がある以上、モスクワ政府が帝政主義のものであれ共産主義のものであれ、ダーダネルス海峡を通過しなければならないのだ(1)」。

天然資源

天然資源は、他国家との関係で、ある国家の力に重大な影響を及ぼす、もうひとつの比較的安定した要因である。

食　糧

まず初めに、天然資源のなかでも最も基本的なものである食糧からみてみよう。自給自足できる国あるいは自給自足に近い国は、自給自足できない国、および生産不可能な食糧を輸入しなければ飢えてしまうような国に比べると、大きな利点をもっている。こうした理由から、イギリス——同国は第二次世界大戦前は、イギリス諸島で消費される全食糧のうちわずか三〇パーセントだけしか生産していなかった——の力は、そして戦時ではイギリスの存在そのものは、海上交通路——これによってイギリスは死活的な食糧を船舶輸送しなければならなかった——を確保するその能力につねに依存していた。両世界大戦におけるように、イギリスの食糧輸入能力が潜水艦による戦闘や空爆によって挑戦された場合にはいつも、イギリスの力そのものが挑戦を受けたということになり、国家としてのイギリスの生存が危険に陥ったのである。

同様の理由から、ドイツ——その食糧欠乏の程度においては、イギリスのそれに比べてずっとわずかでしかなかったが——は、同国が戦争で生き残るためには、三つの主要な目標を、別々にあるいは絡み合わせて追求しなければならなかった。第一の目標は、ドイツが蓄えている食糧を食い尽くすまえに、迅速な勝利によって長期戦争を回避すること、第二の目標は、東ヨーロッパの広大な食糧生産地域を征服すること、第三の目標は、ドイツを海外の食糧供給源へ近づけないようにしているイギリスの海軍力を打破すること、である。両世界大戦においてドイツは、第一と第三の目標を達成することができなかった。第一次世界大戦においてドイツは、第二の目標を達成したことはしたが、その時期があまりにも遅すぎて決定的な効果を発揮できなかった。このように、連合国による対ドイツ封鎖は、それがドイツ国民にその抵抗意志を弱らせるほどまでに食糧の窮乏をもたらしたがゆえに、連合国側の勝利を導く重要な要因のひとつとなった。第二次世界大戦のさいドイツは、主として征服によってではなく、計画的な飢餓政策と、征服領土の何百万人という人びとに対する露骨な殺人とによって、食糧に関しては実際上自給自足できるようになったのである。

したがって、本国生産の食糧が不十分であるということが、イギリスとドイツの弱点の永続的な原因となったのであり、両国は何よりもその弱点を克服しなければならなかった。そうでないと、両国は大国としての地位を喪失する破目に陥らざるをえなかったのである。アメリカやロシアのように自給自足できる国は、戦争によって自国民が飢えることのないよう保証するために自国の労力や対外政策を食糧確保以外の主要目標からそらす、という必要はない。両国は、当然その点で心配しなくてもよいので、そうでない場合に可能であった以上にずっと強力かつ一貫した政策を追求することができた。こうして、食糧が自給自足できるということは、つねに巨大な強さの源泉となってきたのである。

逆に、食糧が永続的に欠乏しているということは、国際政治における永続的な弱さを生みだす源である。こうした見方の正しさについては、いわゆる緑の革命が徹底的に食糧供給を増加させるようになる以前のインドが、まずその第一の実例である。インドが苦しんでいた食糧の欠乏は、二つの要因が生みだしたものである。つまり、食糧の供給を上まわって人口が増加していることと、不足分を補うに必要な食糧の輸入を相殺する輸出が不十分なことである。この二重の不均衡——このために、大規模な飢えへの脅威が絶えず存在しているということが、政府の主要な関心事のひとつとなった——は、インドが追求したかったどのような積極的な対外政策にも、克服しがたい不利な条件をもたらしたのである。インドは、ほかに自由にできる国力の財産をもっているにもかかわらず、食糧が永続的に欠乏しているために、その対外政策においては強さからというよりもむしろ弱さをもっているという前提から行動しなければならなかった。同様の見方は、国力の構成要素となる他のいかなる財産もほとんどもつことなく飢きんの恐れや現実の栄養不良の下で生きながらえている、第三世界の国々にとりわけあてはまる。これらの国々は、国際的な寛大さによって自国が次の飢きんを生きのびることができるだろうという望みしかもっていない、いわば「だるま《バスケット・ケース》」なのである。

　食糧が自給自足できるとか、あるいは食糧が欠乏しているとかいうことは、国力における比較的安定した要因であるが、現代のインドの例が示しているように、ときどき決定的な変化に見舞われることもある。栄養についての考え方を変えることによって、食糧の消費面での変化が起こるかもしれない。農産物の産出量を増やしたり減らしたりできる農業技術面での変化もありうるであろう。しかし、農業産出量の変化が国力に及ぼした影響の顕著な例として、近東と北アフリカがパワー・センターではなくなったこと、また、スペインが世界大国から三流国に転落したことなどが挙げられよう。

近東および北アフリカの農業システムはすべて、灌漑を基礎としてつくられている。バビロン、エジプト、アラブ諸国の国力の衰退がその灌漑システムの崩壊に付随しているということはほとんど実証されえないとしても、それらの国々の農業システムの崩壊がその国力の衰退を回復不能にした、ということだけはかなり確かである。なぜなら、整備された灌漑が消滅したため、これらの地域の大部分の耕地は砂漠に変えられてしまったからである。ただエジプトにおいてのみ、人工灌漑が崩壊してしまったあとでさえ、ナイル川という自然の灌漑がかなりの生産力を維持したのである。

スペインに関しては、同国の力の衰退は、一五八八年にイギリスがスペインの無敵艦隊を壊滅したときにまでさかのぼるとされている。だが、スペインの政治的没落は、一七、一八世紀の失政による大規模な森林伐採がスペインの耕地の相当部分を荒らしてしまったあと初めて明らかになった。その結果、スペインの北部および中部の広大な地域が、事実上の砂漠に変わってしまったのである。

原料

食糧についていえることは、工業生産にとって、とりわけ戦争遂行にとって重要な天然資源についてももちろんいえる。原料としての天然資源が、国家の力のなかで占める絶対的かつ相対的重要性は、歴史のある時点で実用化される戦争技術によって必ず左右される。戦争行為が大規模に機械化される以前の、白兵戦が一般的な軍事技術であったような段階では、兵士の武器をつくる原料の効用よりも個々の兵士の個人的な質のような別の要因が重要であった。有史以来、おそらく一九世紀に至る長い歴史の過程においては、天然資源は、国家の力を決定するさいに二義的な役割しか果たしてこなかった。産業革命以来戦闘の機械化がそれまでのあらゆる時期よりも一層急速度に進んでくると、国力は、平時、戦時を問わず、原料をいかに統制するかということにますます依存するようになってきた。アメリカとソ連のような今日の二つの最強国が、現代の工業生産にとって必要な原料をほぼ自給自足でき、また、両国が自国で生産していない原料の供給源に少なくとも接近する権利をもっているということは、偶然ではないのである。

国力にとって原料への支配権が絶対的に重要であるということが戦争行為の機械化に応じて切実になってきたと同じように、ある種の原料が他の原料以上に重要性をもつようになってきた。こうしたことは、科学技術の基本的変化によって新しい原料の消費が必要になるとか、あるいはこれまで使った古い原料を一層多く消費する必要がでてくるとかいった場合にはいつも起こってきたのである。一九三六年に、ある統計家は、多数の基礎鉱物が軍事目的のための工業生産において占める割合を見積もって、次のように評価した。石炭四〇、石油二〇、鉄一五、銅、錫、マンガン、硫黄がそれぞれ四、亜鉛、アルミニウム、ニッケルがそれぞれ二である。(2) 五〇年前では、エネルギー源としての石炭は当時、水や木と比べてほんのわずか少ない程度で大量に使用され、石油とは全く比べものにならないくらい多く利用されていたので、石炭の役割は確かに相当大きかった。同様のことが鉄についてもあてはまる。当時、鉄は軽金属やプラスチックのような化合物とは比較にならないほど多量に使用されていた。したがって石炭と鉄を自給自足できたイギリスは、一九世紀においては一大世界勢力の地位にあったのである。

第一次世界大戦以来、エネルギー源としての石油の重要性は、工業と戦争にとってますます大きなものとなってきた。機械化された兵器や運搬手段の大半は、石油によって動かされる。そのため、大量の石油埋蔵量をもっている国々は、国際問題において影響力を得たのである。しかもこの影響力は、ある場合には、絶対的ではないにしても主として石油の所有に帰せられるのである。第一次世界大戦期に、クレマンソーは、「石油の一滴はわが国の兵士の血の一滴に値する」といった。石油が不可欠の原料となったために、政治的に指導的地位に立つ諸国家の相対的な力に変化が生じた。ソ連は石油を自給自足できたので、より一層強力になったが、日本は、そこに全く石油が埋蔵されていないために、著しくその力を弱めてしまったのである。

近東は、三つの大陸の陸橋としての位置を占めていることを別にしても、アラビア半島に石油が埋蔵されているがゆえに戦略的に重要である。石油埋蔵地帯を支配することは、力の配分における重要な要因となる。というのは、自国が所有する他の原料供給源を石油鉱床と結合できる国はどこも、自国の資源に大きな強みを加え、そしてその分だけ競争国から力を奪う、ということを意味するからである。こうした理由で、イギリス、アメリカ、それに一時はフランスも、「石油外交」と適切にも表現されたもの、つまり、近東の石油埋蔵地帯へ独占的に接近できるような勢力範囲を確立する仕事に乗りだしたのである。アラビア半島の諸国が国際問題で演ずることのできる、わりあい重要な役割は、軍事的な力に類するものに基礎をおいているのではない。アフリカおよびアジアの回教徒との連帯が不安定であることやアラビア半島の戦略的位置ということは別にしても、アラブ諸国の重要性は、石油の豊富な地帯を前記の国々が支配し、それに接近しているということに原因がある。

原料の支配が国力に及ぼす影響と、それがもたらす力の配分における変化は、ウラニウムの事例によって今日最も顕著に示されている。わずか数年前には、ウラニウム鉱床を支配しているかいないかは、国家の力にとって全く関係がなかった。先に引用した著者[3]は一九三六年に書いた本のなかで、鉱物が相対的に軍事的重要性をもっていることについては評価しているが、ウラニウムについては言及さえしなかった。ウラニウム原子から原子エネルギーを抽出し、このエネルギーを戦争のために利用するようになって、相対的な力関係からみた諸国家の現実的・潜在的ヒエラルヒーはたちまち修正されてしまった。カナダ、チェコスロヴァキア、ソ連、南アフリカ連邦、アメリカのようなウラニウム鉱床を支配している諸国家は、力の算定においては上昇した。しかし、ウラニウム鉱床をもたず、またそれに接近もしないその他の国々は、力の算定において下降してしまったのである。

工業力

しかし、こうしたウラニウムの例は、国家の力にとってのもうひとつの要因である工業力の重要性をも示している。コンゴには、良質のウラニウムの巨大な鉱床がある。この事実によって、戦争の報酬としてのコンゴの価値が増大し、したがって軍事戦略の観点からみたコンゴの重要性も大きくなった。だが、この同じ事実は、他の諸国との関係におけるコンゴの力には影響を及ぼさなかった。なぜなら、コンゴは、ウラニウム鉱床を工業面と軍事面に利用する工業施設を備えていないからである。他方、チェコスロヴァキアやソ連にとってと同じように、イギリス、カナダ、アメリカにとっては、ウラニウムを所有するということは、力を大きく増大させることを意味している。これらの国家においては、工業施設が現に存在しているか、あるいは工業施設の建設が可能なのである。またこれらの工業施設は、ウラニウムを平時・戦時に使用可能なエネルギーに変えることのできる隣国において容易に利用されうるのである。

石炭と鉄の場合でも、同様の状況を例証することができる。アメリカとソ連は、石炭と鉄を工業生産物につくり変えることのできる工業施設を備えているため、莫大な量の石炭と鉄の原料をもつことによってかなりの国家的な強さを発揮してきた。ソ連は、膨大な人的・物的犠牲をはらって、これまで工業施設を建設してきたし、今なお建設中である。ソ連は、もし自国が工業施設をもたなければ、その対外政策に見合う軍事的編成を整えることも維持することもできないことを知っているので、この工業施設の建設のためにすすんで人的・物的犠牲をはらっているのである。この工業施設なしには、ソ連は国際政治において、自国が意図している重要な役割を果たすことはできない。

インドは、石炭と鉄の埋蔵地帯としてはアメリカとソ連に伯仲している。ビハール州とオリッサ州の二州にある鉄鉱石の埋蔵量だけでも、二七億トンと評価されている。さらに、鋼鉄生産に欠かせないマンガンの同国産出量は、一九三九年に一〇〇万トンもあって、ソ連の産出量についで多かった。しかし、インドはこのように原料――それなくしては、現代において一級国にはなりえない――を豊富にもっているにもかかわらず、同国は今日、たとえかすかにでもアメリカやソ連に匹敵できるような、一級国としての地位を占めるというわけにはいかない。力の可能性と現実性との間にみられるこうした食いちがいを生んだ理由――この理由は、この議論の文脈のなかでわれわれに関係があるのであり、他の理由はあとで述べられるだろう――は、豊富な原料に見合うだけの工業体制の欠如にある。インドは、現存する最も近代的なもののひとつであるタタ製鉄所のような多くの製鉄工場を自慢することはできても、二流の工業国と比較できるような生産能力――とくに完成生産物に対する能力――さえもっていない。一九三九年には、たった三〇〇万のインド人――総人口の一パーセント以下――しか工業に従事していなかった。だからわれわれは、幾つかの重要原料を豊富にもっているインドが、国力を形成する諸要素のうちのひとつをもっていることはわかっているし、その意味ではインドが潜在的な大国とみなされてよいのである。しかし現実には、インドは、それなしには現代においてどの国家も大国の地位を得ることができないような他の要因を欠いている限り、大国にはならないだろう。原料以外の諸要因のうちで、工業力が最も重要な要因のひとつなのである。

現代の戦争のための輸送およびコミュニケーションの技術は、重工業の全面的な発達ということを国力の不可欠の要素にしてしまった。現代の戦争における勝利は、高速道路、鉄道、トラック、船舶、飛行機、戦車、さらには、魚雷網および自動ライフル銃から酸素マスク、誘導ミサイルに至るあらゆる種類の装備と武器の質と量によって決まる。そのため、力をめぐる諸国家間の競争は、より大型の、より優れた、より多くの戦争手段の生産競争へと大きく変質している。工業施設の質および生産能力、勤労者の知識、技術者の技能、科学者の発明能力、管理組織など、これらすべてが一国の工業力を、したがって国力を左右する要因なのである。

それゆえ、先進工業国が大国とみなされたり、また、よかれあしかれ、工業力からみた国々の順位の変更が、それに見合う力のヒエラルヒーの変更を引き起こしたりするのは必然である。工業国としてのイギリスに並びうる国家が存在しない限り、イギリスは世界最強国であったし、世界勢力と呼ばれてもおかしくはない唯一の国家であった。ひとつの勢力としてのフランスがドイツと比べて後退したことは、一八七〇年以後には紛れもない事実となったが、第一次世界大戦後の一〇年間は、わずかに外見上および一時的にその後退は止まっていた。だが、フランスの後退は部分的には、フランスの工業の後進性と、ヨーロッパ大陸におけるドイツの工業の優越性の政治的・軍事的表現にすぎなかったのである。

ソ連は、潜在的にはつねに大国であったが、一九三〇年代に一流工業国の地位に仲間入りして初めて、事実上大国となった。またソ連は、五〇年代に核戦争を遂行できる工業力を獲得して、ようやくもうひとつの超大国の地位を得てアメリカの対抗国となったのである。同様に、大国としての中国の潜在力は、もしソ連と同じ一流の工業力を獲得するなら、またそれを獲得するときになって初めて顕在化しよう。アメリカが一九四〇年代にその力の絶頂に立ったときに、ロンドンの『エコノミスト』誌は、その力をアメリカの経済的な強さと結びつけて次のように述べている。

「諸大国がもっている潜在資源を比較してみると、アメリカは、ヒトラーの戦争の前でさえ、物質力、工業化の規模、資源量、生活水準については、生産および消費のあらゆる指数をとってみても、世界中の他のいかなる国をもはるかに凌いでいた。しかもその戦争によって、アメリカ以外のすべての大国は荒廃したりあるいは著しくその力を弱めたりしたが、アメリカの国民所得はほとんど二倍になった。したがってその戦争は、アメリカが現在その友好諸国を支配している規模を非常に大きなものにしたのである。象の檻のなかに入っているネズミのように、友好諸国は心配しながら、アメリカというマンモスの動きに追従している。もしアメリカがその重い体重を振り回しはじめたならば、友好諸国はどんな危険に出会うだろうか。アメリカがそうしようと決定するだけで、これら諸国は危機に陥ることになるのである。」(4)

国力にとって工業力の重要性がこのように非常に増大したことはまた、大国と小国間の伝統的区別を強めることになった。「超大国」という言葉そのものは、力がわずか数カ国の掌中に先例がないほどに蓄積されたことを示しており、そのことによって、その数カ国が、小国からだけでなく伝統的な大国からも区別されるのである。超大国を他のすべての国から区別する条件は、その国が全面核戦争を行なう能力と全面的な核使用に至らない程度の攻撃に耐えうる能力をもつことだけでは十分ではない。さらに、その国が工業面で事実上自給自足でき、他国に後れを取らない科学技術上の能力をもっていることである。そのうえ、第三、第四級の地位にある諸国家が、超大国と呼ばれる第一級の国家に依存することも非常に増えてきている。前者の国々の軍事力は、後者の国々が前者の国々に近代兵器や近代的なコミュニケーション・輸送手段を供給する意志があるかどうかに、ときには決定的に依存している。こうした供給がないならば、第三級国、第四級国の多くは、このような供給を受けた敵と対決する場合無力となるであろう。

軍　備

地理、天然資源、工業力などの諸要因が、国家の力にとって実際上の重要性をもっているのは、これらの要因が軍備に関係があるからである。国力が軍備に依存しているということは、あまりにも明白であるので、詳しく論じる必要もなかろう。軍備は、追求される対外政策を支えることのできる軍事編成を必要とする。対外政策を支えるような能力は多くの要因から生まれるが、われわれの議論の観点からすれば、最も重要な要因は、技術革新、リーダーシップ、そして軍隊の質と量などである。

科学技術

国家と文明の運命はしばしば、劣勢国が他の方法では埋め合わせることのできない戦争技術の格差によって左右されてきた。ヨーロッパは、一五世紀から一九世紀にかけての勢力拡張期に、西半球、アフリカ、近東、極東などのそれよりも優れた戦争技術の手段を用いることによって力を行使した。一四世紀および一五世紀に伝統兵器に加えて歩兵、火器、大砲が使われだしたことによって、力の配分において重大な変化が生じたが、敵より早くそれらの兵器を使用した方が有利となった。騎兵と城——これは、その当時までは相手側の直接攻撃から実際上免れていた——に頼りつづけていた封建領主や自由都市は、これらの新兵器がでてきたことによって、いまやその優越的地位が突然にくつがえされたことに気づいたのである。

中世の終わりと近代史のはじまりを政治的・軍事的に特徴づけている、このような力の変容は、次の二つの出来事によって劇的に例証されている。第一の出来事は、一三一五年のモルガルテンの戦いと一三三九年のラウペンの戦いのなかにみられる。これらの戦いでは、スイス歩兵から構成された陸軍が封建騎士に悲劇的な敗北をもたらし、一般人から募集された歩兵が貴族の高価な騎士軍にまさっていることを証明したのである。第二の出来事は、フランスのシャルル八世が行なった一四九四年のイタリア侵入である。シャルル八世は、歩兵と大砲を使用して、それまで城壁にまもられて安全であったイタリア自慢の都市国家の力を壊滅させた。新しい戦争技術が、一見相手が抵抗できないほどの破壊力をもったことは、当時の人びとに強烈な印象を与えた。こういった印象の一部は、当時のマキアヴェリやその他フィレンツェの著述家たちの著作にあらわれている。⑤

二〇世紀に入ってこのかた、戦争技術に関しては四つの主要な革新が行なわれてきた。これらの革新は、敵が使うより早く、あるいは敵が新技術による攻撃を防ぐことができるようになる前に、それらを使用した方に少なくとも一時的な優勢をもたらした。第一の革新は潜水艦である。潜水艦は、第一次世界大戦でドイツによって主としてイギリスの船舶に対して使われた。そしてこの潜水艦は、イギリスがこの脅威の対抗策として船団護送部隊を創設するまでは、ドイツに有利な形で戦局を決するように思われた。第二の革新は戦車である。戦車は、第一次世界大戦末期になって、ドイツではなくイギリスによって大量かつ集中的に使用され、連合国側に勝利をもたらす要因のひとつとなった。第三の革新は、空軍と陸海軍との戦略的・戦術的な協調である。そのような協調が、第二次世界大戦の初期の段階でドイツと日本の優位に大いに寄与した。真珠湾攻撃や、イギリスおよびオランダが一九四一—四二年に陸上・海上で日本軍から被った悲惨な敗北は、自国の技術的な遅れのために、その面でよりすすんだ敵に直面して支払わされた天罰であった。チャーチルが一九四二年四月二三日に、議会の秘密会で述べたイギリスの敗北についての暗たんたる見解を読めば、⑥陸海空におけるイギリスのこれらすべての敗北には、ひとつの公分母があるという事実に思いあたる。その事実とは、イギリスが、空軍力によってもたらされた戦争技術の変化を無視あるいは誤解していたという点である。第四の革新は核兵器とその運搬手段である。それらをもっている国々は、その競争国に対して巨大な技術上の利点をもつことになる。

しかし、核兵器の効力はまた、それが国力に及ぼす影響について考えると、前述したように、二つの驚くべき逆説を生むことにもなる。二つの逆説はともに、核兵器の巨大な破壊力から生じている。この破壊力の大きさのために、通常兵器とは対照的に、核兵器の量的な増加は、それに対応する国力の増大につながることを必ずしも意味しないのである。ある国家が、たとえば敵による第一撃のようなあらゆる可能な事態を考慮しつつ、すべての敵対目標――その国が相手国を破壊するためにこの目標を選ぶのだが――を破壊するに必要なあらゆる核兵器をひとたびもつようになると、それ以上に核兵器を増やしてもこの国の力は増大することはないのである。(7)

もうひとつの逆説は、核兵器の破壊力の程度と核兵器の合理的な有用性との間にみられる矛盾関係にある。高度な破壊力をもつ核兵器は、無差別な大量破壊の手段であり、それゆえに、合理的な軍事目標のために使用するということはできない。核兵器は、相手国を全面的に破壊すると威嚇することによって、戦争抑止に利用される。しかし核兵器は、合理的な方法による戦争遂行のためにこれを使用するというわけにはいかない。高度な破壊力をもつ核兵器でのみ武装した国家は、その軍事的姿勢から政治権力を引きだすことはほとんどできないだろう。なぜならその国家は、相手側に全面的破壊を与えると威嚇すること以外に、自国の意思を他国に押しつける軍事的手段を何らもたないからである。

もしそのような脅迫を受けた国家が第二撃の核能力をもっているならば、その国家は報復として相手国を全面破壊すると威嚇するだろう。そうすれば、二つの威嚇は、互いに相殺されるか、あるいは交戦国の相互破壊を生みだすことになる。もし脅しを受けた国家が報復の核手段をもっていないならば、その国は全面的破壊を被るか、さもなければ、一九四五年に広島、長崎が核爆弾で破壊されたあとの日本のように無条件降伏するであろう。いいかえれば、脅しをかける国家は、都市から都市へと少しずつ、あるいは圧倒的な一撃で非核保有国を地球上から一掃することができようが、その反面、威嚇国は、苦境を乗り越えようとする被威嚇国の心理的抵抗の程度に応じて、みずから使用する軍事的圧力の程度を巧みに操作していくということができなくなる。国家がそうした巧みな適応を可能にする通常兵器をもたず、高度な破壊力をもつ核兵器にのみ依存するということによって、その国は、相手を抑止するための高度な破壊力をもつ核兵器と、戦争の通常の目的にとって便利な通常兵器類の両方を併せもっている場合よりも、みずからを弱めることになるであろう。そこで、核兵器を有用なものにするためには、国家は核兵器の破壊力を減じて通常兵器の破壊力に近いものにしなければならない、という逆説が生まれるのである。

リーダーシップ

技術革新を適宜利用するということのほかに、軍事的リーダーシップの質がどうであるかということは、つねに国力に重大な影響を及ぼしてきた。一八世紀におけるプロシアの力は、主としてフリードリヒ大王の軍事的天分と、彼が採用した戦略および戦術面での革新とを表わすものであった。戦争術における変化は、一七八六年のフリードリヒ大王の死と、ナポレオンがプロシア軍――それ自体は二〇年前と同様に当時も優秀で強力であったが――を破った一八〇六年のイエナの戦いとの間に起こった。しかし、より重要なことは、フリードリヒ大王の死後も繰り返し彼の戦略・戦術を採用して戦いを行なっていたプロシアの指導者のなかに、軍事の天才がいなかったということである。ところがフランス軍の方は、軍事の天才が指揮をして、戦略と戦術に新しい考えを導入した。このリーダーシップの要因によって、係争問題はフランスに有利に決着がつけられたのである。

戦間期におけるフランス参謀本部のマジノ線の心理は、誤った戦略思想として笑いものになった。近代技術の諸傾向、とりわけ輸送およびコミュニケーションの機械化への傾向からして、機動力による戦争の起こる可能性が大きくなっているのに、フランス参謀本部は、第一次世界大戦の塹壕戦の観点から戦争というものを考えつづけていた。他方、ドイツ参謀本部は、機械化戦争の戦略的可能性を完全に理解して、先例のないほどの機動力による戦闘を計画した。こうした二つの考え方の大衝突が、フランスにおいてだけではなくポーランドおよびソ連においても、「電撃作戦」によってドイツに力の優位をもたらし、この優位のためにドイツは最終的勝利に近づいたのである。ヒトラーの機械化部隊と急降下爆撃機が、一九三九年のポーランド騎兵に対して、また一九四〇年の機動力のないフランス陸軍に対して猛攻撃を加えたことから、知的な衝撃と軍事的・政治的荒廃が起こった。それは、あたかも一四九四年のシャルル八世のイタリア侵入ではじまった新時代にも似た、軍事史の新しい時代の幕あけを告げるものであった。しかし、イタリア都市国家は、その威力を回復するために頼るべきものは何ももたなかったが、第二次世界大戦では、アメリカの優秀な技術とソ連の優秀な人力とが、ヒトラーの革新をその破滅へと逆転させてしまったのである。

軍隊の量と質

軍事的諸条件からみた国家の力はまた、兵士および兵器の量と、軍事編成のいろいろな部門間におけるこれら兵士・兵器の配分状況にも依存している。国家は、戦争行為の技術革新に対して優れた理解力をもっているかもしれない。国家の軍事指導者は、新しい戦争技術に適した戦略と戦術をたてるのに優れているかもしれない。だがそうした国家も、もしその全体的な強さとそれを構成する各部分の強さにおいて大きすぎも小さすぎもしない適正規模——それは国家が遂行すべき任務という観点からみての話であるが——の軍事編成を整えていないならば、軍事的にしたがって政治的にももろいということになるであろう。国家は、それが強くなるためには、大規模な陸軍をもたなければならないのだろうか。あるいは、国家は少なくとも平時には、高度に訓練された重装備の特殊部隊からなる小規模な陸上兵力しかもたないがためにその力が損なわれるということはないだろうか。戦闘が起こったらただちに対応できる現役兵力は、訓練を受けた予備兵力よりも重要になってきたのだろうか。海上の大規模な海軍は時代遅れのものとなってきただろうか。あるいは、空母はいまなお有効な目的を遂行するだろうか。国家は、その資源および義務の観点から、どの程度の規模の軍事編成を整える余裕があるだろうか。国力に関心をもつことによって、航空機その他の機械化兵器の大量生産は平時にも必要となるだろうか。あるいは、国家は、急速な技術変化という観点に立って、その保有資源を研究や一定量の改良兵器の生産に使うべきだろうか。

国家が、量的な問題についてのこのような設問に対して正しい解答をするかどうかは、明らかに国力に直接の影響を及ぼす。戦争の勝敗に決着をつけるのは、たとえば一五世紀の変わり目に信じられたような大砲とか、ドイツ人が第一次世界大戦において信じたような潜水艦とか、戦間期に広く信頼されていた航空機とか、多くの人びとが今日信頼しているような大陸間誘導ミサイルといったような、ひとつの新兵器であろうか。戦間期のイギリスやフランスが、これらの設問の幾つかに誤った解答を与えたために、両国は、伝統的な軍事思想の見地からみてみかけだけ立派な力を維持したのである。しかし、このような誤りのために、両国は、第二次世界大戦——この戦争にあらわれた軍事技術によって、以上の設問には別の解答が要求されたのだが——が進行するうちに、最終的敗北の瀬戸際に立たされてしまった。アメリカが他国との関係で将来どれだけの力を占めるかは、今日、以上のような設問およびそれに類する設問にどのような種類の解答を与えるかによって決まるであろう。

人口

物的な諸要因から、そして、物的・人的要素の複合された諸要因から、純粋に人的な諸要因――以上の各要因群は国家の力を決定する――へと目を移すと、われわれは、力の構成要素における量的な要素と質的な要素を区別しなければならなくなる。質的構成要素のなかには、国民性、国民の士気、外交および政府全体の質などが挙げられる。しかし、量的構成要素の方は、人口規模の観点から検討されなければならない。

分布

ある国の人口が多ければ多いほどその国の力が大きいというのは、もちろん正しくない。なぜなら、このような絶対的な相関関係が人口規模と国力との間にあるとすれば、⑧八億に近い人口を擁するとみられる中国は世界最強国となるであろうし、約六億のインドがそれに次ぐ力をもつことになる。約二億五、五〇〇万のソ連、二億一、四〇〇万のアメリカは、それぞれ第三位、第四位の力をもつことになるだろう。ある国の人口が他のたいていの国々の人口より多いために、その国がきわめて強力であるとみなすのは正しくない。だが、世界でそれほど人口の多い方ではない国々が、一級国にとどまることができないとか、あるいは一級国になれない、というのはやはり事実である。多くの人口をもたなければ、近代戦をうまくやりぬくに必要な工業施設を建設し動かしつづけることはできないし、また、陸海空で戦う多数の戦闘集団を戦場に投入することも不可能である。最後に、人口が多くなければ、戦闘部隊よりずっと大量の人員、つまり戦闘部隊に対して食糧、輸送・コミュニケーション手段、弾薬、兵器を補給しなければならない部隊要員を満たすこともできない。このような理由で、ナチス・ドイツ、ファシスト・イタリアがそうであったように、帝国主義諸国はあらゆる種類の刺激策を用いて人口増加を奨励し、しかもその場合、この人口増加を帝国主義的膨張のためのイデオロギー的口実として利用するのである。

アメリカの人口と、オーストラリアおよびカナダの人口とを比較してみると、人口の規模と国力との関係が明らかになるだろう。オーストラリアの人口は今日、三〇〇万平方マイル弱の面積に対し一、四〇〇万人を数え、カナダの人口は約三五〇万平方マイルの面積に対し二、三〇〇万人余りになる。他方、アメリカは、オーストラリアとカナダの中間規模の面積に、二億一、四〇〇万の人口を抱えており、これはオーストラリアの一五倍、カナダの一〇倍の人口である。アメリカが、オーストラリアやカナダの人口規模であったならば、同国は決して世界の最強国となることはなかったであろう。アメリカは、一九世紀および二〇世紀の最初の二〇年間に盛んに行なわれた集団移民の波によって、この人口という国力の要素をもつようになったのである。一九二四年の移民法は、アメリカへの移民を一年につき一五万人に制限した。この移民法が、このときよりも一〇〇年前か五〇年前にでも制定されていたならば、それぞれ三、六〇〇万人ないし二、七〇〇万人がアメリカに定住できないようになったであろうし、また、そのためにアメリカはこれらの人びとと彼らの子孫とを失うことになったであろう。

アメリカの人口は、一八二四年には、一、一〇〇万人近くに達した。一八七四年には、四、四〇〇万人、一九二四年には、一億一、四〇〇〇万人にまで増大した。一九世紀をつうじて、移民がアメリカの人口増加に占める割合は、平均三〇パーセントに近かったが、一八八〇年から一九一〇年の時期においてはこれが四〇パーセントに近づいたのである。いいかえると、アメリカの人口の最も著しい増加は、移民が絶対的かつ相対的に増加した頂点と一致している。一八二四年からの自由移住、とくに一八七四年から一九二四年までの自由移住が、豊富な人力をアメリカがもつようになった主要な原因である。この人力は、戦時および平時におけるアメリカの国力にとってきわめて大きな意味をもっていた。この移民が行なわれなかったならば、アメリカの人口は、今日存在する人口の半分以上に達することはなかったであろう。したがって、アメリカの国力は、一億一、四〇〇万の国民が今日つくりあげている国力に及ぶべくもなかったであろう。

人口の規模が国力を決定する要因のひとつであるがゆえに、そしてある国家の力がつねに他国の力に関連しているがために、力をめぐって競争している国々の人口の相対的規模、とりわけその相対的な人口増加率は、十分注目する価値がある。人口の規模でその競争国に劣る国は、もしその競争国の人口が一層急速に増加する傾向をみせると、自国の増加率の下降を警戒することになるであろう。一八七〇年から一九四〇年にかけての、ドイツに対するフランスの状況はまさにこのようなものであった。この期間中に、ドイツは二、七〇〇万人の増加をみたのに、フランスの人口は四〇〇万しか増加しなかった。一八〇〇年では、ヨーロッパ人七人につきフランス人一人の割合であったが、一九三〇年になると、ヨーロッパ人一三人につきフランス人一人の割合になってしまった。一九四〇年には、ドイツには自由になる約一、五〇〇万人の兵役適格者がいたのに、フランスにはたった五〇〇万人の兵役適格者しかいなかった。

他方、ドイツは、一八七〇年の統一以来いつも、ロシアの人口数値——それはドイツより高い人口増加率を示している——を、ときには警戒しながらも畏敬の念をもってながめてきた。第一次世界大戦が勃発したさいの状況を人口動向という観点からだけでみると、ドイツは時間が経てばロシア側に有利になるとみていたであろうし、フランスはこれまた時間が経てばドイツ側が有利であると思ったであろう。一方、オーストリアもロシアも、すでに述べた他の理由から、⑼対立が長びけば相手側に有利になると信じたであろう。こうして、イギリス以外のすべての戦争当事国は、平和的解決よりも一九一四年の戦争を選ぶだけのそれぞれの理由をもっていたのである。すなわち、これら当事国は、平和的解決を確かなものとはみず、払わざるをえない勘定を決済する前の息つぎの手続きとしてしかそれを考えることができなかったのである。

最近の歴史において、ヨーロッパ内部の力の配分における変化が人口動向の変化とほぼ見合っているのと同様に、西ヨーロッパおよび中部ヨーロッパに代わって、西洋の大きなパワー・センターとしてアメリカが進出したことは、各国の人口数値から理解できる。一八七〇年には、ドイツの人口ばかりでなくフランスの人口もアメリカの人口にまさっていた。しかし、一九四〇年になると、アメリカの人口は一億人ほど増加したのに、同時期のフランスとドイツを合わせた人口増加は、たった三、一〇〇万に達したにすぎない。

したがって、国力の物的な手段をつくりだしたり、それを利用したりするに十分な人口がなければ、国家は一級国にはなりえないということは明らかである。他方で、ある国が多くの人口をもつということは同時に、その国力にきわめて否定的な影響を及ぼすこともありうる、ということが最近になって初めて明らかになった。こうしたことは、インドやエジプトのようないわゆる低開発国において起こっている。これらの国々の人口は、死亡率の減少によって大きく増大したが、その食糧供給は人口増加に追いついていかなかった。これらの国々は絶えず飢きんの脅威に直面し、また多数の栄養失調および病気の人びとの面倒をみなければならなかった。さらに、その乏しい資源を、国力を発展させることよりも、国民に食べさせ保護を与えるということに回さなければならなかった。人口規模の大きさは、その国力にとって財産であるどころか、国力の発展にとって障害となっている。そうした諸国にとっては、人口規模を資源と調和させることが必要である。もし資源が増えないなら、人口抑制は国力の前提条件となるのである。[10]

動向

これまで述べてきたことから明らかなように、将来の力の配分を評価する場合に人口動向の予測は重要な役割を果たす。人力以外の要素がすべてほぼ等しいとすれば、ある国家の人力が国際舞台における競争相手と比較して著しく衰退するということは、国力の衰退を意味し、また、同様な条件の下で人力が著しく増加することは、国家的な力において有利になることを意味する。一九世紀の末にかけて、大英帝国が唯一の世界勢力として君臨していたとき、その人口は、世界の全人口のほぼ四分の一にあたる、約四億人に達していた。一九四六年には、五億五、〇〇〇万人近くになった。インドの人口が当時五億五、〇〇〇万人〔一〇年ごとの国勢調査からすると約三億四、〇〇〇万人〕と推定されていたので、この数字は、人口規模だけからみれば、イギリスがインドの喪失で被った、国力の膨大な損失を明らかにしている。

人口の観点からすると、アメリカの立場は、西ヨーロッパがわずかな人口増加しか予想されていないがゆえに、西ヨーロッパと比較してかなりの強さを示しつづけるだろう。しかし、同国の立場は、ラテン・アメリカの人口動向と比較すると、かなり悪化しつつある。ラテン・アメリカは、世界のいかなる主要な地域のなかでも最大の増加率を示している。一九〇〇年には、ラテン・アメリカの人口は、アメリカの七、五〇〇万人に対し六、三〇〇万人と推定されていた。一九四八年には、アメリカの一億四、五〇〇万人に対し一億五、三〇〇万人であった。アルゼンチンの人口だけでも、一九一四年から六五年までに二倍以上となり、今や二、五〇〇万人を超えている。同時期のアメリカの人口は、九、九〇〇万人から二億一、四〇〇万人までに増加したにすぎない。

しかし、人口要因が国力に対してどの程度影響を及ぼしているのかを正確に評価するためには、いろいろな国の全人口数値を知ることだけでは不十分である。所与の人口における年齢分布は、力を算定するときの主要な要素である。他の事情がすべて等しい場合、軍事や生産に関する目標にとって最大限の潜在的な有効性を発揮するような人口(だいたい二〇歳から四〇歳の間の年齢)を比較的多くもつ国家は、その人口構成で老年層が優位を占めている国家よりも力において優位に立つことになろう。

しかし、人口動向を見通すという作業が、戦争や自然災害といった混乱がたとえ起こらなくても、冒険的であることは指摘されてよい。一九四〇年代に行なわれた人口動向の推計によると、アメリカの人口増加の予想図は、ソ連のそれに比較してむしろ悲観的に描かれていた。ところが、今日アメリカの人口は、何人かのかなり著名な人口問題専門家が一九七五年までに達すると予想した人口数値をかなり上まわって増加している。科学的正確さが比較的高いと思われている分野でさえも、国力の予測は不確実性に包まれている。しかしこの不確実性があるからといって、国力の発展にとっての人口動向の重要性は何ら変わらない。また、このように不確実性があるからといって、政治家が自国の人口動向に対してもつ積極的な関心が弱まる、というわけでもないのである。

ウィンストン・チャーチル卿は、イギリスの首相として一九四三年三月二二日のラジオ放送で、ローマ帝国のアウグストゥスとその帝位継承者の言を繰り返しながら次のように人口動向に対する関心を表明した。

「三〇年、四〇年、あるいは五〇年先をみる人びとを悩ます最も深刻な心配事のひとつ――この分野ではきわめて明確にこれを予測することができるのだが――は出生率の低下の問題である。現在の人口動向が変わらないとして、三〇年後には、より少ない労働人口および戦闘遂行人口が過去のほぼ二倍の人口を扶養し保護しなければならなくなるであろう。五〇年後には、その状態はさらに悪化するだろう。わが国が世界のリーダーシップにおいて高い地位を保持し、また、外圧に対して自国をまもることができる大国として生存しようとするならば、わが国民は、あらゆる手段で家族の人員を増やすよう励まなくてはならない。」

国民性

国民性の存在

国力に影響を及ぼす質的な三つの人的要素のうち国民性と国民の士気は、次の二つの点で特徴をもっている。すなわち、それらは合理的予測という観点からすると把握しにくいということ、そして、それらは国家が国際政治の天秤に加えることのできる重量に永続的かつしばしば決定的な効果を及ぼすということ、である。われわれは、ここでは、どのような要素が国民性の高揚にとって重要であるのかという問題には関心がない。われわれの関心は、ある特定の知性と性格が、ある国家においては他国家よりも一層頻繁にあらわれ、また他国家よりも高く評価されている、という事実に対してだけである。もっともこの事実は、異議のさしはさまれる余地はあるが、とくに「文化類型」という人類学的な概念の観点からは問題はない(と思われる)。次にコールリッジを引用してみよう。

「………全国民のなかに息づいていて、しかもすべての国民が同じようにではないにしてもお互いに共有している、目にみえない精神がある。この精神は、人びとの行なう善と悪に、ある色調と特性を与えることになる。そのため、同じ行動──これは同じ言葉によって表現されると私には思われるのだが──は、フランス人とスペイン人の場合とでは、依然として同じものではないのである。しかしこうしたことを、私は否定できない真理であると考えている。これを認めることなくしては、あらゆる歴史は謎となるであろう。同様に次のようにも考えている。諸国家間の相違、諸国家の相対的な偉大さと劣等性は、その精神の結果である。要するに、国家そのものすべて、あるいは国家が行なっているすべてのこと（実際、ある特定の時期のことではない。つまり、大クサンティッポスの率いるカルタゴ人のように、そして後には、カルタゴ人であるハンニバルの率いるカルタゴ人のようにひとりの偉大な人物の偶然的な影響力の下にある場合ではない）は、しかも国家が代々変わりゆく個人をつうじて一個の国として保持するすべてのものは、いま述べた精神の結果なのである。………」(11)

このような性質によって、ある国家は他の諸国家から区別されるのである。またこの性質は、変化に対してかなりの弾力性をもっている。任意に選んだ次のような二、三の例がこの点を物語っている。

ジョン・デューイ(12)やその他多くの人びとが指摘したように、カントとヘーゲルがドイツ哲学の伝統の代表者であり、デカルトとヴォルテールがフランス精神の代表者であり、ロックとバークがイギリスの政治思想の代表者であり、ウィリアム・ジェームズやジョン・デューイが知的諸問題に対するアメリカ的態度の代表者であるということは、問題にする余地のない事実ではないだろうか。また、このような哲学上の相違は、基本的な知的・道徳的特徴――それはあらゆるレヴェルの思想と行動にあらわれ、なおそれぞれの国家に明白な独自性を与えている——を、最も高いレヴェルの抽象化および体系化によって表現しているにすぎないということは、果たして否定できるであろうか。デカルト哲学の機械論的合理主義と体系的完全性は、それがジャコバン改革の合理主義的熱狂のなかにあらわれたときにまさるとも劣らないほど、コルネーユとラシーヌの悲劇のなかに再びあらわれている。それは、フランスにおける現代の知的生活の多くの特徴となっている学問の形式主義が不毛であることにもあらわれている。またそれは、理論的には完全であるが実際的ではない多くの平和計画――その点で、フランスの政治的手腕は戦間期に秀でていたが――のなかにもあらわれている。他方、ジュリアス・シーザーがゴール人のなかにみいだした知的好奇心という特性は、各時代をつうじてフランス精神の独自の特質として存続してきた。

ロックの哲学も、マグナ・カルタや、法の適正な手続きや、プロテスタントの分派主義などと同様にイギリスの個人主義を示している。道義原則と政治的方便とを教条的にならぬよう結びつけたエドマンド・バークのなかには、一九世紀の選挙法改正案や、ウルジー枢機卿およびカニングのバランス・オブ・パワー政策においてと同様に、イギリス国民の政治的天才があらわれている。ゲルマン部族の破壊的な政治的・軍事的性向についてタキトゥスが述べたことは、フリードリヒ・バルバロッサの軍隊と同様にウィルヘルム二世やヒトラーの軍隊にも妥当する。そのことはまた、ドイツ外交にみられる伝統的な粗暴さや無器用な過ちにもあてはまる。ドイツ哲学の権威主義、集団主義、国家崇拝は、独裁的政府の伝統のなかに、さらには、いかなる権威もそれがみずから拡大する意志と力とをもっていると思われる限りは盲目的にこれを受容するという態度のなかにあらわれている。それに付随してこれらの主義は、市民的勇気の欠如、個人的権利の無視、政治的自由の伝統の欠如という特徴のなかにもあらわれているのである。トックヴィルの『アメリカの民主主義』のなかで述べられているように、アメリカの国民性についての描写は、一世紀以上経ったあとでも通用している。アメリカのプラグマティズムの優柔不断な性格は、盲目的な教条的理想主義と真理の尺度としての成功に対する信頼との間にみられるが、その性格は、一方における「四つの自由」および大西洋憲章と、他方における「ドル外交」との間でアメリカ外交が動揺していることのなかにあらわれている。

ロシアの国民性

ロシア人についてみると、ほぼ一世紀の間をおいて、次に挙げるような二つの経験が並存していることは、ある知的・道義的性格が永続していることの著しい証拠となるであろう。

ビスマルクは回顧録で次のように述べたのである。

「私はサンクト・ペテルブルクに初めて滞在した一八五九年に、ロシア人のもっているもうひとつの特性を示す実例をみた。当時の習慣として、早春には、宮廷関係者は誰でも、パーヴェルの宮殿とネヴァ川との間にあるサマー・ガーデンを散歩したものだ。その庭でロシア皇帝は芝生のまんなかに立っている番兵に気づいた。どうしてお前はそこに立っているのかという皇帝の質問に対して、『命令であります』と番兵は答えるだけであった。そこで、皇帝はその点を調べるために、彼の副官のひとりを番兵詰所につかわした。だが、番兵が冬も夏もずっとそこに立たねばならぬということ以外にどんな説明も得られなかった。誰が最初に命令を出したかは、もはやわからなかった。このことが宮廷でうわさされ、従者たちの耳に入った。従者のひとりである老雇人が進みでた。そして彼は、自分と父親とがサマー・ガーデンの番兵の前を一緒にとおったとき、父親が彼にかつてこんなふうに話してくれたといった。『彼は花を監視するためずっとそこに立っているのだよ。この場所でエカテリーナ女帝がスノードロップ〔ゆきのはな〕がいつになく早く咲いたのにお気づきになって、摘みとってはいけないとの命令をお出しになったのだよ』。この命令は、その場に番兵をおくことで実行され、そのときからずっと一年中誰かがそこに立っていた。こうした話によって、われわれは一方で興味をもち、また他方で非難をしたくなる。だが、この話は、ロシア人の性質の強さの原因となっている根性と忍従——これは他のヨーロッパ人に対するロシア人の態度のなかにみられる——を示すものなのである。この話から、一八二五年のサンクト・ペテルブルクで起こった洪水のときの番兵と、また一八七七年のシプカ峠における番兵のことが思い出される。二人とも救出されず、前者は溺死し、後者はその場で凍死したのである。」(13)

一九四七年四月二一日付の『タイム』誌は、次のような報告を載せている。

「ポツダムの街に走るぬかるみのベルリン通りを一二名のやせ衰えた男たちがよろめきながら歩いていった。………彼らの顔には、囚人独特の青ざめて疲れきった表情が漂っていた。囚人たちのあとには、小型自動機関銃を右腕にひっかけ、広大なウクライナ大草原のような青い目の、顔の大きなずんぐりしたひとりのロシア兵がとぼとぼ歩いていた。

この一団が市街鉄道の停留所に近づくと、仕事場から家路に急ぐ男女の行列にでくわした。ひとりのやせこけた中年の婦人が、突然この一二名をみつけた。彼女はその場に立ちどまって、しばらく彼らをじろじろとみつめた。そのとき、彼女はぼろぼろの買物袋を投げ捨てると、通りをふさいでいる木炭トラックの前を横切り、三番目の囚人に息を詰まらせながら叫んだ。お互いに粗末なコートの背中を指でふれながら、『どこへ行くの』、『……知らない』、『なぜ』、『……知らない』、とヒステリックにぶつぶつしゃべっているこのロダンの彫像のごとき二人を、囚人たちや通行人らは立ちどまってみていた。

銃をもったあのロシア兵は、自分の連れた囚人たちのそばをゆっくりと回って二人の方にやってきた。ロシア兵の顔がだんだんにやにやしてきた。彼はその女の肩を叩いた。女は身ぶるいした。見物人の顔に深い心配の色があらわれたが、ロシア兵は『心配するな、心配するな』となだめながら叫んだ。そして、彼は小型自動機関銃の銃口をその囚人に突きつけたので、囚人は本能的に一歩あとずさりした。今度はロシア兵は、女に『お前の夫か』と尋ねた。

『はい』と女は答えると、涙が彼女の頬を流れた。

『よし』とロシア兵はぶつぶついって、鼻にしわを寄せた。『連れて行け』といって、うろたえている囚人を歩道の方にゆるやかに押しやった。

この二人が手をとりあって無我夢中でよろめきながら行ってしまうと、見物人はほっと安心して大きなため息をついた。『理解できないロシア人……信じ難いロシア人……わたしはわからない……わたしはロシア人がわからない』とつぶやいている群集をあとにして、一一名の囚人たちは互いにぶつぶついいながら街を押し進んでいった。

ロシア兵は何くわぬ顔で、だらしなく歩きながら、ポケットからマッチを取りだして、黄色に汚れた歯に長いパピロサの煙草をくわえた。突然、彼の顔がくもった。彼は小型自動機関銃を腕の下高くかまえ、外套の広いぼろぼろの袖から汚れた一枚の紙を取りだし、それをじっとみた。二、三歩進んでから、この紙を注意深くポケットに詰め込んで、囚人たちの肩を落とした背中をしばらくみつめ、そして、ちょうどこの駅を出発しようとしている新しい一群の通勤者のはりつめた顔をじろじろとみつめた。

ロシア兵は何事もなかったかのように、書類かばんを腕にかかえきたない褐色のフェルト帽を耳までかぶったひとりの青年に近づき、『おい、お前、こい』と命じた。このドイツ青年はぞっとした。彼は肩越しに、その様子を見ようとも聞こうともせずにびくびくしている一群の男女をこわごわと一瞥した。ロシア兵は小型自動機関銃を振って、『こい』と呼んだ。彼は、この怖くて動けなくなった新参者の青年を荒っぽく囚人の列に押し込んだ。

再び囚人の数は一二名になった。ロシア兵の顔はほころんだ。彼は、三本目のぱちぱちと燃えるマッチでパピロサに火をつけ、夕やみのなかを家路に急ぐ緊張したドイツ人たちに向かって平然と紫煙を吐いた。(14)」

以上の二つのエピソードの間には、実際に国民生活のあらゆるレヴェルで歴史的なつながりを断ち切った大革命が起こっている。しかしロシア人の国民性の特徴は、ロシア革命の大破壊にもかかわらず、そのままあらわれていた。ロシアでは、社会的・経済的構造、政治的リーダーシップ、政治制度、それに生活様式、思惟様式などにおいてこのように徹底的な変革が行なわれたが、その変革さえも、ビスマルクが自分の経験のなかからはっきりとみいだしたような、またポツダムのロシア兵にもあらわれているような、ロシア人の性格としての「根性と忍従」に影響を及ぼすことはできなかったのである。

ロシアの国民性が変化せずに同一のまま続いていることを説明するために、アメリカの外交官がロシアからアメリカ国務省へ送った外交文書のなかの次のような文を抜きだしてみよう。

「昨年をとおして、ロシアの対外国人政策ならびに対外国人入国政策がますます厳しくなりつつあるということが明らかになった。

私は昨年の夏、旅券を入手できなかった数人のアメリカ人のことを聞いた。……こ
の問題は、政治的要件と、民衆の心に及ぼす外国の影響についての心配とから主として
生じている。それに加えて、単なる一般的な商業目的は別として、ロシアには、すべて
の外国人を排除しようとする強力な排外的政策をとる党派があるということである。
……

ここの公使の立場は楽しいどころではない。少なくとも公的性格をおびたいかなる手紙も郵便局においては安全ではないのであって、当然のこととして開封され検閲されている、というのがもっぱらのうわさである。……公使はつねにスパイ組織に監視されており、また、その使用人でさえもその家庭で起こったこととか、会話や交際などの内容を打ち明けさせられる、という評判も広がっている。……

何事も秘密と神秘によって支配されている。知る価値のあるものは何ひとつとして公表されない。

ロシア人が世界を征服する運命にあるという奇妙な迷信が、ロシア人の間で行きわたっている。こうした運命観とその光栄ある報酬という考えに基づいて軍人に訴えれば、それが無駄に終わることはめったにない。最大の苦境のまっただなかにおかれているロ

シア兵を特徴づけている、あの驚くべき忍従と持久力は、この種の感情に原因があった。……ロシアに初めて着いたアメリカ人にとって、警察の厳しさほど目立つものはない。」

ロシアに対するこうした印象は、人びとが予想できるように、つい最近になってケナンやボーレンやトンプソンといった大使たちによって寄せられたものではないのである。この印象は、一八五一―五二年当時、ロシア駐在アメリカ公使であったニール・S・ブラウンが抱いたものである。

国民性と国力

国民性は、まちがいなく国力に影響を及ぼす。なぜなら、人びとは、平時・戦時に国家のために行動したり、その政策を形成・遂行・支持したり、選び選ばれたり、世論を形成したり、物を生産・消費したりしているが、彼らはすべて、国民性をつくりあげている知的・道義的特性の刻印を多少とももっているからである。ロシア人のもつ「根性と忍従」、アメリカ人のもつ個人的な進取の気質と創意、イギリス人のもつ教条的でない常識、ドイツ人のもつ規律と徹底さは、国家の構成員が従事しているあらゆる個人的・集団的活動のなかによきにつけあしきにつけあらわれている特性の一部である。各国間で国民性が異なるために、たとえば、ドイツ政府やロシア政府は、アメリカ政府やイギリス政府が追求できないような対外政策に乗りだすことができたし、またその逆のこともあった。反軍国主義、つまり、常備軍や強制兵役に対して嫌悪感をもつのは、アメリカやイギリスの国民性にみられる永続的特徴である。しかし、常備軍や強制兵役の制度および活動が、プロシアの価値ヒエラルヒーのなかで長年にわたって上位を占め、この高い地位からそれらの威光がドイツ中に広まったのである。ロシアでは、国民が政府の権威に対して服従するという伝統と、外国人に対して伝統的に恐怖感をもつということから、国民の認める巨大かつ永続的な軍事編成が敷かれたのである。

こうしてドイツとロシアは、その国民性によって、権力闘争においてそもそも優位に立つことができた。なぜなら、両国は平時にその大部分の国家資源を戦争手段に転換することができたからである。他方、アメリカやイギリスの国民は、明白な国家非常事態の場合以外には、このように平時に国家資源を戦争手段に転換するということには熱心でなかった。とくにこれを、大規模にしかも人力に関して行なうなどということには消極的であった。したがって両国の対外政策は重大なハンディキャップをもつことになった。軍国主義的国家の政府は、自己の都合のよいときに戦争を計画したり、準備したり、遂行したりできる。もっと具体的にいえば、自己の主張にとって最も有利と思われるときにはいつも予防戦争を開始することができるのである。平和主義国家の政府は、この点ではずっと困難な状況にあり、行動の自由ははるかに少なかった。とくにそのような政府のなかでも、第二次世界大戦終了までのアメリカが最も著しい例であった。これら平和主義の政府は、その国民固有の反軍国主義によって拘束されているので、対外問題ではより注意深い方針を追求しなければならない。実際にその政府の自由に使える軍事力は、政府が国益に配慮すれば当然みずから負わなければならない政治的責任というものと一致しなくなることがしばしばある。いいかえると、政府は自己の政策を支えるに十分な軍事力をもっていないことになる。このような政府が戦争をはじめるとなると、彼らは当然敵国のいうとおりの条件ではじめる、ということになろう。過去においては、このような政府が初期の弱体と劣勢を乗り越えて最後の勝利をものにするためには、その政府は、自国の国民性にみられる他の特性と、地理的位置や潜在的工業力のような他の補充要因とに依存しなければならなかった。こうしたことは、よかれあしかれ国民の性格の結果であるはずである。

非常に把握しにくい不明確な要因を正確に評価することがどんなにむずかしくとも、いろいろな国家の相対的強さを評価しようとする国際社会の観察者は、国民性というものを考慮しなければならない。国民性を考慮しないことは、第一次世界大戦後のドイツの復興力を軽視したり、一九四一―四二年のロシアの持久力を過小評価するといったふうに判断や政策のうえで誤りを犯すことになるだろう。確かにヴェルサイユ条約はドイツを、その領土、原料供給源、工業力、軍事編成のような国力の他のすべての要因については拘束することができた。しかしヴェルサイユ条約は、あの知性と国民性のあらゆる特性――これによってドイツは二〇年間のうちに、みずからがかつて喪失したものを再建し、比類ない世界最強の軍事国として浮かび上がることができた――をドイツから奪うということはできなかった。また、軍事専門家の事実上一致した見解は、一九四二年にロシア軍は数カ月しか抵抗できないとみていた。この見解は、軍事戦略、機動力、工業資源などのような、純軍事的条件からすれば誤っていなかったかもしれない。しかし、それは「根性と忍従」――それはより好ましい判断からすると、ヨーロッパに対処するときのロシアの強さの大きな根源として認識されてきたが――という要因を軽視したことで、明らかに誤っていた。一九四〇年にイギリスは生存の機会を失ったという悲観論の根拠も、先の例と同様に、イギリス国民の国民性を無視していたり誤解していたりしたことにあったのである。

第二次世界大戦前アメリカの力がドイツの指導者によって軽視されていた、ということについてはすでに他のところで述べた⑮。全く同様の誤りが、しかも同様の理由からドイツの指導者によって第一次世界大戦中に犯された、ということに注目するのは面白いことである。つまり、一九一六年一〇月にドイツの海軍長官は、アメリカが連合国に参戦する意義は「ゼロ」であるとの評価を下し、また、この時期のもうひとりのドイツの大臣は、アメリカが現実に連合国側に参戦した後に議会演説でこう述べた。「アメリカ人は泳ぐことも、飛ぶこともできないので、彼らは決してドイツに攻めてこないだろう」。二つの場合とも、ドイツの指導者は、ある特定時期におけるアメリカの軍事編成の特質、アメリカ人の反戦主義の性格、地理的距離の要因といったものだけに注目して、アメリカの力を過小評価したのである。彼らは、アメリカ人の性格的特性、たとえば個々人の進取の気質、物事に即応できる才能、技術的熟練、というようなものを全く無視してかかった。こうした特性は、それが他の物質的要因と結びついた場合には、また状況が有利な場合には、地理的な遠さやくずれかかった軍事編成という不利な条件を大いに乗り越えることを可能にしたのである。

他方、多くの専門家たちは、少なくとも一九四三年のスターリングラード戦まではドイツの不敗を信じていたが、彼らはその強さの根拠を、物質的要因と、全面的勝利に役立つと思われるドイツ国民性のある側面とに求めた。これら専門家は、ドイツ人がもつ国民性の別の面、とくに彼らの中庸性の欠如という面を無視したのである。中世の皇帝や三十年戦争を戦った君主からウィルヘルム二世やヒトラーに至るまで、この中庸性の欠如という面は、ドイツの国民性のひとつの宿命的な弱点となっていた。ドイツ人は、可能な限度内において目標と行動を抑制するということができず、他の物的・人的要因を基盤として築かれたドイツの国力を何度となく浪費し、とうとう最後にはこれを破壊してしまったのである。

国民の士気

国力との関係において、他のどの要因よりもわかりにくくかつ不安定でありながら、しかしどの要因にも劣らず重要な要因は、われわれが国民の士気と呼ばなければならないものである。国民の士気は、国民が平時・戦時に政府の対外政策を支持しようとする決意の程度を意味する。国民の士気は、軍事編成や外交活動だけではなく、農業生産、工業生産など国民のすべての活動に及んでいる。しかも国民の士気は、世論という形をとっており、不明瞭な要因となっている。この国民の士気に支えられなければ、民主政府であれ独裁政府であれ、いかなる政府も、自己の政策をたとえ追求できたとしても十分効果的に推しすすめることなどできない。国民の士気が存在するのかしないのか、またその質がどのようなものであるのかということは、国家的な危機の時期——つまりその国家の生存が危険に陥っているときとか、その国家の生存を左右するような重要な決定が下されるとき——にとくにものをいうのである。

国民の士気の不安定

イギリス人の常識、フランス人の個人主義、ロシア人の頑固さのような、国民性の一定の特徴は、歴史のある時期における国民の士気のなかに容易にあらわれる。しかし、この国民の士気がある突発事件でどのような形になるかについては、その結論を国民性から引きだすことは不可能である。アメリカの国民は、まさにその国民性のゆえに、二〇世紀中期の諸条件の下で一流国の役割を果たす資格を特別に与えられたように思われる。しかし、第二次世界大戦のある段階と、戦後何年間かのある期間にわたって、ヨーロッパおよびアジアの多くの交戦国に広がった、あの種の困難や分裂の状況下で、アメリカ国民の士気がどのようなものになるかということは、誰ひとりとして確実に予測することはできないのである。第二次世界大戦の経験が再現された場合、それに対してイギリス国民がどのような反応を示すかを予想するすべはない。イギリス国民は、一度は

「電撃戦」とV号兵器に対してもちこたえたが、二度とそれに耐えうるだろうか。また、核兵器に対してはどうだろうか。すべての国民について同様の設問をすることはできるが、これについての合理的な解答は何らでてこないのである。

とくに、アメリカ国民の士気は、この数年間、国内外において研究考察の対象となってきた。なぜなら、アメリカの対外政策と、その政策をとおしてアメリカが国際問題で占める力の比重が、アメリカの世論のムード——これは、議会での投票、選挙の結果、世論調査などにあらわれる——にとりわけ依存しているからである。アメリカは、国連に加入して期待はずれの感をもっているにもかかわらず国連にとどまるだろうか。アメリカ議会は、ヨーロッパに対する経済的・軍事的援助計画を支持するだろうか。またアメリカ議会は、世界中の対外援助のために何十億ドルという支出をすることにいつまで賛成するだろうか。アメリカ国民は、どこまですすんで南朝鮮を支持しようとするだろうか、そしてどのような条件の下でそうしつづけるだろうか。アメリカ国民は、自分たちの努力を軽減することもせず、そうかといって思い切った行動で冷戦を終了させようともしないままに、ソ連に起因する負担、危険、欲求不満に際限なく耐えていくのだろうか。これらの設問に対する解答を左右した、あるいは左右するおもな要因は、重大な時期における国民の士気の状態なのである。

いかなる国の国民の士気も、ある時点を境に衰えることは明らかである。この崩壊点は、それぞれの国民とそれぞれの状況によって変わってくる。一九一七年のシャンパーニュにおけるニヴェル将軍の攻撃のあとのフランス国民のように、ある国民は戦争における巨大かつ無益な損害のゆえに、崩壊点に近づくことだろう。イタリア国民が一九一七年にカポレット――その戦いで三〇万人の捕虜と、同じく三〇万人の脱走者を出した――で受けた敗北のように、ひとつの大敗北によって国民の士気を完膚なきまでに挫折させてしまうことがある。一九一七年のロシア国民のように、国民の士気は、大規模な戦争によって生ずる人および領土の喪失と、独裁政府の失政とが結びついた衝撃で衰えることがよくある。また、ある国民の士気はただゆっくりと崩壊し、いわばじわじわと衰える。この場合、国民の士気は、政府の失政、荒廃、他国からの侵入、勝利の望みのない戦争状況などがまれに結びついたときでさえ、一度に突然衰えるということは全くないのである。そのような例として、第二次世界大戦の最後の段階におけるドイツ国民の場合がある。この最後の段階において、多くの軍事指導者や元高官は無駄な主張をあきらめたが、大多数の国民は、実際にはヒトラーが自殺する瞬間まで戦った。一九四五年の最も不利な状況の下でみせた、あのドイツ国民の不屈の士気は、このような集団的反応が前もって予測できるものではないことを劇的に物語っている。ところが、一九一八年一一月には、ヒトラーのときよりはるかに厳しくない状況の下でドイツ国民の士気は衰えたのである。連合軍がフランスに進入した後の一九四四年の夏、ドイツ国民の士気は同様な衰えをしばらくみせたのだが、いま述べた一九一八年の先例は、この一九四四年の状態を予告するはずのものであった。トルストイは、『戦争と平和』のなかで、軍事的成功にとって士気が独自の重要性をもっていることについて、次のように真に迫った分析をしている。

「用兵学は、軍隊の力は数なりと主張する。用兵学は、兵の数が多ければ多いほどその力も大きいと説く。『大軍はつねに勝ちを制す』である。こう主張する用兵学は、力を量の方面からのみ観察し、運動体の量が等しいか否かによって力が等しいか否かを断定する、あの力学にまるで似ている。力(運動の量)は、質量と速度の積である。

戦争においては、軍の力はその数に他の何物か――未知の x《エックス》 ――を乗じた積である。新用兵学は、兵の数がしばしば兵の力と一致せず、小部隊が大部隊に打ち勝つ無数の実例を歴史のなかにみいだす結果、漠然とながらこのような未知の乗数の存在を認め、ときには幾何学的編成のなかに、ときには武装の優越性のなかに、さらには、これが一番多いのだが、指揮官の天才のなかに、この乗数をみいだそうと努力する。しかし、こういうふうなさまざまの意味の乗数をあてはめてみても、史的事実と一致する結果は得られない。

だが、この未知のxを発見しようと思ったら、戦時における英雄傑士に都合よく設定された虚偽の見解を、かなぐり捨てさえすればそれでよいのだ。

このxは軍の士気である。気魄である。すなわち、軍を組成する各人の戦わんと望む気持ち、自分を危険に投じたいと望む気持ちであって、こうした気持ちの大小は、戦闘に参加する人びとが天才の指揮を受けていようが、鈍才の指揮を受けていようが、戦線が三重になっていようが、武器が棍棒であろうが、一分間に三〇発も発射する銃であろうが、そんなことには全然関係がない。最も多く戦わんと望む気持ちを保持する人は、つねに最も有利な戦闘条件に身をおくのだ。軍の士気は乗数である。これを数量に乗じ、初めて力の積を得ることができる。この未知の乗数——すなわち軍の士気——の意義を決定し表現する。これが用兵学の目的である。

われわれがこの未知のxの代わりに、力の発現に伴うもろもろの条件、たとえば軍司令官の指令や武装などの条件を勝手に乗数として取り扱うようなことをやめたとき、そしてこの未知数——すなわち、程度に多少の相違はあれ、兵員の戦いたいという気持ち、自己を危険に投じたいという気持ち――を、全面的に認めるとき、そのとき初めてこの問題は解決されるのである。こうしてわれわれは、ある歴史的事実を方程式であらわすことによってのみ、またこの未知数の相対的意義を比較することによって、未知数そのものの定義に近づくことができるのである。一〇人の兵士、一〇大隊ないし一〇師団が、一五人の兵士、一五大隊ないし一五師団と戦い、そして勝ちを制したとする。つまり、ひとり残らず敵を殺戮したり捕虜にしたりして、しかも自分の方ではわずかに四人――ないし四割――失ったのみだとする。すると、一方が四人――ないし四割――を失ったのに反して、いま一方は一五人――一五大隊ないし一五師団――全部を失ったのだから、四が一五に匹敵したわけである。ゆえに $4x=15y$ であり、したがって $x/y=15/4$ である。この方程式は、未知数の意義を解明してはくれないが、しかし、二個の未知数の関係を明示する。種々なる方法が取りだされた歴史上の単位(合戦、戦役、戦争期間)をこの方程式にあてはめると、そこに幾つもの数値が得られる。そしてこれらの数値のなかには、幾つかの歴史的法則が存在すべきであり、したがって発見もされるであろう。(16)」

決定的な要因としての社会の質と政府の質

国民の士気は、戦争で究極的なテストを受けるわけであるが、国家の力が国際問題と関連するようになるときはいつも重要なものになる。なぜ国民の士気が重要なのかといえば、それは、一部は、国民の士気が軍事力に及ぼすと思われる影響力のためであり、また一部は、対外政策を追求しようとする政府の決意に対して国民の士気が及ぼす影響力のためである。自分の権利と、国民生活への十分な参加とを永続的に奪われていると感じている国民はどの階層の人も、こうした無力感に傷ついていない人びとに比較すれば、その士気は低く、また、「愛国的」態度も弱くなるようである。多数派ないし政府によって追求される永続的な政策から自分たちの死活的な欲求が疎外されている人びとについても、同様なことがいえそうである。意見の深刻な対立が国民を分裂させるときにはいつもそうなのだが、もし対外政策の成否が国内闘争の争点に直接の関係があるならば、その対外政策のために動員される民衆の支持はつねに不安定であるし、また実際に弱いものになるだろう。

政策を形成する場合にその国民の希望を考慮しないような独裁政府は、対外政策に対する民衆の強い支持をあてにすることはできない。帝政ロシアやオーストリア君主制のような国々の場合がそうである。オーストリアの例はとくに教訓的である。とりわけスラヴ諸国に関するオーストリアの多くの対外政策は、同国の統治下で生活しているスラヴ諸民族をうまく抑えつけておくことができるようにスラヴ諸国家の弱体化を目ざしていた。その結果、これらオーストリア統治下のスラヴ民族は、せいぜいよくて、彼ら自身の政府の対外政策に無関心になるか、悪くすると、オーストリア政府に反抗して向けられたスラヴ諸政府の政策を積極的に支持するといった傾向にあった。だから、第一次世界大戦期に、オーストリア・ハンガリー陸軍のなかにいたスラヴ系の全部隊が敵方のロシア側に投じたのは驚くことではない。オーストリア・ハンガリー政府は、イタリア人のような非スラヴ系の敵に対してのみ、他のスラヴ系部隊を思い切って投入した。同様の理由から、第一次世界大戦中にドイツ陸軍は、ロシア人に対してはアルザス人部隊を、また、フランス人に対してはポーランド人部隊を使ったのである。

ソ連は第二次世界大戦中に、士気の欠如という同様の経験をした。この大戦中、主としてウクライナ人とタタール人からなる大分遣隊がドイツ人側に脱走したのである。イギリスもインドについて同じような目にあった。インドの民族的エネルギーは、不本意かつ条件付きで、インドに対する外国人支配者イギリスの対外政策を支援したのである。つまり、その条件とは、第二次世界大戦中のボースおよび彼の支持者たちのように、インドの民族的エネルギーがその外国人支配者の敵を利することがない限りは、ということである。ナポレオンやヒトラーは、外国征服で得た「戦利品」のなかに、征服者の政策に対する民衆の支持という利得が必ずしも含まれていない、ということを狼狽《ろうばい》しながら学ばなければならなかった。たとえば、ヒトラーがヨーロッパの被征服民のなかにみた自分への支持の量と強さは、個々の国民の士気の質に反比例していたのである。

深くて穴埋めできないような階級分裂を抱えている国はどこでも、その国民の士気は不安定な状態におかれるだろう。フランスの力は、一九三〇年代以来ずっとこのような弱点に苦しんできた。ヒトラーが政権についたときから、フランス政府は優柔不断な対外政策をやつぎばやに打ちだし、自己の無能力を現状維持のイデオロギー——政府はそれを擁護する意志も能力もなかったのだが——で隠した。こうした政策は、フランス国民全体の士気をすでに弱めていた。一九三八—三九年の危機においては、戦争の脅威が一段と強まり、それに対処するための総動員もみられたが、ヒトラーの一連の成功、フランスの動員解除、そしてますます増大する平和の不安定化によって、この危機はフランス国民の士気を全面的に低下させるのに大きく作用した。フランス社会のいたるところで士気の低下があったとはいえ、実際にはフランス社会の二つの重要な部分にだけ士気の崩壊が起こったのである。すなわち一方では、フランスの上層階級に属する多数の集団は、自分たちの勢力を制限しようとする社会的立法に直面して、「ブルム(フランス社会主義者)よりもむしろヒトラー(敵の独裁者)を！」というスローガンの下に結集した。ヒトラーは、ヨーロッパにおけるフランスの地位と、国家としてのフランスの存在そのものを脅かしたが、これら上層階級集団は、ヒトラーに敵対するフランスの対外政策を心から支持するということはなかった。フランスが征服された後、これらの集団は、外国の独裁者からの解放よりも、むしろヒトラーによるフランスの支配に好意を示した。また他方では、いま述べた理由とは別の理由から、フランスの共産党員は、ヒトラーが西洋の資本主義国とだけ戦っていた間は、フランス国民の士気を打ちくずした。共産党員が侵入者に対するレジスタンスの前線で戦うことによってフランス国民の士気に新たな力を加えたのは、やっと、ヒトラーがソ連を攻撃した後であった。

国民の士気の質がどんなに予測不可能なものであろうとも、とくに重大な危機の場合、国民の士気が高まりそうな明白な状況がある。ところが、ある一定の異なった条件の下では、国民の士気の低い状態が有利な場合もある。一般にいえることは、国民が自己の政府の行動と目標とに一層密接に同一化すればするほど――もちろん、とくに対外問題においてであるが――国民の士気が高まるチャンスは一層多くなり、また、それとは反対に、同一化が密接でなくなればなくなるほど、その士気高揚のチャンスはますます少なくなるのである。したがって、一八、一九世紀の独裁国のイメージによって現代の全体主義国家を誤ってみてしまう人びとだけが、ナチス・ドイツでは国民の士気がほとんど最後まで高かったということに驚嘆するのである。ドイツ国民の士気は、一九一八年一一月の場合のように、一気に崩壊して衰えたというよりは、むしろゆっくりと低下していった。大部分のロシア国民は、戦時・平時において最大の苦難を受けたにもかかわらず、終始一貫して高い国民の士気を示してきたのである。

現代の全体主義国家は、民主主義的なシンボルの使用、世論に対する全体主義的統制、実際上あるいは外見上国民のためになる政策、などの手段によって、政府と国民との間のギャップ、つまり一八、一九世紀の君主国に典型的であったギャップを埋めることができた。実際には、国民のエネルギーはすべて、政府が選んだチャンネルに流れ込む。そして、われわれが近代政治の特徴のひとつとみなしてきた個人と国家との同一化[17]は、全体主義の刺激の下で強烈な宗教的熱情にまで達している。そのため、全体主義政府が成功しているか成功しそうにみえる限りは、あるいは、少なくとも成功の望みを抱くことができる限りは、その政府は、みずから追求する対外政策に対して国民の断固たる支持を期待することができるのである。

民主主義は、全体主義が、暴力、不正手段、国家の神格化などによってしか達成できないものを、分別と責任のある政府が指導する民衆の影響力の自由な相互作用をつうじて達成しようとしなければならない。この相互作用が階級的・人種的・宗教的な対立――この対立は、国内社会を闘争的な諸集団に分裂させがちである――に堕落するのを政府が防止できないとなると、その国民の士気は、国民全体の間ではないにしても、少なくとも苦しい目にあっている集団においては低くなるであろう。第二次世界大戦前および大戦中のフランスの政策は、このことを例証している。封建的な貴族階級や専制的独裁者が政府を支配し国民を抑圧しているような国々の、平時・戦時における対外政策の弱点も、またそうなのである。このような国々の政府は、その国民の支持をあてにできないために、戦争を賭けてまで断固たる決意をもって対外政策を選択し追求するなどということは決してできない。このような政府は、国内の反対派が支配体制を打倒する目的で国際分野における難問題や失策を悪用するのではないか、とつねに心配しているのである。しかし、政府が、国民の意思の代弁者として語り、国民の意思の執行者として行動する場合には、その国民の士気は、国民みずからの熱望と政府の行為との真の同一化を反映する。一九四〇年から第二次世界大戦終了までドイツの占領下にあったデンマーク国民の士気は、ドイツがスターリングラードにおいて敗北するまでのドイツ国民の士気がそうであったように、きわだってこのことを例証している。

そこで、結局のところ、国民の士気という観点からみた国家の力というものは、その政府の質にあるということになる。議会で多数派を占めているという意味においてだけではなく、とりわけ、国民の口にださない確信を対外的な目標および政策に生かすことができるという意味において真に国民を代表している政府は、国民のエネルギーをこのような目標および政策の支持に結びつける最大の可能性をもっているのである。自由人の方が奴隷よりも一層よく戦うという格言は、適切に統治されている諸国家の方がへたな形で統治されている諸国家よりも高い国民の士気にめぐまれやすい、という命題へと敷衍できるのである。政府が天然資源・工業力・軍備に及ぼしている影響力という観点からみてとくにいえるのだが、政府の質がどのようなものかによって、国力を左右するほとんどすべての要因の強弱が明らかに決まってくる。国民の士気にとって、政府の質は特別な重要性を担っている。政府の質は、人間の行為によって多少とも操作できる幾つかの影響力のひとつとして国力の他の要素に作用している一方では、国民の士気の質を説明する実体のない諸要因のなかの唯一の実体的な要因なのである。もし国民の士気がないならば、国力というものは単なる物質的な力にすぎないか、さもなければ実現されるのをむなしく待つひとつの潜在力である、ということになる。だが、国民の士気を積極的に改良する唯一の手段は、政府の質を改良することにある。他はすべて、チャンスの問題である。

外交の質⑱

外交の質は、それがいかに不安定なものであろうとも、国家の力を形成するあらゆる要素のなかで最も重要なものである。外交の質以外の、国力を決定する他のあらゆる要因は、いわば国家の力を構成する素材である。国家がもっている外交の質は、これらのいろいろな要素を、統合的な全体へと結びつけ、それぞれの要素に方向性と価値を与え、そしてこれらに現実的な力の息吹をかけることによって、その眠っている潜在力を揺り動かすのである。戦時においては軍事指導者が国力のために軍事的な戦略・戦術を駆使するが、それと同じことは、平時においては外交官がなす国家の対外問題の処理によって国力のためになされるのである。外交の質とは、国益に最も直接的に関連する国際状況のいろいろな問題に対して、国力のもろもろの要素を最大限有効に結びつけていく技術をいうのである。

外交とは、ちょうど国民の士気が国力の精神的部分であるように、国力の頭脳であるといってかまわないだろう。もし外交のヴィジョンがぼけてしまうなら、もし外交の判断に欠陥があるなら、そしてもし外交の決断力が虚弱であるなら、地理的位置とか、食糧・原料・工業生産物の自給自足能力とか、軍備とか、さらには人口の規模と質、といったあらゆる利点は、結局は国家にとってほとんど意味がなくなるであろう。これらすべての利点を誇ることのできる国家は、それにふさわしい外交を行なえないような場合でさえ、本来もっている財産だけの重みによって一時的な成功は収めるであろう。しかし長期的には、そうした国家は固有の財産を、自己の国際的な目標のために不完全に、ためらいがちに、また無駄に使用することによって、浪費してしまうのである。

結局この種の国家は、次のような国家、すなわちその外交が、国家の自由になる力のあらゆる他の要素をできるだけ利用し、かくしてその優秀な特性を駆使して他の分野の不利を補うような国家には屈服せざるをえない。有能な外交は、国家の潜在力を最大限に活用することによって、他のあらゆる要因を統合するという観点に立ってわれわれが予想する水準以上に、その国家の力を増大させることができる。歴史においてはしばしば、頭脳あるいは精神のないゴリアテは、頭脳と精神の両方を兼ね備えていたダヴィデによって打ち殺された。質の優れた外交は、対外政策の目的・手段と、国力のために利用できる資源とを調和させるだろう。そうした外交は、国民の隠れた強さの源をつくり、そして、それらを十分かつ確実に政治の現実へと移していくであろう。外交は、国家的な努力を方向づけることによって、今度は、工業力、軍備、国民性、国民の士気などといった幾つかの要因がもっている独自の重要性を増大させることになるだろう。政策の目的および手段が明確に設計される場合、とくに戦時においては、国力がそのすべての潜在力を発揮して最高度に上昇する傾向があるのは、まさにこうした理由によるのである。

戦間期のアメリカは、その対外政策が同国の潜在的な力の最大限を国際問題に向けようとはしなかったために、潜在的には強大国でも世界問題に対しては小さな役割しか果たせなかったという顕著な実例となっている。国際舞台でのアメリカの力についてみる限り、地理、天然資源、工業力、人口の規模および質、といった利点は、全く存在しなかったといってもよい。というのは、アメリカの外交は、あたかもそれらの利点が全然存在していなかったかのごとく推移していったからである。

アメリカの外交が第二次世界大戦終結以来経験してきた変容は、同外交が、国力の潜在力を実際の政治に生かそうとする意志と能力をもっているのかどうか、また、どの程度そうであるのか、という質問に明確な解答を与えてきたようである。だが、この時期の初めのころロンドンの『エコノミスト』誌は、「帝国主義か無関心か」という意味ありげな題名の論文のなかで、この解答に疑念を表明している。同誌は、アメリカを世界最強国にした諸要因――これらの要因によってだけでも、アメリカは最強国になるのだが——を列挙したあとで次のようにつづけたのである。

「しかし、それらの要因は、国力の重要な構成部分であることは確かだが、大国を形成すると思われるもののすべてではない。国家政策を支援するための経済的資源を利用しようとする意志と能力も存在しなければならない。ソ連の支配層は、……少なくともこれから一世代のうちには、彼らの手にアメリカ人とほぼ同じ好カードをもつようには思われない。しかし、集中された権力と鉄のような検閲の体制の本質によってソ連の指導層は強気のゲームを行なうことができる。アメリカ人の手にはすべての切札が握られているが、それらのどれもがつねに使われるだろうか。また、どのような目的のために使われるであろうか[19]。」

一八九〇年から一九一四年に至る時期のフランスは、他の点では救いようのないほど他国に劣っていながら、主としてその輝かしい外交によって力の頂点に復帰した国の典型的な例である。フランスは、同国が一八七〇年にドイツに敗北してからは二級国になりさがった。そしてビスマルクの政治的手腕は、フランスを孤立させて同国を二級国の地位に引きとどめた。一八九〇年のビスマルクの免職とともに、ドイツの対外政策はロシアから離れ、さらに同政策はイギリスのドイツへの疑惑をやわらげようともしなかった。フランス外交は、このようなドイツの対外政策の失敗を十分利用した。一八九四年フランスは、一八九一年のロシアとの政治的諒解のうえに軍事同盟を結んだ。また、フランスは、一九〇四年と一九一二年には、イギリスとの非公式な協定に入った。一九一四年の概況をみると、フランスは強力な連合国から支援を受け、ドイツは一方の国(イタリア)を失い、他方の弱い国々(オーストリア・ハンガリー、ブルガリア、トルコ)を背負っていたが、そうした状況は、主として、駐イタリア大使のカミーユ・バレール、駐ドイツ大使のジュール・カンボン、駐イギリス大使のポール・カンボン、駐ロシア大使のモーリス・パレオローグといった、輝かしいフランス外交官たちの成果であったのである。

戦間期において、ルーマニアが国際問題で自国の実際の資源を大きく上まわる役割を果たすことができたのは、主としてティトゥレスク外相というひとりの人物の個性に拠っていたからである。同様に、ベルギーのように小規模で、また国際的に不安定な位置にある国が、一九世紀をつうじて大きな力を発揮できたのは、鋭敏かつ活動的な二人の国王、レオポルド一世とレオポルド二世のおかげであった。一七世紀のスペインの外交と一九世紀のトルコの外交は、他の分野での国力の衰退を当分は補うことができた。イギリスの力の浮沈は、同国の外交の質の変化と密接に関連している。ウルジー枢機卿、カスルレー、そしてカニングは、イギリス外交とイギリスの力の頂点を象徴しているが、ノース卿、ネヴィル・チェンバレンは、イギリスの外交とイギリスの力の衰退を象徴するものである。リシュリュー、マザラン、タレーランなどの政治的手腕がなかったならば、フランスの力はどうなっていただろうか。ビスマルクのいないドイツの力はいったいどのようなものだったろうか。カヴールのいないイタリアの力はどんなものだったであろうか。また若いアメリカ共和国は、フランクリン、ジェファーソン、マディソン、ジェー、アダムズ親子、幾人もの大使や国務長官に負うところがなかったであろうか。

諸国家は、自己の力を構成するいろいろな要因の触媒役としての外交の質に頼らなければならない。いいかえるなら、これらいろいろな要因は、外交によって国際問題に関連づけられるがゆえに国力といわれるのである。したがって、良質の外交活動が変化なく継続するということが最も重要である。さらに、外交活動の不変の質は、傑出した個人が突然にでてくるということによってよりも、むしろその国の伝統と制度に依拠することによって最もよく確保されるのである。イギリスが、ヘンリー八世から第一次世界大戦にかけてその力を比較的一定して継続させることができたのは、その伝統に負っている。イギリスの国王や大臣の気紛れや欠点がどのようなものであったにしろ、その支配階級の伝統と、また最近ではその専門的対外活動が、幾つかの著しい例外はあるにしても、イギリスにもたらされた国力の必要条件を巨大な現実の力につくりあげることができたのである。スタンレー・ボールドウィンやネヴィル・チェンバレンの外交が要因で、イギリスの力がこの数世紀のうちで最低の状態に陥ったときに、外務省の職業外交官たちが同国の対外政策の運営にほとんど影響を及ぼしていなかったということ、そして、対外政策に大きな責任をもつボールドウィンとチェンバレンの二人が、家族の伝統からいえば実業家であり、さらには長い間イギリスを支配してきた貴族階級制のなかでは新参者であったということは、何ら偶然ではないのである。支配階級の一族の子孫であるウィンストン・チャーチルがでてきたことによって、貴族階級の伝統が再びイギリスの国力に向けられた。今日のイギリスの対外活動の制度的な優秀さは、同国が全世界に及ぶその義務を、目減りしている国力の資源と調和させる、その技術のなかに示されている。

他方、ドイツの力は、ビスマルクおよびヒトラーという二人の悪魔のような天才に負っていた。ドイツ対外政策の理性的な運営を不朽のものにしたかもしれない伝統や制度は、ビスマルクの個性と政策によってその発展を阻止された。そのために、彼が一八九〇年に政界から身を引いたことは、ドイツ外交の質における深刻かつ永続的な没落の前兆となった。それに続くドイツの国際的地位の悪化は、第一次世界大戦で同国が直面した軍事的苦境で最高潮に達した。ヒトラーの場合、ドイツ外交の強さと弱さは、指導者自身の胸のうちにあった。ドイツ外交が一九三三年から四〇年にかけて得た勝利は、一個人の精神の勝利であり、したがって、その精神の堕落が、ナチス体制の最後の数年間を特徴づけたあの大きな不幸の直接の原因となったのである。第二次世界大戦の最後の数カ月——そのときの軍事的抵抗は、何十万という生命と都市の破壊という形で支払われた無益な行動になってしまっていたが——におけるドイツの国家的な自殺と、戦争の最終段階でのヒトラーの自殺、いいかえると、ドイツの国力およびその指導者の自滅は両方ともひとりの人間の仕業であった。健全な政治システムというものは伝統と制度的な安全装置によって外交の質に継続性をもたせようとするものであり、だからこそ狂人の底知れぬほど深い大失敗のみならず天才の劇的な成功をも抑制しようとするのであるが、ヒトラーという人物は、この伝統と制度的な安全装置によっても拘束されはしなかったのである。

対外事象を処理する能力の質の継続性についてみる限り、アメリカ外交の質は、イギリス外交の継続的な高い質と、ドイツ対外政策の伝統的な低い質——それはつかの間の勝利によってとぎれてはいるが——との中間に位置する。西半球におけるアメリカ外交は、その自由にできる物的・人的資源の絶対的な優位によって、同国の対外政策の質がどのようなものかに関係なく、多少とも成果を得ることができた。同様のことが、ある程度、アメリカと世界の他の地域との関係についてもいえる。アメリカの物質的優位のあらわれである「大きな棍棒《ビッグ・スティック》」は、アメリカ外交が、やさしい声であるいはやかましい声で、はっきりした言葉であるいは混乱した言葉で、そして、明確に考慮された目的をもってあるいはもたないで語るかどうかに関係なく、それ自体が大きくものをいった。アメリカ外交が最初の数十年間に得た栄光のあとには、愚かではないにしても長い平凡な時期――この時期は、ウッドロー・ウィルソン、フランクリン・ルーズヴェルト、およびハリー・トルーマンの三代にわたる短期間の偉業の時代によって中断しているが――が続いた。このように、アメリカ外交は、イギリスが備えているような優秀な制度を欠いてはいたものの、貧弱な政治的手腕でさえほとんど浪費し切れなかったほどの物的条件という恩恵をもっていた。さらにアメリカ外交は、ワシントンの告別演説やとりわけモンロー・ドクトリンに公式化されたような国家的伝統に頼ることができた。このような伝統を模範とすることによって、貧弱な外交も破局的な大失敗をせずにすみ、また、平凡な外交であっても実際以上によくみえたのである。

政府の質

豊富な物的・人的資源を利用して最良に構想され上手に遂行される対外政策でも、もしその政策が同じく良質の政府に頼るということができなければ、それは失敗に終わってしまうはずである。国力の構成要因のなかで独自の必要条件としてみられている良質の政府とは、[20]次の三つの条件を備えていることを意味している。すなわち、一方の、国力を形成する物的・人的資源と、他方の、追求されるべき対外政策とがバランスを保っていること、これら物的・人的資源の間でバランスを保っていること、さらには、追求されるべき対外政策に対して民衆の支持があるということである。

資源と政策とのバランスの問題

そこで、良質の政府というのは、二つの異なった知的操作を遂行することによって動きはじめる。まず第一に、良質の政府は対外政策の目的および方法を選択する場合、それらを最大限首尾よく支えるために利用できる力を考えていかなければならない。国家の視野をきわめて低次元におき、みずからの力の及ぶ範囲内で小さく対外政策を設定する国家は、諸国家からなる会議で果たすべき正しい役割を放棄することになる。アメリカは、戦間期にこの過ちを犯した。ある国家はまた、その視野をあまりにも高次元におきすぎて、利用できる力をもってしてもうまく実行されえないような政策を追求するかもしれない。これは、アメリカが一九一九年の平和交渉において犯した過ちであった。ロイド＝ジョージは、そのことを次のように述べた。「アメリカ人は十戒の唯一の保護者としての任務と山上の垂訓に対する責任を引き受けるかのようであった。しかし、それが援助と責任という具体的な問題となったとき、彼らはそれを受け入れることを完全に拒否したのである」。ある国家は、ポーランドが戦間期にそうであったように、大国の役割を果たすための必要条件がないのにもかかわらずその役割を果たそうとするかもしれないし、また災難を引き起こすかもしれない。あるいは、ある国家が大国である場合、その国家は無理な努力をして際限のない征服政策に乗りだすかもしれない。アレキサンダーからヒトラーに至るまで、成功をみることのなかった世界征服者は、この点を物語っている。

このように、利用できる国力が対外政策の範囲を決定する。この法則には唯一の例外があるが、それは国家の生存そのものが危機に瀕しているときである。この場合、国家生存のための政策は国力の合理的考察を無視してしまう。また非常事態のゆえに政策と力の要件との正常な関係が逆転して政策が優先してしまう。さらにある国家は、生存という利益に他のすべての利益を従属させなければならず、また、合理的には予想すべくもないような国家的な努力をしなければならなくなる。これは、イギリスが一九四〇―四一年の秋から冬にかけて経験したことである。

いろいろな資源の間でのバランスの問題

政府は、いったんその対外政策を自己の利用できる力と均衡させたならば、今度は国力のさまざまな要素を相互に均衡させる必要がある。国家は、自国が天然資源に非常に富んでいるからとか、きわめて膨大な人口をかかえているからとか、あるいは巨大な工業・軍事体制を確立しているからといって、必ずしも最大限の国力を得ているということにはならない。国家がみずから最大限の成功の可能性をもってある一定の対外政策を追求できるような、質量ともに十分な力の諸資源を正しく配分し意のままにもつ――しかも正しく配合する――とき、その国家は最大限の国力をもつことになる。イギリスは、その力の絶頂に立っていたとき、実は天然資源、人口の規模、地上兵力などといった国力の多くの要素においては不十分であった。しかし、国力の一要素を構成する海軍がイギリスの海外膨張政策のための完全な手段となったことが、また同時に、その海軍がイギリスの生存にとって絶対に必要な原料と食糧を他国に妨害されずに確実に海外から輸入できるようにしたことが、同国を無類の優越的地位にまで押しあげたのだった。こうした政策、有用な天然資源、さらに地理的位置の観点からすれば、イギリスにとって大規模な人口や常備軍の存在は、財産というよりはむしろ不利な条件となったことであろう。他方、イギリスは、同国が中世の大半をつうじて行なってきたように、もし大陸膨張政策を追求しつづけたならば、大規模な人口も常備軍もともに必要となったであろう。

大規模な人口は、もしそれが有用な資源によって適切に裏打ちされていないなら、インドの例がわれわれに示しているように、(21)強さよりもむしろ弱さの原因となる。全体主義的なやり方によって巨大な工業・軍事体制を早急に確立することは、国力のある要素を生みだしはするものの、その確立の過程そのものにおいて国民の士気や国民の身体的活力といった他の要素をだめにしてしまう。東ヨーロッパのソ連の衛星国にみられる展開が、その好例である。軍事編成が過度に大きすぎて有用な工業力によって支えられず、そのため、急激なインフレーション、経済的危機、士気の衰退という犠牲によってのみ維持されるような軍事編成を計画することは、力のためというよりもむしろ国家を弱くするための計画ということになる。国家の生存そのものが危機に陥っているときのような国家非常事態では、たとえばアメリカ政府は、国民に対してバターではなく大砲を与えることができるし、また与えなければならない。もし政府がこうした非常事態に対して備えがなければ、民間消費のための経済産出物を公正な割合で配分することによって、軍の要求と民間の要求との間でバランスをとらなければならない。中国や朝鮮といった他の政府は、民間の福祉にこのような考慮をする必要がないかもしれない。いいかえれば、国力の建設途上にある政府は、それが統治している国家の特性を無視することはできないのである。ある国家は、他の国家が忍耐強く堂々とやり遂げる困難な仕事に不快を感じるだろうし、またときには、ある国家は、自国の利益と生存をまもるためすすんで犠牲を支払うことによって、世界を驚かし、またわれながら驚くこともあろう。

国民の支持の問題

現代の政府、とくに民主的統制の下にある政府は、前述した二つのタイプのバランスに成功を収めたときでも、その作業の一端を実行したにすぎない。すべての作業のなかでおそらく最も困難ないまひとつのものが、さらにその先にある。政府は、その対外政策に対する自国民の承認と、国力の諸要素——これが政策を裏づける——を動員するためにもくろまれる国内政策への国民の承認とを獲得しなければならないのである。このような作業が困難なのは、ある対外政策に対する民衆の支持が得られる条件が、対外政策を首尾よく追求できる条件と必ずしも同一ではないからである。トックヴィルは、その作業をとくにアメリカに関して次のようにいっている。

「対外政治には、民主政治に固有の美点はほとんど必要ではなく、むしろそれとは逆に、民主政治に欠けている特性をほとんどすべて発動させることが必要である。民主政治は国内資源を増大させるのに有利である。すなわち、それは国内において、安楽な生活を普及させ、公共精神を助長し、社会のすべての階級において遵法精神を強める。だが、これらの利点は、ある国民の他の国民との関係においては間接的な影響力しか及ぼさないのである。民主政治は、巨大な事業を細部にわたって調整したり、当初の計画を堅持したり、また困難な障害を乗り越えてその計画をやり遂げたりすることは、非常にむずかしい。民主政治というものは、いろいろな方策を秘密に行なうことはできないし、また、その結果を辛抱強く待ち受けることもできないのである。………

民主政治が理性よりもむしろ感情に引きずられ、一時的な激情のために、慎重に考えた計画を断念するという傾向は、フランス革命が勃発したときのアメリカにはっきりみいだされた。アメリカ人の利益からすると、ヨーロッパを流血の巷に化そうとしていた闘争――この闘争は、アメリカに損害を及ぼすこともなかったが――に彼らが介入することは不可能であるという点は、今日そうであるように、当時でも誰がみても理解できることであった。しかし、アメリカ国民はその同情心から、熱烈にフランスに味方することを宣言したために、もしワシントンの断固たる性格と測り知れない大きな人望がなかったならば、アメリカはイギリスに宣戦することをやめることはできなかったかもしれない。しかもそのときでさえ、この偉人は、厳格な理性に訴えて、アメリカ国民のお人好しではあるが軽率な情動を抑えることに努力したのである。だがそのために、彼は、自分が求めていた唯一の報酬、つまり、彼に対する国民の親愛の情をほとんどすべて失う結果となった。大部分の国民は彼の政策を非難した。しかし、あとになって彼の政策は、全国民によって認められたのである。[22]」

対外政策の処理を成功させるために必要な考え方というものは、大衆およびその代表者を動かしやすい考え方とときどき真正面から対立するにちがいない。政治家の気持ちのなかのある特定の属性は、必ずしも民衆の気持ちのなかで好ましい反応を引き起こすとは限らないのである。政治家は、多くの他の力のなかのひとつとして考えられている、国益という観点からものを考慮しなければならない。民衆の気持ちは、政治家の考えが優れた特性をもっているのだ、ということに気づかず、たいていの場合、絶対善とか絶対悪とかいった単純な道義主義的かつ法万能主義的な観点からものを判断している。政治家は長期的な見方をとり、ゆっくりと遠まわりして進み、大きな利益を得るために小さな損失を支払わなければならない。すなわち政治家は、曖昧な態度をとったり、妥協したり、よい時機を待ったりすることができなければならない。民衆の気持ちは早急な成果を求める。すなわち、今日の表面的な利益のために明日の本物の利益を犠牲にしようとするのである。

政府は、国家にとって好ましい対外政策と、世論が要求する好ましくない対外政策との間のこのような矛盾に直面するとき、二つの落とし穴を避ける必要がある。まず政府は、みずから世論の祭壇に立って、国にとって好ましい政策とみなすものを犠牲にしたり、リーダーシップを放棄したり、さらには国の永続的な利益を一時的な政治上の利益と取り替えようとしたりする誘惑に耐えなければならない。政府はまた、好ましい対外政策の要件と世論の好みとの間にある避け難いギャップが拡大することも防がなければならない。もし政府が、世論の好みに対して耐えようと思えば耐えられる妥協をせずに、政府が正しいとみなしている対外政策にことごとく固執したり、その政策を頑固なまでに追求して公衆の支持を犠牲にしたりするならば、その政府はこのギャップを拡大することになるだろう。

そうではなくして、政府が、その対外政策と国内政策との両方で成功を収めるには、次のような三つの基本的条件に従う必要がある。まず政府は、好ましい対外政策の要件と世論の好みとの対立は当然のことであるということと、それゆえに、これを回避できないということとを認めなければならないし、また、その対立は国内の反対派に譲歩することによっておそらく狭めることが可能であっても、決して架橋されるものではないということも認識しなければならない。第二に、政府は世論の指導者であって、その奴隷ではないということを自覚する必要がある。すなわち、世論は、植物が植物学者によって発見・分類されるように、世論調査によって発見・分類されるような静態的なものではないということ、つまり、世論は、見聞の広い責任のあるリーダーシップによってつねにつくりだされ、つくり変えられている、動態的かつ変動きわまりない実体であるということ、さらに、政府がリーダーシップを主張する場合、それを主張する政府が扇動家にならないようにすることはその政府の歴史的使命であるということ、などを政府は自覚しなければならない㉓。第三に、政府は、その対外政策において望ましいものと本質的なものとを区別する必要がある。そして、政府は、本質的でないものに関してはすすんで世論と妥協してもよいが、好ましい対外政策の最小限のものと政府がみなすもののためには、政府それ自身の運命を賭けても、妥協せずに戦うべきである。

政府は、その対外政策の要件と、その対外政策を支持するための国内政策の要件とを正確に理解しているかもしれない。しかし、もし政府がこの政策の背後に世論を結集できなければ、政府の労力は無駄になるだろうし、さらに、その国家が誇りうる国力の他のすべての財産が最大限利用される、ということはないだろう。こういったことが真実である、ということについては、アメリカの政策を含めて現代の民主的政府の諸政策が豊富な証拠を提供している。[24]

国内政治と対外政策

しかし、政府がその対外政策の背後に全国的な世論を結集するだけでは十分ではない。政府はまた、その対外政策と国内政策とに対する他国の世論の支持をも得る必要がある。このような要件は、対外政策の性格に最近あらわれた変化を反映している。あとでさらに詳しく述べるように、[25]現代の対外政策は、外交と軍事力という伝統的な武器によってばかりではなく、宣伝という新しい武器によっても遂行されている。なぜなら、国際舞台での権力闘争は今日、軍事的覇権や政治的支配をめぐる闘争だけではなく、ある一定の意味においては人間の心をめぐる闘争でもあるからである。そのため、国家の力は、外交の技術や軍隊の強さにだけではなく、その政治哲学、政治制度、さらに政治政策などが他国に対して魅力をもつかどうかにもかかっている。このことは、とくにアメリカとソ連の場合にあてはまる。両国は、二つの政治的・軍事的超大国としてのみでなく、二つの異なる政治哲学、統治システム、生活様式などの主要な代表者としても互いに競争しているのである。

こうして、この二つの超大国――これほどではないにしろ、このことは他国についてもいえるのだが――が、その国内政策と対外政策において何をするにしろ、また何を達成するにしろしないにしろ、すべてはこれらの代表者としての立場に、したがって彼ら自身の力に直接的な影響を及ぼすのである。たとえば、人種差別政策に乗りだした国家は、地球上の有色民族の心をめぐる闘争で敗北せざるをえなかった。国民の健康、学問、生活水準を劇的な方法で向上させることができた低開発国は、そのことによって世界の他の低開発地域で著しく力を増大させることができた。

したがって、この点においては――他の点については後述するが[26]――対外政策と国内政策との伝統的なちがいは弱まる傾向にある。国家が何かをするにしろしないにしろ、すべてはその政治哲学、統治システム、生活様式の反映として、国家に有利であるのか不利であるのかという形で考えられるがために、純粋な国内問題はもはや存在しない、といってもほぼかまわないであろう。他国家にとってその欲望という見地からわかりやすいある国の国内業績は、必ずその国家の力を増大させる。また、同じく他国にわかりやすい、ある国の国内の失敗は、その国の力を減少させるはずである。

第一〇章　国力の評価

国力を評価する仕事

以上検討してきた国力の諸要因が自国および他国の力とどう関係しているかを正確に評価することは、一国の対外政策の責任者たちと、国際問題に関する世論の形成者たちの仕事である。また、この仕事は現在のためにも将来のためにも行なわれなければならない。陸海空三軍の統合という事態が、アメリカの軍事編成の質にどのような影響を及ぼすであろうか。核エネルギーの使用が、アメリカおよび他の国々の工業力にどのような影響を及ぼすだろうか。毛沢東の死後中国は、その工業力、軍事力、および国民の士気をいかに発展させるであろうか。中国の敵意やパキスタンの敵意が、インドの国民の士気にいかに影響を及ぼしたであろうか。ドイツ軍の再建は、ドイツの国力にとってどのような意味をもつだろうか。再教育は、ドイツの国民性や日本の国民性を変えたであろうか。アルゼンチンの国民性は、ペロン体制の政治の哲学・方法・目標にどのように反応したであろうか。ロシアの勢力圏がエルベ川にまでのびたことは、ソ連の地理的位置にどのように影響しているだろうか。アメリカ国務省の人事にみられるあれこれの再編や変更は、アメリカ外交の質を強化するだろうか、あるいは弱めるだろうか。以上のような設問は、もしある国の対外政策が成功を収めなければならないとするならば、正確に答えられなければならないものの一部である。

だが以上のような設問は、それらがあるひとつの特定要因の変化に関するものである限り、最も答えにくいというほどのものではない。ひとつの要因の変化が他の要因に及ぼす影響という別の問題もでてくる。その場合、むずかしさが増し、落とし穴も増える。たとえば、現代の戦争技術を導入することは、アメリカの地理的位置にとってどうであろうか。いいかえれば、誘導兵器や超音速機は、他の大陸からアメリカが地理的に孤立しているということにどう影響するだろうか。アメリカは、同国が海外からの攻撃に対して伝統的に誇ってきた不可侵性をどの程度喪失し、またどの程度維持するだろうか。同様な技術的発達は、ロシア領土の地理的位置という観点からみて、どんな意味があるだろうか。その技術的発達は、広大なロシア平原の防衛的機能をどの程度喪失させたであろうか。これと関連して、イギリス海峡は、イギリス史はじまって以来、同国をどのように擁護してきただろうか。ブラジル、中国、インドの工業化は、それらの国々の軍事力にとってどのような意味があるか。アメリカの陸海空軍の相対的重要性は、戦争技術の変化という観点からみて、どうだろうか。今後二〇年間に予想されるアメリカの人口増加率や、ラテン・アメリカ、インド、中国、ソ連などがアメリカより急速に人口増加しているといったことが、それぞれの国々の工業力や軍事力にとってどのような前兆となるだろうか。工業生産の変動は、アメリカ、ソ連、ドイツ、イギリス、フランスなどのそれぞれの国民の士気にどのような影響を及ぼすだろうか。イギリスの国民性は、同国の工業力、経済機構、軍事力、地理的孤立性などが受けている基本的変化の衝撃の下で、その伝統的な質を維持するであろうか。

しかし、国力の分析者の仕事は以上ですむものではない。彼は、さらに一段とむずかしいもうひとつの設問群になお答えようと努力しなければならない。それらの設問とは、ある国家における力の要因と、別の国家における同一ないし別の力の要因との比較に関するものである。いいかえれば、これらの設問は、いろいろな国の力を構成する個々の要素における変化が、これら国家間の全体的な権力関係にとってどのような相対的な重みをもつかということに関するものである。たとえば仮にある特定の時期、例を挙げれば一九七二年の米ソの相対的な力を考えてみると、米ソそれぞれの力の各種要因がどのように合計されるのか、そしてそれらの要因が米ソのどちら側にまたどの点で力の優位をもたらすのか、という設問がでてくる。質量ともに優れたアメリカの工業力は、予想される陸上部隊の劣勢をどの程度まで補うことができるだろうか。空爆に対して大きな脆弱性をもち、さらには、コミュニケーションが非常に便利な、高度に集中化されたアメリカの工業・人口中心地域と、地理的位置や特徴が一部秘密であり、しかも輸送上に大きな障害をもっているソ連の、相互に分散している中心地域とでは、それぞれの強みと弱みはいったいどういうものになるであろうか。ソ連は、西ヨーロッパが東側からのイデオロギー的浸透や軍事的浸透にさらされていることによって、どのような力を得るのだろうか。ソ連は、太平洋からの空海の攻撃にさらされていることで、どのような弱みをもっているだろうか。それぞれの権力地位という観点からみて、ソ連の対外政策に貢献する集団がアメリカで活動していることや、ソ連の世論が強制的な同質性をもつといったことは、どんな意味があるだろうか。民主主義的政府形態と非全体主義的経済体制がアメリカの国力に与える影響は、ソ連の全体主義的な政治・経済組織と比較してどうであろうか。

以上のような設問やそれに類した設問は、国際舞台で実際上の役割を果たしているあらゆる国々に関してなされかつ答えられなくてはならない。いろいろな要因が国力に及ぼす相対的な影響は、国際政治の分野で互いに競争しているあらゆる国々に関して測定される必要がある。こうしてわれわれは、フランスはイタリアより強いかどうか、また、どの点について強いのか、を知るべきである。インドや中国のいろいろな力の要因につ いての利点と弱点は、ソ連とはどういう関係があるのか、また日本の力の要因の利点と弱点はアメリカとどう関連するのか、さらにアルゼンチンの力の要因の利点と弱点はチリとどういう関係にあるのか、などをわれわれは知らなければならないのである。

力を計算するという仕事は、まだ完了してはいない。数カ国の間でみられる力の配分について少なくともおおよその実像を得るためには、歴史のある特定時期に存在していると思われる権力関係が将来へと投影されなければならないのである。これをなし遂げるには、「一九七八年に米ソ間の権力関係はどうか、また、一九八〇年にはその権力関係はどのようになりそうか」と自問するだけでは十分ではない。なぜならば、米ソ間の権力関係に基づいたり関連したりする国際問題についての諸決定は、ただ一九七八年および一九八〇年においてだけではなく、毎日行なわれなければならないからである。また、国力を構成する諸要因が日々変化すること——はじめはそれがいかに小さくかつ知覚できないほどのものであろうとも——によって、自国側が少しばかりの強さをつけ加えたり、他国側がわずかながらも力を奪われるという事態が起こるのである。

国力のピラミッドは、地理という比較的安定した基盤の上に、不安定度のいろいろな段階を経て、国民の士気という変化しやすい要素において頂点に達する。地理を除いて、これまで述べてきた要因はすべてつねに変化し、相互に影響し合い、さらに自然と人間との予測できない干渉によって影響を受けている。これらの要因はまとまって国力の流れを形成する。この流れは、イギリスにおけるようにゆっくりと上昇し、しかも何世紀間にもわたって高い次元で流れていたり、ドイツの場合のように急速に上昇し、その頂上から急激に落ちたりする。あるいはこの流れは、アメリカやソ連におけるように、急速に上昇し、将来どのようになるか明確でない状態にある場合もある。その流れの進路や、その流れをつくっているいろいろな小さな流れの進路を図表にすること、およびそれらの方向や速度の変化を予想することは、国際政治の観察者にとってはひっきょう夢にすぎない仕事である。

このような仕事は、理想的なものなのであり、実際には達成できない仕事である。たとえある国の対外政策の責任者たちが優れた知恵と確かな判断力をもっていようとも、また、最も完璧かつ信頼できる情報源を利用できようとも、彼らの計算を役に立たなくする未知の諸要因というものがあるのである。その責任者たちは、国民の士気のような計算できないものはもちろんのこと、飢きんや流行病のような自然災害、戦争や革命のような人為的災害、発明・発見、学問・軍事・政治の指導者の出現と消滅、このような

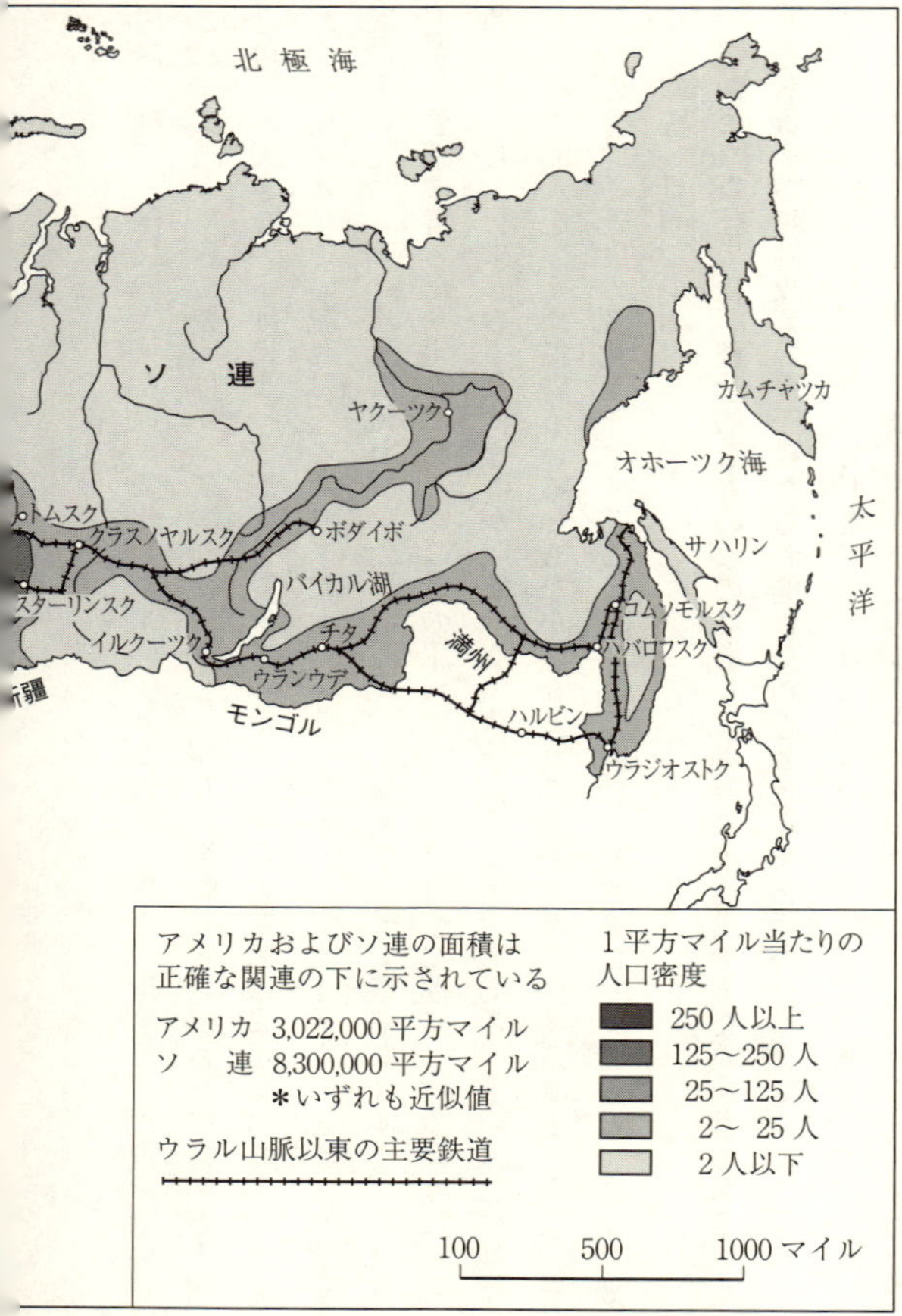
北極海
ソ連
ヤクーツク
カムチャツカ
オホーツク海
太平洋
トムスク
クラスノヤルスク
ボダイボ
サハリン
バイカル湖
スターリンスク
コムソモルスク
イルクーツク
チタ
満州
ハバロフスク
ウランウデ
モンゴル
ハルビン
ウラジオストク
アメリカおよびソ連の面積は
正確な関連の下に示されている
アメリカ 3,022,000 平方マイル
ソ 連 8,300,000 平方マイル
＊いずれも近似値
ウラル山脈以東の主要鉄道
1平方マイル当たりの
人口密度
250 人以上
125～250 人
25～125 人
2～ 25 人
2 人以下
100
500
1000 マイル

アメリカおよびソ連の人口密度

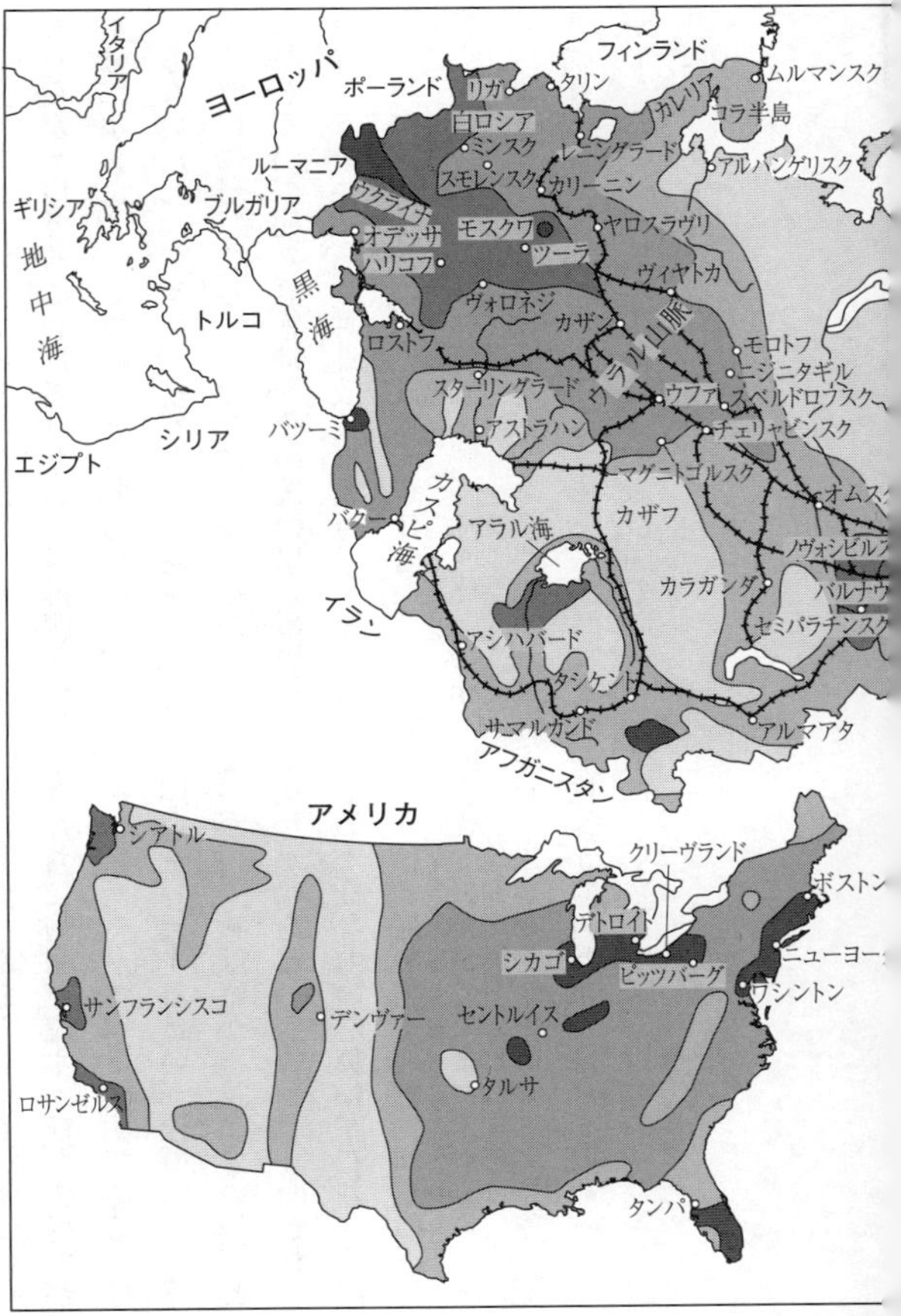

ヨーロッパ
イタリア
ポーランド
リガ
タリン
フィンランド
ムルマンスク
カレリア
コラ半島
白ロシア
ミンスク
レニングラード
アルハンゲリスク
ルーマニア
スモレンスク
カリーニン
ギリシア
ブルガリア
ウクライナ
オデッサ
モスクワ
ヤロスラヴリ
ハリコフ
ツーラ
地中海
黒海
ヴィヤトカ
トルコ
ヴォロネジ
カザン
ウラル山脈
ロストフ
モロトフ
ニジニタギル
スターリングラード
ウファ
スベルドロフスク
バツーミ
アストラハン
チェリャビンスク
シリア
エジプト
マグニトゴルスク
カスピ海
カザフ
オムス
バクー
アラル海
ノヴォシビルス
カラガンダ
バルナウ
イラン
セミパラチンスク
アシハバード
タシケント
サマルカンド
アルマアタ
アフガニスタン
アメリカ
シアトル
クリーヴランド
ボスト
デトロイト
ニューヨー
シカゴ
ピッツバーグ
ワシントン
サンフランシスコ
デンヴァー
セントルイス
タルサ
ロサンゼルス
タンパ

指導者の思想と行動、などを予知することはできない。つまり、最も賢明かつ最も優れた知識をもつ人びとでさえ、歴史と自然とのあらゆる偶発事件につねに出会わずにすますことはできないのである。しかし、知性と情報が仮に完全であるとしても、実際にはこれらが有用であるわけではない。対外問題の決定者たちに情報を流す人びとすべてが、十分に事実につうじているとは限らないし、また、決定者たちがすべて賢明であるわけでもない。したがって、現在および将来の相対的な国力を評価するという仕事は、一連の直感に帰着してしまうことになる。そのうちの幾つかの直感は確かに誤っていることはわかるが、他の直感は、その後の出来事によって正しかったということが証明されるかもしれない。ある対外政策の成否は、その政策がそのような力の計算に左右される限り、特定国の特定の対外政策の責任者たちによる、さらには他の国々の対外問題の遂行者たちによる、正しい直感と誤った直感との相対的重要度によって決まってくるのである。ある国家が権力関係を評価するさいに犯す誤りは、ときどき、もう一方の国家が犯す誤りによって償われることがある。そこで、ある国家が対外政策で成功を収めることができるのは、権力関係に対する自国の計算の正確さよりも、他国の犯すより大きな誤りに負うかもしれないのである。

評価の典型的な誤り

諸国家が自国の国力と他国の国力とを評価するさいに犯すかもしれないあらゆる誤りのなかで、次の三つの型の誤りがしばしばみられる。しかもこれらの誤りは、そうした評価に固有の知的な落とし穴と実際上の危険とを非常によく説明しているので、幾分詳しい議論をする価値がある。第一の誤りは、ある特定の国の力を絶対的なものとして扱って、力の相対性を無視することである。第二の誤りは、過去に決定的な役割を果たしてきたある要因が永続性をもっているのは当然だとみなし、そのため、力のほとんどの要因が免れることのできない動的な変化を見落としてしまうことである。第三の誤りは、たったひとつの要因だけが決定的に重要であると考え、他のすべての要因を無視してしまうことである。いいかえると、第一の誤りは、ある国の力を他の国の力と関連させないことにあり、第二の誤りは、ある時期における現実の力を、将来のある時期において考えられる力と関連させないことにあり、第三の誤りは、同一の国のある力の要因を他の力の要因と関連させないことにある。

力の絶対性

われわれが、この国は非常に強く、あの国は弱いと述べることによってある国の力に言及する場合、それは比較の仕事をつねに意味しているのである。いいかえると、力という概念は、つねに相対的なものである。アメリカが現在、世界の二つの最強国のうちのひとつであるという場合、われわれが実際にいっていることは、もしアメリカの力を、現在あるがままの他のすべての国々の力と比較するなら、アメリカが、ある国すなわちソ連を除いた他のすべての国々よりも強大であることがわかる、ということである。

国際政治において最も初歩的かつ最も頻繁に犯す誤りのひとつは、力がもっていることの相対性を無視し、それに代わって国家の力をまるで絶対的なものであるかのように扱うことである。戦間期におけるフランスの力についての評価はその好例である。フランスは、第一次世界大戦の終結時には、軍事的観点からみると、世界の最強国であった。フランスは、壊滅的な敗北を受けてその現実の軍事的弱さが明らかとなった一九四〇年の瞬間まで最強国とみなされてきた。一九三九年九月の第二次世界大戦の開始から一九四〇年夏のフランスの敗北までの新聞の見出しは、フランスの軍事的強さについて誤った判断のてんまつを、最も雄弁に語っている。いわゆるまがいの戦争《フォニー・ウォー》の期間、ドイツ軍はフランスが優秀な兵力をもっているためにフランス軍をあえて攻撃することはない、と想定されていた。そしていろいろな機会に、フランスはドイツの戦線を突破するだろうと報告されていた。そうした誤った判断を生んだ根底には、フランスの軍事力は、他の諸国の軍事力に対して相対的ではなくて絶対的なものである、という誤った考え方があったのである。フランスの軍事力はそれ自体をみれば、一九三九年においては、少なくとも一九一九年におけるものと同程度大規模であった。そのため、一九三九年のフランスは、一九一九年と同程度に強国であると思われていたわけである。

こうした評価の致命的な誤りは、他の国々――そのなかでフランスと最も勢力伯仲した競争国のドイツは敗北して武装解除されたが――と比較してのみフランスは一九一九年において世界最強の軍事国であった、という事実を知らなかったことにある。いいかえると、軍事勢力としてのフランスの優位は、フランスの国民性、その地理的位置、天然資源などを見破る方法と同じ方法で確かめることのできるような、フランス国家独自の特質ではなかったのである。反対に、フランスの優位は、ある特定の権力配置が生みだした結果なのである。つまり同国の優位は、軍事勢力としてのフランスが他の国々に対して比較的優位にあるということの産物なのである。フランス軍それ自体の質は実際、一九一九年から三九年にかけては低下していなかった。軍隊、火砲、航空機、参謀の活動などの質量からみる限り、フランスの軍事力は低下してはいなかったのである。そのため、ウィンストン・チャーチル卿のような国際問題についての明敏な専門家でさえも、一九三〇年代後期のフランス軍と一九一九年のそれとを比較して、フランス軍は国際平和の唯一の保証人である、と一九三七年に述べているのである。

チャーチルや彼と同時代のほとんどすべての人は、一九三七年のフランス軍を同年のドイツ軍と比較することをせずに、一九一九年のドイツ軍と比較して名声を得た同年のフランス軍と、一九三七年のフランス軍とを比較したのである。前者のような比較をしてみれば、一九一九年の権力配置が、一九三〇年代後期は逆転した、ということが明らかになったであろう。フランスの軍事編成はなお本質的には、一九一九年におけると同様に強力なものであったが、ドイツの軍隊はいまや、フランスの軍隊よりもはるかにまさっていた。フランスとドイツの相対的な軍事力を比較することによって、フランスの軍事力――それがあたかも絶対的な質であるかのように――にだけもっぱら関心をもつことでは明らかにならなかったことが示されたであろうし、そうすれば、政治的判断や軍事的判断にみられる重大な誤りも避けられたであろう。

歴史のある特定時期にその力の頂点に位置する国家は、あらゆる力は相対的なものであるということを忘れたい誘惑にとくにとりつかれてしまう。こうした国家は、みずから達成した優位は、ばかげた行為をしたり義務を無視したりすることさえなければ失われることのない絶対的な性質のものである、と信じがちである。そのような仮定に基づいた対外政策は、重大な危機に陥る。なぜならこういった対外政策は、その国の優越的な力が、一部は、それ自体の長所の結果として生じたものにすぎないと同時に、一部は、それ自体の長所と比較される他の国々の質の結果なのだ、という事実を無視しているからである。

ナポレオン戦争の終了から第二次世界大戦が開始されるまでイギリスが優勢を維持できたのは、主として、同国が島国であるがゆえに他国の攻撃から保護されていたことと、世界の主要な海上交通路をほぼ独占的に支配していたことによるものであった。いいかえると、この時期のイギリスは、他国に比べればそれらにはない二つの利点をもっていた。イギリスの島国の位置は変化しなかったし、また、イギリスの海軍は依然として世界で最強であった。しかし、他の国々は、イギリスの力を増大させた二つの利点を相当程度無意味にしてしまうような核爆弾や誘導ミサイルといった武器を手にした。イギリスの権力地位にみられるこうした変化は、第二次世界大戦以前の数年間にネヴィル・チエンバレンがつきつけられたあの悲惨なディレンマを明らかにした。チェンバレンは、イギリスの力が相対的なものであることを理解したのである。イギリスが戦争に勝利しても、同国の力の衰退を押しとどめることができないということを彼は知っていた。彼はどうにかして戦争を回避しようと試みたが、その試みがかえって戦争を不可避なものにし、また、彼が恐れていた戦争を宣言せざるをえなくなって、結局はイギリスの力の破壊者となったことは、彼の皮肉な運命というものであった。しかし、第二次世界大戦の終了以来イギリスの対外政策が他の国々の力に対する同国の力の衰退をおおむね自覚していたということは、イギリスの政治的手腕が賢明であることの証拠である。イギリスの政治家たちは、次のような事実に気づいていたのである。すなわち、イギリス海軍はそれ自体をみると、二〇年前と同じように強いかもしれないし、また、イギリス海峡は以前同様に広くて支配されにくいけれども、一方では、他の国々は、イギリスがもっている海軍と海峡という二つの財産から生ずるその効果の多くを奪ってしまうほどに、それぞれの国の力を増大させてきた、という事実である。

力の永続性

国力の評価を失敗させる第二の典型的な誤りは、第一の誤りと関連してはいるが、それとは異なった知的働きから生ずるものである。第二の誤りは、力の相対性ということには十分気づいているかもしれないが、一方で、ある特定の力の要因あるいはある特定の権力関係を選びだし、この力の要因あるいは力関係は変化しないという仮定に立って国力の評価をするのである。

一九四〇年に至るまでは、フランスが世界第一の軍事力をもっているという誤算があったことについては、すでに述べた。このような見解をもった人びとは、第一次世界大戦の終わりに体験したように、フランスの力を、歴史的変化を受けるとは思えないような、同国の永続的な特質として把握したのである。彼らは、一九二〇年代においてフランスの力が優越していたのは他国との比較の結果であること、および一九四〇年の力の特質がどのようなものかを確定しようとするには他国との比較によって分析される必要があるということを忘れていた。反対に、フランスの実際的な弱さが軍事的敗北で明らかになったとき、この弱さが持続するよう期待するような傾向が、フランスやその他の国々で起こってきた。フランスは、あたかも永久に弱くなるはずであるかのように、無視され軽蔑されたのである。

ロシアの力についての評価もフランスと同じようなパターンをとったが、評価の歴史的な順序はフランスの場合とは逆であった。ソ連は、一九一七年から四三年のスターリングラード戦に至るまで、たとえいかなる変化が他の分野でみられようとも、あたかも一九二〇年代初期のソ連の弱さが持続せざるをえないかのようにみなされた。こうしてイギリスの軍事使節団は、ドイツとの戦争が近づくのを予期して、ソ連と軍事同盟を締結するために一九三九年の夏モスクワに派遣されたが、彼らは、一〇年ないし二〇年前なら正しいと認められたかもしれないようなロシアの力に対する見解に立って、その任務を果たそうと考えた。こうした誤算が、同使節団の任務を失敗させた重大な要素であった。他方、スターリングラード戦の勝利の直後には、ソ連の攻撃的な対外政策の衝撃を受けても、ソ連の永続的な無敗性とヨーロッパにおけるソ連優勢の永続性についての信念は独断である、と広く考えられたのである。

ラテン・アメリカ諸国に対するわれわれの態度のなかには、次のような、一見根絶し難い傾向がある。つまりその傾向とは、他の追随を許さない北方巨人国の優位性――これは、西半球の国々がその独立を獲得して以来続いてきた――はほとんどひとつの自然法則である、と考えることである。したがってこの法則は、それが人口動向、工業化、政治的・軍事的発展によって変化したとしても、根本的には不変のものなのである。同様に、何世紀にもわたって世界の政治史は、白色人種の構成員が決定してきており、有色人種は主としてこの歴史の客体でしかなかった。そのため、白色人種の政治的優位はもはや存在しないような状況、すなわち、実際にこれまでの人種間の関係が逆転さえするような状況を、あらゆる人種の構成員が一様に思い浮かべることは困難である。とくに、一見抵抗できそうにない軍事力を誇示することが、慎重な分析によりもむしろ軽率な予言に心を奪われる人びとに対して奇妙な魅力を与えるのである。この軍事力の誇示は、彼らに、歴史がいわば行き詰まってしまったと思い込ませ、また、他の挑戦を許さない大きな力を今日握っているものが明日も明後日もこの力を必ず保持するということを、信じ込ませるのである。こうして、一九四〇年と四一年にドイツの力がその絶頂を誇ったときに、ドイツによるヨーロッパ支配が永久に確立されたということが広く信じられた。一九四三年に、ソ連の潜在的な強さが世界を驚かしたとき、スターリンは、ヨーロッパとアジアの将来の支配者として迎えられた。戦後数年にわたって、アメリカの原子爆弾の独占は、「アメリカの世紀」、つまり絶対的なアメリカの力に基づいた世界支配、という考えを生んだのである。(1)

力の絶対性を信じたり、またある特定の権力配置の永続性を当然のこととみなしたりする、これらすべての傾向の根拠は、一方における、諸国間の権力関係が動的でつねに変化しているという性質と、他方における、明確な解答によって確実性と確信を求めようとする人間の知的渇望との間のきわだった相違にある。われわれは、国際状況の偶発性、曖昧さ、不確実性につきあたると、自己の対外政策を基礎づける力の諸要因を明確に理解しようとする。われわれは、次のようなときのヴィクトリア女王の立場におかれているのである。つまり、女王はパーマストンを免職——パーマストンが国際舞台で予想もできないような行動をしたので女王は怒った——したあとで、新しい首相のジョン・ラッセルに、「他の列強とのいろいろな関係を含む正式の計画」を求めたのであった。われわれが手にする解答は、ジョン・ラッセルが女王に与えたものほどには必ずしも賢明なものではない。「偏向が頻繁に生じないようないかなる原理を立てることも、非常にむずかしい(2)」とラッセル首相は答えたのである。しかも、誤って誘導された世論は、このような偏向を犯したとして政治家をつい非難しがちであり、力の配分と無関係に諸原理に従うことは悪徳であるよりもむしろ美徳である、と考えてしまうのである。

国際政治の観察者が、力を計算するさいに避けることのできない誤りを最小限に抑えるために必要なものは、創造的な構想力である。この構想力は、そのときの支配的な力がきわめて容易に生みだす魅力に惑わされないことであり、歴史の不可避的な動向という迷信から自由になることであり、歴史の動態によって生じる変化の可能性を受け入れることである。この種の創造的な構想力によって、現在の権力関係の内実から将来の発展の芽を発見することとか、現在に関する知識を、将来起こるかもしれないことについての直感と結びつけることとか、さらには、これらの事実、兆候、未知数のすべてを、将来の動向の海図——これは将来実際に起こるであろうこととあまりちがわないのだが——に凝縮してみせること、といったあの最高の知的功績を得ることが可能になるだろう。

単一要因論の誤り

多くの国々が力を評価するさいに犯す第三の誤り――圧倒的な重要性を単一の要因に求め、他のすべての要因を無視すること――は、現代における三つの最も重要な兆候、すなわち地政学、ナショナリズム、軍国主義のなかに最もよく例証されている。

地政学　地政学は、地理という要因が国家の力を、したがって国家の運命を決定するはずの絶対的なものであるとみなす、えせ科学である。地政学の基本的概念は空間である。だが、空間は静的なものであるが、地球の空間で生活している人びとは動的なものである。地政学によると、諸国民は「空間を征服」することによって拡大したり滅亡したりするはずであるということ、および、諸国家の相対的な力は征服された空間の相互関係によって決定されるということは、歴史の法則なのである。地政学のこうした基本的な考え方は、ホールフォード・マキンダー卿が一九〇四年にロンドンのイギリス地理学協会で発表した「歴史の地理的要点」という論文によって、初めて示された。「歴史の大きな流れを大雑把にみてみると、ある一定の地理的関係の連続性が明らかになるのではないか。船では寄りつきにくくても古代では騎馬遊牧民に開放されて、今日鉄道網でおおいつくされようとしているこの広大なヨーロッパ・アジアの地域は、世界政治の中心地帯ではなかろうか」。この地域は、ヴォルガ川から揚子江へ、そしてヒマラヤ山脈から北極海に広がる、世界の「心臓地帯」である。「この中心地帯の外側にある大きな三日月形内部地帯には、ドイツ、オーストリア、トルコ、インド、中国が、また、三日月形外部地帯には、イギリス、南アフリカ、オーストラリア、アメリカ、カナダ、日本が存在する」。「世界島」はヨーロッパ、アジア、アフリカの諸大陸から構成されており、その周囲には世界のより小さな内陸地域が集まっている。世界地政学がみるそうした地理的構造から、「東ヨーロッパを支配するものは心臓地帯を制し、心臓地帯を支配するものは世界島を制し、世界島を支配するものは世界を制する」という結論がでてくるのである。③

マキンダーは、以上のような分析に基づいて、支配的な世界勢力としてロシアが出現すること、あるいは、上述の領土を支配する国は、それがいかなる国であれ、同じく支配的な世界勢力として出現することを予見した。ハウスホーファー将軍のリーダーシップの下で、ナチス体制の力の計算と対外政策とに重大な影響を及ぼしたドイツの地政学者は、もっと特殊な考え方をもっていた。彼らは、ドイツを世界の支配国にするためには、ドイツがソ連と同盟を結ぶかそれともドイツが東ヨーロッパを征服するかのどちらかが必要だ、と想定した。この想定が、地政学的な前提からは直接に推論されえないことは明らかである。ある空間の位置というものは他の空間と関係しているのだから、地政学は、どのような空間が世界の支配者に支配のための場所を提供するよう定められているのか、をわれわれに語るにすぎない。地政学は、どのような特定の国家がそうした支配権を握るのかを教えはしない。こうして、ドイツの地政学派は、世界支配のための地理学上の中心地である「心臓地帯」を征服することはドイツ国民の使命である、ということを熱心に立証しようとしたのであり、地政学の教義を人口圧力の理論と組み合わせたのである。ドイツ人は「空間をもたざる国民」であった。そこで、彼らが生きるためにもつべき「生活空間」として征服の対象にしたのが、東ヨーロッパの人口希薄な平原であった。

　地政学は、マキンダーやフェアグリーヴの書物が示しているように、国力の現実の一面についての有効な映像、つまり、排他的かつそれゆえに歪曲された角度から地理を描いた映像を提示した。地政学は、ハウスホーファーやその弟子たちの手によって、ドイツの国家的熱望に奉仕するイデオロギー的武器として使用される、一種の政治的な机上の空論に変容したのである。[4]

ナショナリズム

地政学とは、もっぱら地理という観点から国力の問題を理解しようとする試みであり、そして、その試みの過程で、えせ科学のむずかしい専門用語で表現された机上の政治的空論に変質していく。ナショナリズムは、もっぱらあるいは少なくとも主として、国民性の観点から国力を説明しようとして、その試みの過程で人種主義という政治的抽象論に変質していく。ちょうど地理的位置が地政学にとって国力のひとつの決定要因であるように、国家におけるメンバーシップはナショナリズムにとっては同じようにひとつの決定要因である。国家におけるメンバーシップは、言語、文化、共通の祖先、人種などによって、さらには、個人がその国家に所属するという決定によって、定められよう。しかしメンバーシップは、それがどのように決められようとも、国民性と呼ばれる一定の特性の共有をその本質としてつねに伴うものである。ある特定国家の構成員はその国民性を共有しており、また、その国民性によって他の国家の構成員と区別される。国民性を維持すること、もっと具体的には、その国民性の創造的な能力を発展させることは、その国民に課された最高の課題なのである。この課題を実現するためには、その国民は、他国民に対して自国民をまもる力を、そして自国民自体の発展を刺激する力を必要とする。いいかえれば、国民は国家を必要とするのである。したがって、「一国民＝一国家」は、ナショナリズムの政治的な根本原理であり、民族国家はその理想型なのである。

しかし、国民は、その維持と発展のためには国家の力を必要とするが、その力を維持・増大させるためには国民共同体が必要となる。とりわけドイツの民族主義的哲学においては——たとえば、フィヒテやヘーゲルの著作においては——国民性あるいは国民精神は、国民共同体の心としてあらわれ、そして、国家の政治機構は国民共同体の身体としてあらわれる。また、この国民共同体は、それが他の国民共同体との関係のなかでその使命を実現するためには、その心と身体の両者を必要とする。国民感情と愛国心の本質である同族の感情とか、共通の文化・伝統への参加とか、さらには、共通の運命をもっているという自覚などは、ナショナリズムによって政治的神秘論へと変えられていくのである。その政治的神秘論においては、国民共同体と国家は超人間的な存在——それは、その個々の構成員から独立し、その構成員に優越し、絶対的忠誠を受ける立場にあり、そして昔の偶像のように、人命と物品とを犠牲に供するに値するような存在である——となるのである。

こうした政治的神秘論がその絶頂に達するのは、国民性に対する人種主義的崇拝においてである。国民はこの場合、生物学的存在、つまり人種と同一視される。この人種は、それが純粋である限り、あらゆる強さと華麗さに包まれた国民性を生みだす。異質の要因が混入したことによって人種の純粋性が希薄化することは、国民の性格を不純にし、したがって国家の力を弱めることになる。そのために、国民の同質性と人種の純粋性とは、国力の本質そのものとしてあらわれるので、人種の純粋性をまもるためには、国民の少数派は吸収されるか放逐されなければならない。結局、自国の国民性は、そのあらゆる特質——勇気、忠誠、規律、勤勉、忍耐、知性、リーダーシップの能力——を入れる容器とみなされるようになる。これらの特質をもつことによって、他国民に対して最高度の力を行使することが正当化され、同時にそのような力の行使も可能になるのである。自国民の質を過大評価すること——それは、すべてのナショナリズムがもつ特徴であるが——は、自己が支配人種であるという考え方となり、国民性に対する偶像崇拝そのものにいきつくことになる。支配人種は、その国民性の至高性によって、世界を支配するよう予定されている。支配人種は、このような至高性によって、全世界的規模の支配を行なう潜在的力をもつことになる。そして、これらの眠っている潜在力を世界帝国の現実へと変えていくことが、政治的手腕および軍事的征服の課題となるのである。

ナショナリズムの知的・政治的いきすぎと、そのナショナリズムの変質から生じた人種主義の知的・政治的逸脱は、地政学のいきすぎの場合よりもずっと大きな規模で、非民族主義的な精神に衝撃と不快感を与えた。地政学のいきすぎは、主としてドイツに限定されたのであり、難解な言葉ですすめられた。他方、ナショナリズムのいきすぎは、世俗的宗教の理論的産物である。この世俗的宗教は、たった数カ国を、皆殺しや奴隷化や世界征服といった聖戦の熱狂に巻き込んできたにすぎないとはいうものの、いたるところで多くの人びとにその傷跡を残してきた。ナショナリズムが国民性を取り上げて、これをその政治の哲学、計画および行動の要《かなめ》として以来、ナショナリズムに対して批判的な観察者は、しばしばその反対の極端にいく傾向があり、国民性の存在を全く否定してしまった。彼らは、ナショナリズムの神話的かつ主観的な本質を示そうとして、ナショナリズムの経験的基盤であるとされている国民性もまた神話にほかならないことを証明しようと一生懸命になったのである。

われわれが容易に同意できることは、ナショナリズムと人種主義への次のような批判に対してである。すなわち「血」――つまり、ある集団の構成員に共通する生物学的な特徴――によって国民性が不可避的に決定されるという所説は、実際には何の根拠もない政治的なつくり話である、ということである。さらに、国民性の絶対的な永続性――これは、純粋な人種の諸特質は不変であるということからでてくる――は政治的神話の領域に属する、ということについてもわれわれは同意できる。一国家としてのアメリカの存在およびその同化力は、以上述べた二つの主張の誤りを確信させる証拠を示すものである。他方、国民性の存在、およびこの国民性と国力との関係を全く否定してしまうことは、経験的事実——これについては、先に二、三の例を示したが——に反することになる。(5)このように国民性の存在、およびこの国民性と国力との関係を否定することは、国民性を民族主義的に神化することが誤りであるのと同じように、ある国家の力を他国との関係で正確に評価するという仕事にとっては好ましくない誤りである、ということになろう。

軍国主義　軍国主義は、地政学やナショナリズムが地理や国民性について犯している誤りと同じタイプの誤りを、軍備について犯している。軍国主義とは、国家の力が、もっぱらではないにしても主として軍事的強さ——それはとくに量的に理解される——にある、という考え方である。世界における最大の陸軍、最大の海軍、そして最大かつ最高速度を誇る空軍が国力を表わす、単一ではないにしろ支配的なシンボルとなるのである。

その軍事的強さの基盤が常備の大規模な陸軍よりむしろ海軍にあるような国々は、自国が軍国主義という特殊な汚名を着せられてきたということを認めずに、ドイツ、フランスあるいはソ連の軍国主義を憎悪の念をもって指摘するのがつねである。これらの国々は、マハンのような著者から影響を受けて、国力にとっての海軍の規模および質の重要性を異常なほどに強調した。アメリカでは、航空機の速度および航行範囲、武器の優秀さのような軍備の技術面を過度に強調する傾向が支配的である。一般のドイツ人は、ドイツ軍隊式歩調で歩く兵士の集団に惑わされてしまった。一般のロシア人は、メーデーに広大な赤の広場を埋めつくしている群集を見て、空間と人口から引きだされるソ連の力の優位を体験する。典型的なイギリス人は、巨大なドレッドノート型軍艦の存在によって、その平衡感覚を失ったものである。多くのアメリカ人は、原子爆弾の「秘密」から生まれる魅惑に負けてしまった。軍備に対するこれらすべての態度が共通してもっている誤った信念は、国家の力にとって価値のあるあらゆるものあるいは少なくとも最大限重要なものは兵士および武器の質量の観点から理解される軍事的要因である、という考えである。⑹

軍国主義の誤りから必然的にでてくることは、国力と物質的力とを同等視することである。セオドア・ルーズヴェルトの有名な言葉でいいかえると、声を大にして語り大きな棍棒《ビッグ・スティック》をもち歩くということは、確かに軍国主義的外交が好んで用いる方法である。だが、この方法を主張する人びとは、ときには、やさしく語りながら大きな棍棒をもち歩くのが賢明である場合もあれば、ときには、この大きな棍棒を必要なときに役立ちうるように本国においておくことさえ賢明であるのだ、ということに気づいていない。軍国主義はそれが軍事的強さにだけもっぱら関心をもつ場合には、無形の力を軽蔑していることになる。強国は、無形の力なしでも他国を威嚇して服従させるかもしれないし、絶対無比の圧倒的な実力で征服するかもしれない。しかし、強国は、征服した国を支配することはできない。なぜなら、強国は、その支配を受け入れてもよいという被征服国の自発的な同意を得ることができないからである。結局、軍国主義の国家は、自己抑制によって調整された国家に屈するにちがいない。この自己抑制の国家は、国力の軍事的な使用をほとんど行なわないということのなかに国力の有効性を求めることができるのである。スパルタ、ドイツ、日本の軍国主義の失敗は、ローマやイギリスによる帝国建設の政策が勝利したのに比べると、いわゆる軍国主義のあの知的誤りの悲惨かつ実践的な結末を物語っている。

こうして、軍国主義の誤りは、国力の構造や外形に新しい輪郭をもたらすことになる。軍国主義は、最大限の物質的力が必ずしも最大限の総合的国力を意味するものではない、という逆説を理解することができないのであり、ここに軍国主義の誤りの本質がある。かき集めることのできる最大限の物質的力を国際政治の秤に乗せる国は、その力に追いつき追い抜こうとするあらゆる競争国の最大限の努力に対決する、ということになる。また、その国は友好国をもたず、ただ属国と敵国しかもたないことを知るだろう。一五世紀に近代国際システムが出現して以来いかなる国家も、全くの物質的力だけで世界の他の諸国に対して長期間自国の意思を押しつけるということには成功していない。軍国主義のやり方を試みた国家はどれも、他の国々の結束した抵抗——これは軍国主義国の卓越した物質的力への恐怖によって生みだされた——に耐えるほどには、決して強力ではなかったのである。

近代においては、ただ一国だけが優勢的地位を継続的に維持することができた。その国は、優越した潜在力、この優越した力に対する他国の評価、そして、この優越した力をあまり使用しないこと、という諸条件のまれにみる結合のおかげを受けたのである。こうして、イギリスは一方において、その自己抑制によって強力な同盟国を獲得し、したがって現実に優越国になったがために、その優位に対する重大なあらゆる挑戦を克服することができたのである。他方、イギリスの優位が他国の生存を脅かすということはなかったので、イギリスは自国に挑戦しようとする他国の動機を最小限に抑えることができた。イギリスが絶頂の強国になりかかったときに、イギリスは同国最大の政治思想家の次のような警告——一七九三年に最初に述べられたときと同様に、今日でも時宜を得た警告であるが——に注意を払ったのである。

「野望に対するいろいろな用心のなかで、われわれ自身の野望に対する用心は誤っていないかもしれない。私は、われわれ自身の力およびわれわれ自身の野望を恐れている、と正しくいわなければならない。つまり私は、われわれがあまりにも恐れられていることを恐れているのである。われわれが人間ではないとか、また、人間として、何とかしてみずからを拡大強化したいなんて決して望んでいないとか述べることはばかげている。この時点においてさえ、われわれは不愉快にも拡大強化している、といえないであろうか。われわれは、すでに世界のほとんどすべての商業をもっている。インドのわが帝国はたいしたものである。もしわれわれが、商業におけるこのあらゆる優位を保持するだけでなく、さらに、いささかの支配もせずにすべての他国の商業をわれわれの快楽に全面的に依存せしめることが絶対に可能であるような状態に立ち至るならば、この驚くべき前代未聞の力をわれわれが濫用するはずはないのだ、といえるかもしれない。しかし、他のどの国も、われわれがその力を濫用する、と思うであろう。遅かれ早かれこのような事態が、われわれに対抗する連合——これがわれわれの没落を導く——を生まないわけにはいかないのである。」(7)

原注

第一部

第一章

（1） *The Writings of George Washington*, edited by John C. Fitzpatrick (Washington: United States Printing Office, 1931-44), Vol. X, p. 363.

（2） Marianne Weber, *Max Weber* (Tuebingen: J. C. B. Mohr, 1926), pp. 347-8.〔大久保和郎訳『マックス・ウェーバー』I、みすず書房、一九六三年、二六三ページ、および大塚久雄・生松敬三訳『宗教社会学論選』みすず書房、一九七二年、五八ページ参考〕。Max Weber, *Gesammelte Aufsätze zur Religionssoziologie* (Tuebingen: J. C. B. Mohr, 1920), p. 252 も参照。

（3） 他の実例については、次の書物で論じられているものを参照。Hans J. Morgenthau, "Another 'Great Debate': The National Interest of the United States," *The American Political Science Review*, Vol. XLVI (December 1952), pp. 979 ff. また以下のものもみよ。Hans J. Morgenthau, *Politics in the 20th Century*, Vol. I, *The Decline of Democratic Politics* (Chicago: University of Chicago Press, 1962), pp. 79 ff. および abridged edition (Chicago: University of Chicago Press, 1971), pp. 204 ff.

（4） 一〇六ページ以下を参照。

（5） 二三二ページ以下を参照。

第二章

(1) *American Journal of International Law*, Vol. 39(1945), pp. 369–70.

(2) *Proceedings of the Eighth Conference of Teachers of International Law and Related Subjects*(Washington: Carnegie Endowment for International Peace, 1946), p. 66.

(3) "Democracy and Responsible Government," *The Challenge of Facts and Other Essays*(New Haven: Yale University Press, 1914), pp. 245–6.

(4) *The Essays of Michel de Montaigne*, edited and translated by Jacob Zeitlin (New York: Alfred A. Knopf, 1936), Vol. III, p. 270. 傍点はモンテーニュ。〔関根秀雄訳『モンテーニュ随想録』第三巻、白水社、一九六〇年、四一一ページ参考〕。

(5) 国際事象における予言の不正確さは、来たるべき次の戦争の本性を予見しようとして犯した、専門家たちの気紛れな誤りからも明らかである。マキアヴェリからJ・F・C・フラー将軍に至るまでのこれら予見の歴史は、それ自体もっともらしい論理的推論の歴史であり、しかもそれは、実際の歴史的発展のなかにみられる偶発的事象とは何の関係もないものであった。たとえば一九二三年にフラー将軍は、第二次世界大戦の決定的な武器はガスであろう！と予見したのである。*The Reformation of War*(New York: E. P. Dutton and Company, 1923)を参照。

(6) Victor Zarnowitz, *An Appraisal of Short-Term Economic Forecasts* (New York: National Bureau of Economic Research, 1967).

(7) この帰結は、一九〇四年一二月六日にルーズヴェルトが議会に提出した教書のなかにみられる。その教書において彼は、アメリカがラテン・アメリカ諸国の国内問題に介入する権利をもっていることを宣言した。原文については、Ruhl J. Bartlett, editor, *The Record of American Diplomacy: Documents and Readings in the History of American Foreign Relations*, 4th ed. (New York: Alfred A. Knopf, 1964), p. 539.〔アメリカ学会編訳『原典アメリカ史』第五巻――現代アメリカの形成・下、岩波書店、一九五七年、二二一―三ページ〕を参照。

第二部

第三章

（1）政治権力の概念は、政治学がかかえている、最もむずかしくて論議の多い問題のひとつである。政治学で使われるいかなる概念も、その価値は、政治活動の領域に属すると従来みなされている現象を最大限に説明できるかどうかによって決定される。したがって国際政治の理解に有効な政治権力の概念の範囲は、国内政治という政治分野で用いられる場合より広いものでなければならない。国内政治で使われる政治手段は、国際政治で使われるものに比べてはるかに狭く限定されているからである。

（2）力と国際政治の関係についての幾つかの重要な論評に関しては、Lionel Robbins, *The Economic Causes of War* (London: Jonathan Cape, 1939), pp. 63ff. を参照。

（3）第六章を参照。

(4)　Gunnar Westin, *Negotiations about Church Unity, 1628–1634*(Uppsala: Almqvist and Wiksells, 1932), p. 208. なお本書のつづり字は現代化されている。

(5)　本文にある諸例においても、ロビイストの場合のような、単なる社会的事実としての政治権力と、たとえばアメリカ大統領のような、正統性をもつ権威という意味での政治権力との差異が明らかにされている。アメリカ大統領もロビイストも、その源泉と性質にちがいがあるにせよ、政治権力を行使するのである。

(6)　*Emancipate Your Colonies*(London: Robert Heward, 1830).

(7)　「自由貿易！　それは何か。おお、それは、諸国民を隔離する砦を打ちこわすものだ。その背後に高慢と復讐心と憎しみとねたみの感情を巣くわせ、時折、この感情の限界を炸裂させて、すべての国々に血を浴びせかけるあの砦をだ」。「自由貿易は、全能の神の国際法である」。自由貿易と平和とは「同一の信条」のように思われる。*Speeches by Richard Cobden*(London: Macmillan & Company, 1870), Vol. I, p. 79; *Political Writings*(New York: D. Appleton and Company, 1867), Vol. II, p. 110; letter of April 12, 1842, to Henry Ashworth, quoted in John Morley, *Life of Richard Cobden*(Boston: Roberts Brothers, 1881), p. 154を参照。

(8)　「関税を禁止しよう。そうすれば諸国民の同盟が宣言され、その連帯が認識され、その平等が宣明されるだろう」。*Œuvres complètes*(Paris, 1867), Vol. I, p. 248.

(9)　A. C. F. Beales, *A Short History of English Liberalism*, p. 195に引用されている。

(10)　*New York Times*, November 19, 1943, p. 1.

(11) *House of Commons Debates* (Fifth Series, 1946), Vol. 419, p. 1262.

(12) 第八部を参照。

(13) この問題についての啓発的な論議に関しては、Malcolm Sharp, "Aggression: A Study of Values and Law," *Ethics*, Vol. 57, No. 4, Part II (July 1947) を参照。

(14) 動物学者は、支配衝動が、ヒヨコやサルのような動物にすらあることを示そうとしてきた。というのは、これらの動物は支配しようとする意志と能力に基づいて社会階層をつくりだすからである。たとえば、Warder Allee, *Animal Life and Social Growth* (Baltimore: The Williams and Wilkins Company, 1932), および *The Social Life of Animals* (New York: W. W. Norton and Company, Inc., 1938) を参照。

(15) M. Ostrogorsky, *Democracy and the Organization of Political Parties* (New York: The Macmillan Company, 1902), Vol. II, p. 592.

(16) Thucydides, Book V, §105.

(17) Leo Tolstoy, *War and Peace*, Book Eight, Chapter XI.〔原卓也訳『戦争と平和』(新集世界の文学18)、中央公論社、一九六八年、二〇二ページ参考〕。

(18) John of Salisbury, *Policraticus*, translated by John Dickinson (New York: Alfred A. Knopf, 1927), Vol. VII, p. 17.

(19) Merle Curti, *Peace and War: The American Struggle 1636–1936* (New York: W. W. Norton and Company, 1936), p. 122 に引用されている。

(20)　"The Conquest of the United States by Spain," *Essays of William Graham Sumner* (New Haven: Yale University Press, 1940), Vol. II, p. 295.

第四章

(1)　このことは、グーリエルモ・フェレーロが、*The Principles of Power* (New York: G. P. Putnam's Sons, 1942)〔伊手健一訳『権力論』上・下、竹内書店、一九七二年〕で指摘しているように、とりわけ一九世紀にあてはまる。

(2)　ときおり国家は、物理的にそうせざるをえないわけではないのに、力を断念することがある。一九四七年イギリスがインドに対して、またアメリカがラテン・アメリカ諸国に対して何度か行なったことがその例である。このような場合、国家の行動は、一定の状況の下では退却することもある軍司令官の行動に似ている。なぜなら、前線を拡大しすぎたり、通信網が脅かされたり、あるいは自己の兵力を攻撃のために集中させたいと思うときには、彼は退却するからである。同様に国家も、現に保有している権力地位を長期的に保持することが望めないような場合には、そこから後退することもあろう。さもなければ、国家は支配の仕方を別の方向に変えるだろう。たとえば軍事的支配を政治的なそれに、政治的な支配を経済的なそれに変えるだろう。またその逆もある(善隣政策を「大きな棍棒《ビッグ・スティック》」政策にとって替えることはその適例である)。さらにまた、対外政策の目的を変更することによって別の点に努力を傾注することが必要となるかもしれない。いずれにせよ、国家がみずから力を断念するという事実から、その国家が力への関心を失ったのだと解釈することはできない。ちょうどそれは軍司令官の退却が、戦いに勝つ関心が彼にはないのだということを証明するものでないのと同じである。以上のことは国際政治の三つのパターンから逸脱するものではないのである。

(3) 次のことをとくに指摘しておかなくてはならない。すなわち、これら相異なる国際政策のパターンは、政治家や個々の対外政策の支持者の心中にあるその意識的な動機づけと必ずしも一致するわけではない、ということである。政治家や支持者は、自己が追求し支持している政策の実際の性格を知ってすらいないかもしれない。一国が現状維持政策を追求するつもりでいるのに、実際には気づかないまま帝国主義政策に乗りだしている場合にはとりわけそうである。だからこそ、イギリス人は「放心状態」のうちに大英帝国をつくりあげたなどといわれたのである。この点については本文でもふれるが、それはもっぱら、追求されている政策の実際の性格についてであって、それを追求する人の動機についてではない。

(4) Article 73, *New York Times*, January 18, 1947, p. 26 を参照。

(5) Article 20, ibid., p. 32 を参照。

(6) 多数のより古い例については、Coleman Phillipson, *Termination of War and Treaties of Peace* (New York: E. P. Dutton and Company, 1916), pp. 223ff. を参照。

(7) United States *Treaty Series*, No. 671 (Washington, 1923).

(8) *American Journal of International Law*, Vol. 20 (1926), Supplement, p. 22.

(9) *Roosevelt's Foreign Policy, 1933-41. F. D. R's Unedited Speeches and Messages* (New

York: Wilfred Funk, Inc., 1942), p. 4.

第 五 章

(1) この言葉は、たとえば、Parker Thomas Moon, *Imperialism and World Politics*(New York: The Macmillan Company, 1926)におけるように、あらゆる種類の植民地の膨張と同義であるとして頻繁に使われる。このような用法は、それが膨張主義政策そのものの本質についての一般理論を意味しない限り、理論的見地からの異論はない。本章では、われわれは国際的膨張政策の一般的特徴に関心をもっているのであるから、植民地膨張の現象に限定された概念はわれわれの目的にとって明らかに狭すぎる。

(2) この点については、第四章の議論を参照。

(3) 一一八ページ、注(20)の引用文を参照。

(4) 一九〇〇年一月九日の上院での演説で、Ruhl J. Bartlett, *The Record of American Diplomacy*, 4th ed.(New York: Alfred A. Knopf, 1964), p. 385に再録されている。

(5) Charles A. Beard, *The Devil Theory of War*(New York: The Vanguard Press, 1936). また、*The New Republic*, Vol. 86(March 4, 11, 18, 1936)も参照。

(6) *Collected Works* (New York: International Publishers, 1927), Vol. XVIII; *Selected Works* (New York: International Publishers, 1935), Vol. V.

(7) *Imperialism and World Economy*(New York: International Publishers, 1929). 本文で述べ

られた著者のほかに、帝国主義に関するマルクス主義理論の発達にとくに影響を与えた著者のうちでは、ローザ・ルクセンブルクとフリッツ・シュテルンベルクを挙げなくてはならない。Fritz Sternberg, *The Coming Crisis* (New York: The John Day Company, 1946) と比較せよ。

(8) *Imperialism, the Highest Stage of Capitalism* (New York: International Publishers, 1933), p. 72.

(9) *Imperialism* (London: G. Allen & Unwin, 1938).

(10) F. A. Ogg, editor, *A Source Book of Medieval History* (New York: American Book Company, 1907), p. 286.

(11) Joseph Schumpeter, *Business Cycles* (New York and London: McGraw-Hill Book Company, 1939), Vol. I, p. 495, n. 1.

(12) Jacob Viner, "Peace as an Economic Problem," *International Economics* (Glencoe: The Free Press, 1951), p. 255. ニューヨークとニューイングランドの商人の南北戦争に対する反対と、一八七六年九月二六日におけるディズレーリのソールズベリー卿に対する言明、すなわち「あらゆる国家の富裕階級も商人階級もすべて戦争には反対である………」については、Philip S. Foner, *Business and Slavery: the New York Merchants and the Irrepressible Conflict* (Chapel Hill: University of North Carolina Press, 1941) と比べよ。この点で同じく意味があるのは、一九一四年六月三〇日、第一次世界大戦前夜にイギリスの駐ドイツ大使がイギリス外務省に送った報告である。すなわち「私は、資産家階級も労働者階級も、いかなる形の戦争であれこれに真向うから反対しているということを、あらゆる方面から実際に聞いている……」*British Documents on the Origin of the War, 1898-1914* (London: His Majesty's Stationery Office, 1926), Vol. XI, p. 361.

(13) 一〇四ページ以下を参照。Hans J. Morgenthau, *Scientific Man vs. Power Politics* (Chicago: University of Chicago Press, 1946; Phoenix Edition, 1965), pp. 75 ff. も参照。

(14) 一〇六―七ページを参照。

(15) Joseph Schumpeter, *Capitalism, Socialism, and Democracy* (New York and London: Harper and Brothers, 1947), p. 51.

(16) ホッブズは、この限りない力への欲求について、古典的な分析を *Leviathan*, Chapter XI (Everyman's Library), pp. 49 ff. でしている。「そこで、わたくしは第一に、全人類の一般的性向として、つぎからつぎへ力をもとめ、死によってのみ消滅する、永久不断の意慾をあげる。これの原因は、かならずしもつねに、人がすでにえたよりも強度の歓喜をのぞむということではなく、またかれができとう《モデレート》な力に満足できないということでもなくて、かれが現在もっているところの、よく生きるための力と手段を、確保しうるには、それをさらにそれ以上獲得しなければならないからである。そしてここから、つぎのことが生ずる。すなわち、最大の力の所有者たる王は、国内では法により、国外では戦争によって、それを確保すべく努力し、それがなしとげられると、あたらしい意慾がそれにつづくのである。ある王は、あたらしい征服による名声を、他の王は、安楽と肉感的なたのしみを、また他の王は、ある芸術やその他の精神の能力がすぐれていると賞讃されへつらわれることを、欲するのである。」〔水田洋訳『リヴァイアサン』(一)、岩波書店、一九五四年、一六四ページ〕。

(17) 下巻二四一ページ以下を参照。

(18) 九四ページ以下を参照。

(19) *Cambridge Modern History* (New York: The Macmillan Company, 1910), Vol. XII, p. 491.

(20) この項で述べられていることは、イデオロギー的帝国主義という名で伝えられている。「イデオロギー的」という言葉は、とりわけ政治哲学の論争にあらわれる。しかし二つの理由から、その代わりに「文化的」という言葉を使う方が妥当であるように思われる。すなわちひとつは、「文化的」という言葉には、帝国主義的目的の手段として役立つあらゆる種類の知的、政治的、その他の影響力が含まれているからである。もうひとつは、第七章で、特殊社会学的意味で「イデオロギー的」という言葉を使っているからであり、この場合、同じ言葉を一般に知られている意味で用いるならば、混乱を招くだけであろう。

(21) この概念の説明については、第七章を参照。

(22) John H. Kautsky, "Myth, Self-fulfilling Prophecy, and Symbolic Reassurance in the East-West Conflict," *The Journal of Conflict Resolution*, Vol. IX, No. I (March 1965), pp. 1ff. と比べよ。

(23) N. I. Bukharin, *Imperialism and World Economy* (New York: International Publishers, 1929), p. 114.

(24) 一二五ページ以下を参照。

第六章

(1) 九八ページを参照。

(2) 宣伝は威信政策の手段として大いに役立つが、それに関する議論は、中巻三五一ページ以降〔第二〇章後半〕をも参照。

(3) *Memoirs of the Duke of Rovigo* (London, 1828), Vol. I, Part II, p. 73.

(4) 外交官のいろいろな機能に関しては、第三一章を参照。

(5) *The New York Times*, May 4, 1966, p. 16.

(6) *The New York Times*, December 14, 1968, p. 2.

(7) "R. S. V. Politics," *Fortune*, February 1952, p. 120.(ここでの引用は、*Fortune* 誌の許可を得ている。Copyright Time Inc., 1952.)

(8) *New York Times*, December 19, 1947, p. 1; July 27, 1948, p. 1; February 4, 1949, p. 1.

(9) Ibid., July 1, 1946, p. 3.

(10) 第九、二三、三二章を参照。

(11) イギリス史上最大の二つの危機において、イギリスを救ったものは、少なくとも一部はイギリスのもっていた威信であったといってよいであろう。一七九七年、ヨーロッパ全体がナポレオンの支配下にあり、フランスが全力を傾注してイギリスを破滅させようとしていたとき、イギリス海軍に反乱が発生した。一時は、大陸とイギリス諸島との間にあった船舶のうち忠誠を示したのはわずか二隻であった。一九四〇―四一年の冬にも、イギリスは、全く異なった理由からであったが、同じように救い難い状態にあった。この二つの状況において、イギリスという名に込められていた畏怖が、物的な力の配分において非常に有利な立場にあった敵の攻撃を抑止する要因のひとつとなっていたのである。

(12) Hermann Rauschning, *The Voice of Destruction* (New York: G. P. Putnam's Sons, 1940), p. 71.

第七章

(1) イデオロギーという概念は、哲学的・政治的・道義的な信念という広い意味でよく使用されている。われわれは、イデオロギーのこの広い概念に関連する主題については、本書の後半で扱うことにする。本章で使用するイデオロギーの概念は、カール・マンハイムが「特殊イデオロギー」と呼んだものに相当する。Karl Mannheim, *Ideology and Utopia* (New York: Harcourt, Brace and Company, 1936), p. 49の次の引用をみよ。すなわち「イデオロギーという言葉が、敵対者の唱える見解や説明というものは信じられないということを言外に意味するとき、特殊イデオロギーが発生するといえよう。そうした見解や説明は、状況の客観的な性質を、多少なりとも意識的に隠蔽したものと考えられるのである。状況の本質をありのままに認識されることは、敵対者にとっては、みずからの不利益となる。このような事実の歪曲には、意識的な嘘からなかば意識されてはいるが故意とはいえない偽りに至るまで、また他人をだまそうと綿密に考えぬかれた企てから自己欺瞞に至るまで、さまざまな領域がある」。さらにp. 238の次の引用もみよ。すなわち、「イデオロギーの研究は、人間の利益集団の、とくに政党の、多少なりとも意識的な欺瞞と偽装とを暴露することを、その任務としてきた」。

（2）Epilogue, Part II, Chapter VII.〔原卓也訳『戦争と平和』（新集世界の文学19）、中央公論社、一九六八年、四六九―七〇ページ参考〕。

（3）九四ページ以下を参照。

（4）国民の士気の一般的問題については、三二一ページ以下を参照。

（5）Demosthenes, *For the Liberty of the Rhodians*, sections, 10–11.

（6）平和のイデオロギーの最近の変容については、二三九―四三ページを参照。また中巻一六〇ページと中巻二一五ページ以下をも参照。

（7）第二六章を参照。

（8）*The Decline and Fall of the Roman Empire* (The Modern Library Edition), Vol. II, p. 1235.〔村山勇三訳『ローマ帝国衰亡史』㈩、岩波書店、一九五九年、九五ページ参考〕。

（9）ドイツ、イタリア、日本は戦間期にその植民地要求を人口の圧力と経済的不況を口実に正当化したが、これが純粋にイデオロギー的な性格をもつものであったことは、当該国の人口・経済統計によってはっきり示されている。ドイツの四つのアフリカ植民地は九三万平方マイルに及び、一九一四年には、ほぼ一、二〇〇万の人口であったが、そのうち白人はわずか二万人にすぎなかった。ドイツ植民地全地域のドイツ人よりも多くのドイツ人が、パリの市街に住んでいることが当時指摘されている。エリトリアがイタリアの植民地となって五〇年間を経たころ居住に最適の二、〇〇〇平方マイルの領域においてさえイタリア人の住人は四〇〇人ほどであった。日本の植民地であった朝鮮と台湾が、四〇年間に吸収した人口は、日本の人口増加の一年分にも達してはいない。

本国に対する植民地の経済的重要性の実態については、ドイツとイタリアの場合、統計数値が雄弁に物語っている。ドイツ植民地からの輸入と植民地への輸出は、一九一三年には、全ドイツの輸出入の〇・五パーセントになった。一九三三年にイタリア植民地からの輸入はイタリアの輸入全体の一・六パーセントであったが、植民地への輸出はイタリアの輸出全体の七・二パーセントであった。この輸出の大部分は軍需品から成っていたにちがいない。日本の場合のみ、その植民地は経済的には最高に重要であり、一九三四年における植民地との貿易は全体の約二五パーセントにまでなっている(輸入全体の二三・一パーセント、輸出全体の二二パーセント)。Royal Institute of International Affairs, *The Colonial Problem* (London, New York, Toronto: Oxford University Press, 1937)の、とくにp. 287を参照。

(10) 反帝国主義のイデオロギーの変型として反権力政治のイデオロギーがある。このイデオロギーによると、他国家の政策は権力への欲望によって動機づけられているが、このような卑しい動機にとらわれていない自国は純粋に理想的な目標を追求するというわけである。

(11) さらに詳しい論議については、中巻一一〇ページ以下を参照。

(12) London *Times*, September 28, 1938.

（13）　軍縮の失敗の理由についての広範囲な検討については、第二三章を参照。

（14）　第一〇部を参照。

第三部

第八章

（1）　力の観点からみて大部分の労働大衆は、軍隊を除けば他のいかなる人口層よりも、民族主義的な対外政策から失うものは少なく、得るものは多いのである。

（2）　第三〇章も参照。

（3）　これらの組織や同類の組織については、下巻二七五ページ以下を参照。

（4）　下巻二六二ページ以下の論議も参照。

（5）　もちろん、これらの集団的感情は、国家内部でも同様に侵略性にはけ口を求める。すなわち、階級闘争、革命、内戦という形ではけ口を求めるのである。

（6）　過去においては、アメリカでの激しい民族主義的同一化は、中産階級の最も不安定な部分についてみると、黒人や最近のプロレタリア移住者の波のような、ある人種集団に対する敵対心とおもに結びついた。

(1) Denis Healey, *Neutralism* (London: Ampersand Ltd., 1955), p. 36 にならって引用。

(2) Ferdinand Friedensburg, *Die mineralischen Bodenschätze als weltpolitische und militärische Machtfaktoren* (Stuttgart: F. Enke, 1936), p. 175.

(3) 前の注を参照。

(4) *Economist*, May 24, 1947, p. 785. (Reprinted by permission of the publisher.)

(5) Felix Gilbert, "Machiavelli: The Renaissance of the Art of War," in *Makers of Modern Strategy*, edited by Edward Mead Earle (Princeton: Princeton University Press, 1944), pp. 8, 9 の説明を参照。

(6) *Winston Churchill's Secret Session Speeches* (New York: Simon and Schuster, 1946), pp. 53ff.

(7) 下巻六一ページ以下と比較せよ。

(8) 別に指摘のない場合には、人口数値のすべては *Population and Vital Statistics Report*. Series A, Vol. XXIX, No. 2 (United Nations Statistical Office, April 1, 1977) で報告された資料からの引用である。

(9) 一七七―八二ページを参照。

(10) 二七六―七ページと比較せよ。

(11) Samuel Taylor Coleridge, *Essays on His Own Times* (London: William Pickering, 1850),

Vol. II, pp. 668-9.

（12）　*German Philosophy and Politics*（New York: G. P. Putnam's Sons, 1942）の各所にある。

（13）　*Bismarck, the Man and the Statesman, being the Reflections and Reminiscences of Otto, Prince von Bismarck*, translated under the supervision of A. J. Butler（New York and London: Harper and Brothers, 1899）, Vol. I, p. 250.

（14）　*Time*, April 21, 1947, p. 32.（タイム〈Copyright Time, Inc., 1947.〉の許可を得て掲載）。

（15）　二二九ページを参照。

（16）　Leo Tolstoy, *War and Peace*, Part XIV, Chapter II.〔原卓也訳『戦争と平和』（新集世界の文学19）、中央公論社、一九六八年、二六〇―二ページ参考〕。

（17）　二五〇ページ以下を参照。

（18）　以下のページで使用されている「外交」という言葉は、最上級レヴェルから下級レヴェルに至るあらゆる次元における対外政策の形成と遂行を指している。ここで論じている主題については、第一〇部も参照。

（19）　*Economist*, May 24, 1947, p. 785.（Reprinted by permission of the publisher.）

（20）　われわれは、国民の士気の要件としての政府の質についてすでに述べておいた。三二七ページ以下を参照。

（21）　二七四―八ページを参照。

（22）　Alexis de Tocqueville, *Democracy in America*（New York: Alfred A. Knopf, 1945）, Vol. I, pp. 234-5.〔井伊玄太郎訳『アメリカの民主政治』下、講談社、一九七二年、二二四—五ページ参考〕。

(23) ダフ・クーパー氏として戦間期に内閣の重要な地位と政府の他の地位とについていたノーリッジ卿が、ネヴィル・チェンバレンについての彼の回想録〈*Old Men Forget*〈London: Hart-Davis, 1953〉〉のなかで次のようにいうとき、彼は世論に広がっている誤解および世論と政治の関係にふれているのである。「私には、首相のおもな誤りは、二つあるように思われる。首相は、世論とは『タイムズ』紙が自分にこうであると語るところのものだ、と信じている。また、首相は、保守党の意見は党首がこれであると語るところのものだと信じている」。不幸にして、世論の欲しているものはこれである、と誰かがいっていることを首相が受動的に受け入れること——こういったことは戦間期のイギリスにおいてだけではない——は、好ましい対外政策にとって主要な障害のひとつとなってしまった。

(24) この主題は、次のなかで詳細に検討されている。Hans J. Morgenthau, "The Conduct of Foreign Policy," *Aspects of American Government*, Sydney Bailey, editor (London: The Hansard Society, 1950), pp. 99 ff. および *In Defense of the National Interest* (New York: Alfred A. Knopf, 1951), pp. 221 ff.〔鈴木成高・湯川宏訳『世界政治と国家理性』創文社、一九五四年、二二四ページ以下〕。

(25) 中巻三五一ページ以下を参照。

(26) 中巻三四八ページ以下を参照。

第一〇章

(1)　力の永続性についての誤りを犯した現代の最もはなばなしい犠牲者はジェームズ・バーナムである。George Orwell, "Second Thoughts on James Burnham," *Polemic*, No. 3, May 1946, pp. 13ff.; "James Burnham Rides Again," *Antioch Review*, Vol. 7, No. 2, Summer 1947, pp. 315ff. を参照。

(2)　Robert W. Seton Watson, *Britain in Europe, 1789–1914* (New York: The Macmillan Company, 1937), p. 53.

(3)　Sir Halford J. Mackinder, *Democratic Ideals and Reality* (New York: Henry Holt and Company, 1919), p. 150.

(4)　孤立主義のイデオロギー的な含蓄と西半球の連帯は、歪められたあるいは空想的な地理的要因から対外政策の考え方を引きだすという点で、地政学と類似している。孤立主義の歪曲ということは、すでに本文で指摘されている。西半球の地理的統一の虚構性については次を参照。Eugene Staley, "The Myth of the Continents," in *Compass of the World*, edited by Hans W. Weigert and Vilhjalmur Stefansson (New York: The Macmillan Company, 1944), pp. 89–108.

(5)　三〇五ページ以下を参照。

(6)　こうした軍国主義の側面は、R. H. Tawney, *The Acquisitive Society* (New York: Harcourt, Brace and Company, 1920), p. 44 に次のように印象深く描かれている。

「軍国主義は、軍隊の特性ではなくて社会の特性を示している。その本質は、軍備のいかなる特定の質や規模でもなく、一個の精神状態である。この精神状態が、社会生活におけるある特定の要素に対して集中する場合、それが社会のすべての成員を支配するようになるまでみずからを高揚してついに決着をみるのである。ここでは軍隊が存在する目的は忘れられている。軍隊はそれ自体の権利によって存在し、そして、その存在に対しては何の正当化をも必要としないと考えられている。軍隊は、不完全な世界において必要な手段であるとみなされる代わりに、それなしには世界が不毛で退屈な場所であるかのように迷信的な崇拝の対象にまで高められる。そのため、政治制度、社会制度、知性、道徳、宗教は、ひとつの活動に合致するようにつくられた型に押し込められる。その活動は健全な社会では、警察や刑務所の維持や、下水道の清掃のような、副次的なものなのである。しかし、軍国主義国家においては、その活動は、社会それ自体の一種の神秘的なひな型なのである。」

「軍国主義は、………物神崇拝である。それは、以前は人間の魂の屈服であり、偶像を慰めるために身体を切り裂くことである。」(出版社の許可を得て掲載)。

(7) Edmund Burke, "Remarks on the Policy of the Allies with Respect to France," *Works*, Vol. IV (Boston: Little, Brown, and Company, 1899), p. 457.

〔編集付記〕

本書はハンス・J・モーゲンソー著『国際政治I――権力と平和』（現代平和研究会〔代表＝原彬久〕訳、福村出版、一九八六年五月刊行）を文庫化したものである。

（岩波文庫編集部）

モーゲンソー 国際政治《こくさいせいじ》―権力《けんりょく》と平和《へいわ》（上）〔全 3 冊〕

2013 年 8 月 20 日　第 1 刷発行
2015 年 5 月 15 日　第 3 刷発行

監訳者　原《はら》 彬《よし》久《ひさ》

発行者　岡本 厚

発行所　株式会社 岩波書店
〒101-8002 東京都千代田区一ツ橋 2-5-5

案内 03-5210-4000　販売部 03-5210-4111
文庫編集部 03-5210-4051
http://www.iwanami.co.jp/

印刷・三陽社　カバー・精興社　製本・中永製本

ISBN 978-4-00-340281-8　　Printed in Japan

読書子に寄す

——岩波文庫発刊に際して——

岩波茂雄

真理は万人によって求められることを自ら欲し、芸術は万人によって愛されることを自ら望む。かつては民を愚昧ならしめるために学芸が最も狭き堂宇に閉鎖されたことがあった。今や知識と美とを特権階級の独占より奪い返すことはつねに進取的なる民衆の切実なる要求である。岩波文庫はこの要求に応じそれに励まされて生まれた。それは生命ある不朽の書を少数者の書斎と研究室とより解放して街頭にくまなく立たしめ民衆に伍せしめるであろう。近時大量生産予約出版の流行を見る。その広告宣伝の狂態はしばらくおくも、後代にのこすと誇称する全集がその編集に万全の用意をなしたるか。千古の典籍の翻訳企図に敬虔の態度を欠かざりしか。さらに分売を許さず読者を繋縛して数十冊を強うるがごとき、はたしてその揚言する学芸解放のゆえんなりや。吾人は天下の名士の声に和してこれを推挙するに躊躇するものである。このときにあたって、岩波書店は自己の責務のいよいよ重大なるを思い、従来の方針の徹底を期するため、すでに十数年以前より志して来た計画を慎重審議この際断然実行することにした。吾人は範をかのレクラム文庫にとり、古今東西にわたって文芸・哲学・社会科学・自然科学等種類のいかんを問わず、いやしくも万人の必読すべき真に古典的価値ある書をきわめて簡易なる形式において逐次刊行し、あらゆる人間に須要なる生活向上の資料、生活批判の原理を提供せんと欲する。この文庫は予約出版の方法を排したるがゆえに、読者は自己の欲する時に自己の欲する書物を各個に自由に選択することができる。携帯に便にして価格の低きを最主とするがゆえに、外観を顧みざるも内容に至っては厳選最も力を尽くし、従来の岩波出版物の特色をますます発揮せしめようとする。この計画たるや世間の一時の投機的なるものと異なり、永遠の事業として吾人は微力を傾倒し、あらゆる犠牲を忍んで今後永久に継続発展せしめ、もって文庫の使命を遺憾なく果たさしめることを期する。芸術を愛し知識を求むる士の自ら進んでこの挙に参加し、希望と忠言とを寄せられることは吾人の熱望するところである。その性質上経済的には最も困難多きこの事業にあえて当たらんとする吾人の志を諒として、その達成のため世の読書子とのうるわしき共同を期待する。

昭和二年七月

《法律・政治》〔白〕

- 人権宣言集 — 高木八尺・末延三次・宮沢俊義 編
- 新版 世界憲法集 第二版 — 高橋和之 編
- 君主論 — マキァヴェッリ／河島英昭 訳
- フィレンツェ史 全二冊 — マキァヴェッリ／齊藤寛海 訳
- リヴァイアサン 全四冊 — ホッブズ／水田洋 訳
- 法の精神 全三冊 — モンテスキュー／野田良之・稲本洋之助・上原行雄・田中治男・三辺博之・横田地弘 訳
- 第三身分とは何か — シィエス／稲本洋之助・伊藤洋一・川出良枝・松本英実 訳
- 教育に関する考察 — ロック／服部知文 訳
- 完訳 統治二論 — ジョン・ロック／加藤節 訳
- アメリカのデモクラシー 全四冊 — トクヴィル／松本礼二 訳
- 犯罪と刑罰 — ベッカリーア／風早八十二・五十嵐二葉 訳
- ヴァジニア覚え書 — T・ジェファソン／中屋健一 訳
- リンカーン演説集 — 高木八尺・斎藤光 訳
- 権利のための闘争 — イェーリング／村上淳一 訳
- 法における常識 — P・G・ヴィノグラドフ／末延三次・伊藤正己 訳
- 近代国家における自由 — H・J・ラスキ／飯坂良明 訳
- 危機の二十年 —理想と現実 — E・H・カー／原彬久 訳
- ザ・フェデラリスト — A・ハミルトン・J・ジェイ・J・マディソン／斎藤眞・中野勝郎 訳
- マッツィーニ 人間の義務について — 齋藤ゆかり 訳
- モーゲンソー 国際政治 —権力と平和 全三冊 — 原彬久 監訳

《経済・社会》〔白〕

- ケネー 経済表 — 平田清明・井上泰夫 訳
- チュルゴオ 富に関する省察 — 永田清 訳
- 国富論 全四冊 — アダム・スミス／水田洋 監訳／杉山忠平 訳
- 道徳感情論 全二冊 — アダム・スミス／水田洋 訳
- コモン・センス 他三篇 — トーマス・ペイン／小松春雄 訳
- 人間の権利 — トマス・ペイン／西川正身 訳
- 経済学および課税の原理 全二冊 — リカードゥ／羽鳥卓也・吉澤芳樹 訳
- 農地制度論 — フリードリッヒ・リスト／小林昇 訳
- 戦争論 全三冊 — クラウゼヴィッツ／篠田英雄 訳
- 自由論 — J・S・ミル／塩尻公明・木村健康 訳
- 代議制統治論 — J・S・ミル／水田洋 訳
- 大学教育について — J・S・ミル／竹内一誠 訳
- ユダヤ人問題によせて ヘーゲル法哲学批判序説 — マルクス／城塚登 訳
- 経済学・哲学草稿 — マルクス／城塚登・田中吉六 訳
- 新編輯版 ドイツ・イデオロギー — マルクス・エンゲルス／廣松渉 編訳／小林昌人 補訳
- 共産党宣言 — マルクス・エンゲルス／大内兵衛・向坂逸郎 訳
- 賃労働と資本 — マルクス／長谷部文雄 訳
- 賃銀・価格および利潤 — マルクス／長谷部文雄 訳
- マルクス 経済学批判 — 武田隆夫・遠藤湘吉・大内力・加藤俊彦 訳
- マルクス 資本論 全九冊 — エンゲルス 編／向坂逸郎 訳
- フランスの内乱 — マルクス／木下半治 訳
- 文学と革命 全二冊 — トロツキイ／桑野隆 訳
- ドイツ農民戦争 — エンゲルス／大内力 訳
- 空想より科学へ —社会主義の発展 — エンゲルス／大内兵衛 訳
- 帝国主義 — レーニン／宇高基輔 訳
- 暴力論 全二冊 — ソレル／今村仁司・塚原史 訳
- ローザ・ルクセンブルク 経済学入門 — 岡崎次郎・時永淑 訳
- 雇用、利子および貨幣の一般理論 全二冊 — ケインズ／間宮陽介 訳
- 価値と資本 —経済理論の若干の基本原理に関する研究 全二冊 — J・R・ヒックス／安井琢磨・熊谷尚夫 訳

シュムペーター 経済発展の理論 全二冊 塩野谷祐一・中山伊知郎・東畑精一訳
踏査報告 窮乏の農村 猪俣津南雄
恐慌論 宇野弘蔵
ユートピアだより ウィリアム・モリス 川端康雄訳
世界をゆるがした十日間 全二冊 ジョン・リード 原光雄訳
古代社会 全二冊 L・H・モルガン 青山道夫訳
アメリカ先住民のすまい L・H・モーガン 古代社会研究会訳 上田篤監修
ゲマインシャフトとゲゼルシャフト —純粋社会学の基本概念 全二冊 テンニエス 杉之原寿一訳
理解社会学のカテゴリー マックス・ウェーバー 林道義訳
社会科学と社会政策にかかわる認識の「客観性」 マックス・ヴェーバー 富永祐治・立野保男訳 折原浩補訳
プロテスタンティズムの倫理と資本主義の精神 マックス・ヴェーバー 大塚久雄訳
職業としての学問 マックス・ウェーバー 尾高邦雄訳
社会学の根本概念 マックス・ヴェーバー 清水幾太郎訳
職業としての政治 マックス・ヴェーバー 脇圭平訳
古代ユダヤ教 全三冊 マックス・ヴェーバー 内田芳明訳
未開社会の思惟 全二冊 レヴィ・ブリュル 山田吉彦訳
宗教生活の原初形態 全二冊 デュルケム 古野清人訳

社会学的方法の規準 デュルケム 宮島喬訳
通過儀礼 ファン・ヘネップ 綾部恒雄・綾部裕子訳
マッカーシズム R・H・ローヴィア 宮地健次郎訳
世論 全二冊 リップマン 掛川トミ子訳
天体による永遠 オーギュスト・ブランキ 浜本正文訳
王権 A・M・ホカート 橋本和也訳
鯰絵 —民俗的想像力の世界 C・アウエハント 小松和彦・中沢新一・飯島吉晴・古家信平訳

《自然科学》〔青〕

科学と仮説 ポアンカレ 河野伊三郎訳
改訳 科学と方法 ポアンカレ 吉田洋一訳
エネルギー オストヴァルト 山県春次訳
光学 ニュートン 島尾永康訳
星界の報告 他一篇 ガリレオ・ガリレイ 山田慶児・谷泰訳
ロウソクの科学 ファラデー 竹内敬人訳
種の起原 全二冊 ダーウィン 八杉龍一訳
近代医学の建設者 メチニコフ 宮村定男訳
完訳 ファーブル昆虫記 全十冊 山田吉彦・林達夫訳

増訂新版 アルプス紀行 ジョン・チンダル 矢島祐利訳
数について —連続性と数の本質 デーデキント 河野伊三郎訳
物質と光 ルイ・ドゥ・ブロイ 河野与一訳
アインシュタイン 相対性理論 内山龍雄訳・解説
家畜系統史 コンラット・ケルレル 加茂儀一訳
近世数学史談 高木貞治
ハッブル 銀河の世界 戎崎俊一訳
パロマーの巨人望遠鏡 全二冊 D・O・ウッドベリー 関正雄・湯澤博・成相恭二訳
生物から見た世界 ユクスキュル クリサート 日高敏隆・羽田節子訳
ゲーデル 不完全性定理 林晋 八杉満利子訳
日本の酒 坂口謹一郎
生命とは何か —物理的にみた生細胞 シュレーディンガー 岡小天・鎮目恭夫訳
行動の機構 —脳メカニズムから心理学へ 全二冊 D・O・ヘッブ 鹿取廣人・金城辰夫・鈴木光太郎・鳥居修晃・渡邊正孝訳
ウィーナー サイバネティックス —動物と機械における制御と通信 池原止戈夫・彌永昌吉・室賀三郎・戸田巌訳

岩波文庫の最新刊

ブルガーコフ／水野忠夫訳
巨匠とマルガリータ（上）
春のモスクワ、首は転がり、黒猫はしゃべり、ルーブル札が雨と降る。二十世紀ロシア最大の奇想小説、物語の坩堝《るつぼ》へようこそ――「私につづけ、読者よ。」（全二冊）〔赤六四八―一〕　本体一〇二〇円

宮崎市定
中国史（上）
上巻では歴史とは何かを問い、主な時代区分論を紹介し、古代から最近世までそれぞれの時代の特徴を述べて、夏殷周から唐五代に至る歴史を概観する。（全二冊）〔青一三三―一二〕　本体九〇〇円

文語訳 旧約聖書 I 律法
文語訳版旧約聖書を、「律法」「歴史」「諸書」「預言」の四冊に収める。第一冊には、「創世記」「出エジプト記」「レビ記」「民数紀略」「申命記」を収録。（全四冊）〔青八〇三―四〕　本体一〇八〇円

プルースト／吉川一義訳
失われた時を求めて 8 ソドムとゴモラ I
悪徳と罪業の都市ソドムとゴモラ。本篇に入り、いよいよ本格的に同性愛のテーマが展開される。「私」はアルベルチーヌに同性愛の疑いを抱くが…。（全一四冊）〔赤N五一一―八〕　本体一〇八〇円

高井としを
わたしの「女工哀史」
『女工哀史』の著者細井和喜蔵の妻高井としをの自伝。事実上の共作者として夫の執筆を支えた。ヤミ屋や日雇いで働き、闘った生涯の記録。（解説＝斎藤美奈子）〔青N一一六―一〕　本体七八〇円

今月の重版再開

清岡卓行編
金子光晴詩集
本体九四〇円〔緑一三二―一〕

W・S・モーム／西川正身訳
世界の十大小説（上）（下）
本体七八〇・八四〇円〔赤二五四―四・五〕

松村一人訳
レーニン 哲学ノート（上）（下）
本体七八〇・八四〇円〔白一三四―七・八〕

定価は表示価格に消費税が加算されます　2015. 5.